SCIENCES, CHERCHEURS ET AGRICULTURE

Pour une histoire

de la recherche agronomique

Collection Histoire des sciences. Série Etudes

dirigée par
Gilles DENIS, Marie-José DURAND-RICHARD, Sophie ROUX

Cette collection se propose d'enrichir la bibliographie en histoire des sciences, de faciliter la circulation de documents utiles et de donner plus de publicité à des études sérieuses mais plus ou moins confidentielles. Elle ne privilégie pas une orientation historiographique particulière mais prend acte de la diversité des approches en histoire des sciences, depuis la philosophie jusqu'à la sociologie des sciences, à condition que la dimension historique ait une place prépondérante. Elle se compose de trois séries :

1) La première série, ***Sources***, est consacrée à des rééditions d'ouvrages, sources classiques ou textes plus rares, qu'il s'agisse de sciences ou d'histoire des sciences.

2) La seconde série, ***Études***, rassemble des études nouvelles en histoire des sciences, notamment des thèses et des collectifs issus de séminaires ou de colloques.

3) La troisième série, ***Anthologies***, est destinée à des anthologies sur un thème précis (notion scientifique, catégorie historiographique, approche méthodologique) ou, éventuellement, recueillant les textes d'un auteur sur un problème bien déterminé.

Cette série rassemble des études nouvelles en histoire des sciences, notamment des thèses et des collectifs issus de séminaires ou de colloques.

L'analogie dans la démarche scientifique. Perspective historique.
Marie-José DURAND-RICHARD (sous la direction de)

Retours sur l'affaire Sokal.
Sophie ROUX (sous la direction de)

Sous la direction de

Christophe BONNEUIL, Gilles DENIS, Jean-Luc MAYAUD

SCIENCES, CHERCHEURS ET AGRICULTURE

Pour une histoire

de la recherche agronomique

Éditions Quæ L'Harmattan

c/o Inra, RD 10,
78026 Versailles Cedex

ISBN : 978-2-7592-0274-4

5-7, rue de l'École-Polytechnique ; 75005 Paris

http://www.librairieharmattan.com
diffusion.harmattan@wanadoo.fr
harmattan1@wanadoo.fr

ISBN : 978-2-296-07393-7
EAN : 9782296073937

PRÉFACE

Bernard HUBERT[1], Raphaël LARRÈRE[2]

« Sciences, chercheurs & agriculture – Pour une histoire de la recherche agronomique » : réalisé sous la direction de Christophe Bonneuil, Gilles Denis et Jean-Luc Mayaud, cet ouvrage, co-édité par les éditions Quæ et l'Harmattan (collection Histoire des sciences), est issu d'une journée organisée à l'occasion des soixante ans de l'Inra. L'idée de cette journée avait été d'appréhender depuis la fin du XIXe siècle, les interactions entre les dynamiques de la recherche scientifique et de l'innovation technique d'une part et les transformations de l'agriculture, du monde rural, de l'environnement et de l'alimentation de l'autre. Y ont participé des chercheurs spécialisés dans l'histoire sociale des sciences et des techniques, mais aussi des spécialistes d'histoire rurale. Telle fut la qualité de ces interventions, que le Comité d'histoire de l'Inra, qui se trouvait à l'initiative de la journée, a décidé de mandater trois de ses membres pour transformer une série de bons exposés en authentique ouvrage, qui soit à la fois un plaidoyer pour une histoire sociale des sciences et des techniques agronomiques (au sens large) et qui puisse donner un aperçu du champ couvert par les recherches actuelles. Ils ont été appuyés pour cette réalisation par la rigueur, le sens de l'organisation et les capacités de facilitation d'Anne-Marie Gogué, à qui cet ouvrage doit beaucoup et nous tenons, ici, à l'en remercier expressément.

Constitué en 2005 à notre initiative (l'un d'entre nous assurait alors la direction scientifique « Société, économie et décision » de l'Inra, et l'autre a

---

[1] Bernard Hubert, directeur de recherche Inra, directeur d'études EHESS, directeur de l'IFRAI Inra/Cirad (Initiative française pour la recherche agronomique internationale), vice-président du Comité d'histoire, <bernard.hubert@avignon.inra.fr>

[2] Raphaël Larrère, directeur de recherche Inra, président du Comité d'histoire de l'Inra, <raphael.larrere@ivry.inra.fr>

accepté de le présider), le Comité d'histoire de l'Inra[3] a pour mission d'initier des recherches sur l'histoire des sciences et des techniques en rapport avec la mise en valeur agricole ou forestière, l'environnement, mais aussi avec la transformation des produits agricoles et l'alimentation. Il se propose dans ce cadre de donner du sens aux évolutions scientifiques et institutionnelles qu'a connues l'Inra en replaçant son histoire, celle de ses activités et de ses agents dans l'histoire de la recherche scientifique des pays développés, mais aussi dans l'histoire des transformations de l'espace rural, de l'agriculture et de l'agroalimentaire. Il vise également à éclairer certaines des orientations actuelles des recherches de l'Institut par une approche historique plus longue. Les recherches que nous espérons ainsi stimuler peuvent exploiter, entre autres sources, les archives écrites de l'Inra, qui commencent à être classées, répertoriées et confiées au Centre national des archives contemporaines pour les trois Centres Inra d'Île-de-France. Elles peuvent aussi bénéficier du corpus d'Archorales. Dans l'esprit de son initiateur, Denis Poupardin, persuadé « que la place qui serait reconnue plus tard à un organisme de recherche dans l'histoire des sciences risquait fort d'être déterminée *in fine* par le soin qu'il aurait mis à conserver et à classer ses propres archives », l'objectif de la mission baptisée « Archorales » a été la constitution d'archives orales de l'Inra. La collecte des entretiens et leurs transcriptions ont débuté il y a une douzaine d'années. Avec quelques 300 entretiens, Archorales est considéré par tous les spécialistes comme un fonds patrimonial de grande valeur, tant par sa qualité que par le nombre d'heures d'enregistrements (plus de 700), ce qui a entraîné le versement du fonds de la période 1994-2004 au Centre National des Archives Contemporaines des Archives nationales à Fontainebleau. Compte tenu de l'état de ces sources, le Comité a pour objectif d'identifier des thèmes et des projets réalisables, et de les proposer à des étudiants en Mastère 2 ou en thèse (avec engagement financier de l'Institut).

En 2006, à l'occasion du soixantième anniversaire de l'Inra, le Comité a tenu à organiser les 24 et 25 Octobre, deux journées ouvertes aux chercheurs et agents d'accompagnement de la recherche des Centres d'Île-de-France.

---

[3] Ce comité est composé de trois « collèges ».

- **Des historiens professionnels** : Serge Aberdam, Gérard Béaur, Christophe Bonneuil, Thérèse Charmasson, Gilles Denis, Nathalie Jas, Gilles Laferté, Jean-Luc Mayaud et François Sigaut ;
- **Des personnalités de l'Inra** souvent proches de la retraite quand ils n'y sont pas déjà : Claude Béranger, Philippe Evrard, Anne-Marie Gogué, Bernard Hubert, Philippe Lacombe, Raphaël Larrère, Didier Picard, Paul Robin, Bernard Sauveur ;
- **Des acteurs de l'archivage et d'Archorales** : Fanny Audous, Arnaud de Castelbajac, Michelle Cussenot, Christian Galant, Christine Pétillat.

Ayant eu à cœur de faire en sorte que ces journées ne dérivent pas en commémoration, nous avons consacré la première à des débats sur le thème « Les chercheurs ont-ils besoin d'histoire ? ».[4] La seconde fut cet atelier où nous avions demandé à des historiens de venir exposer les travaux qu'ils avaient effectués ou qu'ils avaient en chantier sur le thème « sciences, agriculture, environnement et société en France au XXe siècle ». Cette seconde journée fut à la fois enrichissante et frustrante, comme en témoigne et la qualité des chapitres de cet ouvrage, et le désir d'en savoir plus qui vous prend lorsque vous en avez achevé la lecture. C'est que l'histoire des sciences et des techniques agronomiques est encore hélas trop peu développée en France. Espérons que cet ouvrage, comme les autres initiatives du Comité, contribueront à susciter des vocations.

[4] La conférence faite par Michel Morange, en introduction de cette journée, a été publiée aux éditions Quæ : Michel Morange, *A quoi sert l'histoire des sciences ?*, Editions Quæ, 2008 (Sciences en Questions)

POUR UNE HISTOIRE DES ACTEURS ET DES INSTITUTIONS DES SCIENCES ET TECHNIQUES DE L'AGRICULTURE ET DE L'ALIMENTATION

Christophe BONNEUIL, Gilles DENIS et Jean-Luc MAYAUD

« Le progrès doit-il être obligatoire ? » s'interrogeait René Dumont en 1946, année de création de l'Institut national de la recherche agronomique (Inra), dans *Le problème agricole français*. Évoquant une loi japonaise rendant obligatoire l'usage d'engrais, l'agronome pesait l'intérêt de « faire intervenir la législation pour la généralisation de quelques progrès techniques incontestables, dont la vulgarisation par persuasion s'avère d'une lenteur dangereuse pour la survivance de notre agriculture. » Il concluait finalement sa réflexion en jugeant préférable « d'obtenir la collaboration active des élites rurales, de la représentation professionnelle agricole, pour éveiller au sein de notre paysannat la mystique du progrès technique »[1]. Cependant la question témoigne de l'articulation en cours de structuration entre un État qui, dans le contexte de la reconstruction de l'économie nationale, se pose en entrepreneur de progrès agronomique, des chercheurs invités à fournir les schèmes justificatifs et les prescriptions pratiques et un monde agricole qui, après l'échec de la corporation vichyste, se réinvente comme « profession » en embrassant le progrès technique et en conquérant la cogestion. Ayant fait la preuve de sa puissance dans l'industrie et dans la guerre, mais aussi dans le modèle de l'agriculture américaine, « la science » pouvait apparaître comme le *deus ex machina* permettant de réaliser enfin la transition entre un passé qui n'en finissait pas de passer (la « tradition ») et un avenir forcément radieux (la « modernisation »).

Après guerre, l'expansion de la recherche agronomique publique semblait aller de soi, elle pouvait incarner un « sens de l'histoire ». Au delà de sa

[1] Dumont, *Le problème agricole français*, pp. 215-217.

fonction de productrice de nouveaux objets et normes techniques, la recherche publique jouait un rôle plus large de ciment d'un compromis social autour de la modernisation, d'un modèle productif dit productiviste, associé à une forme sectorielle de pilotage de l'agriculture[2]. Pour répondre aux objectifs fédérateurs de l'époque – nourrir la France, augmenter la production et les rendements, faire de l'agriculture un secteur d'une économie moderne intégrée – le « progrès » en agriculture prenait la forme d'un modèle d'intensification en intrants et en capital, de spécialisation monofonctionnelle des unités socioéconomiques de production[3], et de diffusion de l'innovation depuis les laboratoires vers les champs et les étables.

Malgré quelques voix discordantes marginales[4], l'idée semblait s'imposer, y compris chez les analystes critiques de la rationalisation

---

[2] Sur le « modèle productif productiviste », terme proposé et qualifié par l'École de la régulation, et la place des sciences et des techniques dans son pilotage et sa légitimité, voir Allaire « Émergence d'un nouveau système productif » ; Muller, *Le technocrate et le paysan* ; Bonneuil et Hochereau « Gouverner le "progrès génétique" ». Sur la place plus large de la science et la technique dans le consensus modernisateur d'après-guerre voir Frost, « The flood of progress » et « La technocratie au pouvoir » ; Pestre, « Les physiciens dans les sociétés occidentales » ; Hecht, *Le rayonnement de la France* ; Wievorka « Charles de Gaulle, la technique et les masses » ; Bonneuil « Les transformations des rapports entre sciences et société ».

[3] Avec le succès que l'on sait, tant dans les productions animales que végétales, qui dépassent les besoins dès la fin des années 1960 (voire le début des années 1950 pour le blé).

[4] Un premier type de regard critique sur la modernisation agricole des « Trente glorieuse » est apportée par l'environnementalisme naissant dès les années 1950, qui n'a malheureusement presque pas fait l'objet de travaux historiques en France. Voir par exemple Charvolin et Bonneuil, « Entre écologie et écologisme », sur l'engagement de naturalistes dans les années 1950 contre la mise en valeur rizicole de la Camargue et l'usage croissant des pesticides (avant même la traduction en français de l'ouvrage de Rachel Carson, *Silent Spring*, en 1963). Voir aussi les écrits du titulaire de la première chaire d'écologie française, toujours au Muséum : « Mais la science n'a pas toujours la main heureuse. Elle a donné le jour à de nouveaux excès qu'elle présentait comme panacées : les engrais minéraux devaient suffire à nourrir le sol ; on pouvait donc se débarrasser de la matière organique » (Kuhnholtz-Lordat, *L'Écran vert*, p. 15). Ces réserves s'expriment aussi au sein de l'Inra, lorsque le ministre Edgard Pisani avance en 1964 devant le conseil scientifique que « L'intervention des résultats techniques de la recherche entraîne des modifications profondes des conditions de culture, des microclimats, des équilibres entre le parasite et l'antiparasite, entre le parasite et son hôte, etc. L'homme en outre, est un redoutable 'parasite', il n'a plus qu'un lien occasionnel avec la campagne et peut, par son comportement, détruire le cadre même de son repos. Ces considérations mettent en cause la totalité des aspects de notre connaissance ». *Procès-verbal du Conseil d'administration du 13 mai 1964*, pp. 3-4.
Un deuxième type de regard critique, dans les sciences sociales cette fois, prolongeant mais aussi rompant avec le travail de Mendras, est offert par les travaux de Michèle Salmona. Celle-ci lance en 1966 avec l'Association française pour l'étude de la productivité et des organismes professionnels agricoles une série d'étude sur les cultures techniques (et

capitaliste, que plus de « science », plus d'encadrement technique et de division du travail, conduiraient à des pratiques agricoles plus efficaces et productives, qui seraient enfin libérées de la gangue de l'empirisme.

LE PROGRÈS A-T-IL UNE HISTOIRE ?

Le « progrès » n'est plus ce qu'il était. La « modernisation » de l'agriculture a perdu peu à peu, depuis la fin des années 1970, l'évidence qu'elle revêtait après la Seconde Guerre mondiale, lorsque les scientifiques se voyaient octroyer un espace institutionnel propre – le jeune Institut national de la recherche agronomique (Inra) – au sommet d'une vaste infrastructure d'encadrement. De même que, ces dernières décennies, le capitalisme financier est venu par sa quête de désintensification en capital de la création de valeur, ébranler le capitalisme de régime fordiste qui dominait les « trente glorieuses », le modèle agricole d'après-guerre et sa cristallisation dans le cadre de la Politique agricole commune (PAC)[5] se sont trouvés remis en cause par la critique des coûts masqués du productivisme, la contestation du caractère stratégique du potentiel productif national et les appels à la multifonctionnalité, à la différentiation des qualités ou à la « modernisation écologique » de l'agriculture (tout récemment autour du concept d'agriculture « à haute valeur environnementale » ou « écologiquement intensive »). Ces nouveaux mots d'ordre ont fait perdre au modèle d'après-guerre l'évidence que lui attribuaient les acteurs, chercheurs en sciences humaines et sociales inclus, et mettent en saillance la pluralité des formes possibles de « modernisation » rurale.

En somme, on s'aperçoit que le « progrès » agricole a une histoire. Le sens et la nature de ce « progrès », pendant un temps essentiellement

économiques) « spontanées », c'est-à-dire non prescrites par les agents de développement. Les savoirs techniques des acteurs de l'agriculture ne sont enfin plus analysés en creux comme récepteurs du progrès scientifique, mais en plein, avec la notion organisatrice de « mètis » empruntée à Jean-Pierre Vernant et une sensibilité aux multiples rapports possibles à l'objet vivant/technique apportée par Simondon et Haudricourt. Dès lors, ces savoirs techniques « spontanés » ne sont plus renvoyés au passé mais vus comme éléments d'une « réflexion sur le travail dans une société 'différente' à venir » (Salmona, « La culture économique et technique », p. 49). Et la mise en symétrie de ces cultures techniques et des savoirs et normes des prescripteurs du développement agricole permet alors aux sciences sociales de saisir la situation de rencontre non comme une diffusion, mais comme une situation de conflit de rationalités, comme un enjeu de domination culturelle, de dépossession, de mise en risque – voire de souffrance.

[5] Sur la crise du modèle productiviste d'après-guerre, vu comme un avatar du fordisme dans le secteur agricole, voir notamment l'approche de l'école de la régulation proposée par Allaire et Boyer, *La grande transformation de l'agriculture*.

négociés dans les arènes restreintes d'une gouvernance sectorielle associant représentants de l'État et de la recherche publique et représentants dominants de la profession, suscitent à présent d'intenses controverses entre des acteurs divers et dans des arènes multiples. L'éclatement des régulations est patent depuis le début des années 1980 : l'État et la « profession » sont de plus en plus confrontés aux régulations par le marché mondial, par l'Organisation mondiale du commerce (OMC), par les transformateurs et les distributeurs, par les choix qualitatifs des consommateurs, par l'Union européenne, par les collectivités régionales et locales, par les collectifs autour des indications géographiques, *etc*. Cette réouverture conjoncturelle du champ des possibles ne peut manquer d'interroger, par contrecoup, l'historien sur la spécificité, conjoncturelle elle aussi, des configurations d'après-guerre et du rôle particulier qu'y joua la recherche. La prolifération des controverses sur l'alimentation et l'agriculture (pesticides, lisier, vache folle, OGM, agrocarburants, *etc*.) dans l'ensemble du corps social, qui semble trancher avec l'apparente adhésion d'après-guerre à des pratiques agricoles et alimentaires homogènes et à un impératif de « modernisation » largement partagé et sectoriellement gouverné, doit également interroger l'historien sur les processus de construction de l'accord et de la confiance entre producteurs, « experts » et consommateurs.

Rien ne laisse penser en effet que l'agriculture des années 1945-1965, moins controversée dans le débat public que celle des années 2000, ait été intrinsèquement (et inconsciemment) plus « respectueuse » de l'environnement ou plus « rationnelle » (libération de gaz à effet de serre par la disparition des prairies permanentes, perte de biodiversité liée au recul des haies et à la simplification des rotations, essor de l'usage des pesticides, « empoisonnement » des sols par les produits cupriques, croisements interspécifiques de plantes utilisant, bien avant les organismes génétiquement modifiés (OGM) si décriés, des agents chimiques pour manipuler le nombre de chromosomes, *etc*.). Et l'on rappellera que le début du 20e siècle avait déjà connu, avec des « affaires » liées à la qualité du lait ou à la fraude sur les vins, une première crise de confiance dans la filière agroalimentaire – visant certes principalement les « intermédiaires », mais sans épargner toujours les producteurs eux-mêmes. Enfin, les tensions particulièrement vives autour du marché noir sous l'occupation allemande rappellent que l'opinion publique n'établit pas une frontière étanche entre caractères moraux, légaux et sanitaires des pratiques, et que l'idéalisation des « petits producteurs » n'est pas une constante historique. La rupture du compromis agrarien après 1945 et la conversion de cette « opinion » à la normalisation industrielle des produits de l'agriculture doivent être comprises sous cet angle aussi. Y compris dans la mise en mémoire longue des représentations positives et négatives de l'agriculture, dotées d'une labilité suffisante pour être opportunément requalifiées dans les rapports de force du moment : l'« agriculteur pollueur » est-il si différent du « paysan crasseux » du siècle précédent ? Et le « scientifique » qui manipule les gènes est-il considéré sous un œil différent du médecin ou du vétérinaire promouvant la vaccination à la fin du 19e siècle ? Le pur et l'impur, le simple et l'hybride, le sacré et le profane dans leur rapport au vivant obéissent à une économie symbolique et à des dynamiques temporelles bien plus complexes que ce qu'a tenté d'imposer le « grand récit » du « progrès ».

Une question centrale qui est posée à l'historien est donc bien celle de l'explicitation des processus instaurant des consensus, des alignements, ou au contraire des zones de tensions, entre d'une part des « sciences » et une « agriculture » constituées à la fois par leur propre mouvement et par le regard des autres institutions sociales, et d'autre part la « société » comme agrégat insaisissable d'acteurs, d'intérêts, de représentations, *etc.* Au gré des « crises », des « affaires » et des controverses de ces dernières années, cette question est posée aussi bien par les dirigeants de la recherche agronomique[6] et de la profession agricole, sans doute soucieux de reconquérir une légitimité publique ébranlée, que par les promoteurs d'alternatives agronomiques, qui s'interrogent sur les responsabilités et les héritages d'orientations passées de la recherche et de l'innovation[7].

Ces évolutions de l'« air du temps » et des demandes sociales en un demi-siècle ne manquent pas d'influer sur les programmes et les orientations de recherche des sciences humaines et sociales, et des historiens en particulier. La recherche, pas plus dans les sciences dites « dures » qu'en histoire où l'on s'intéresse à des objets du passé, n'est en dehors de son temps. Une chose frappe à la lecture des bibliographies publiées par la revue *Ruralia* ces dernières années : la prégnance, dans les travaux contemporains, du thème (pris comme objet explicite ou comme *stimulus* non problématisé d'un regard rétrospectif) des tensions et négociation entre les évolutions récentes de l'agriculture, l'alimentation et les aspirations ou représentations de la société. On notera tout particulièrement l'essor de travaux sur l'histoire et la sociologie des risques et peurs alimentaires, de la construction de la qualité et des normes, de la protection de la « nature » (loup, biodiversité, *etc.*) et des impacts environnementaux des activités agricoles, de la question

---

6 Cet ouvrage lui-même constitue le fruit de la création récente d'un Comité d'histoire à l'Inra.

7 Pour un usage légitimant de l'histoire de la recherche agronomique, on consultera par exemple : Cranney, *Inra. 50 ans d'un organisme de recherche*, ou Gay, *Fabuleux maïs* ; pour un usage dénonciateur, voir par exemple Berlan, « Recherche agronomique » ou Nicolino et Veillerette, *Pesticides. Révélation sur un scandale français*. Cette bi-catégorisation que nous établissons ici en fonction des projets normatifs des auteurs n'ayant rien à voir avec la qualité de leur travail descriptif et explicatif.

territoriale ou des paysages, *etc*. Par contraste, les recherches d'il y a un demi-siècle semblaient obnubilées, dans une lecture linéaire de la temporalité historique, par les déterminants de la résistance ou de l'adoption, par les agriculteurs, du « progrès technique » – en somme, par les conditions de leur voie particulière d'entrée dans la « modernité ».

Si l'écueil du réductionnisme macro-social dominant chez les héritiers d'Ernest Labrousse et de la sociologie rurale d'après-guerre était de restreindre le rural à l'agricole et l'agricole à une rationalité technico-économique, celui des recherches actuelles pourrait bien être, à l'extrême inverse, une forme de holisme du regard des sciences humaines et sociales sur le rural privilégiant l'observation des fonctions environnementales dégagées par les sciences biotechniques, dans une réinvention paradoxale, « naturalisée » en quelque sorte, du « bloc agraire » gramscien. Ce regard pourrait alors confiner à un alignement sur l'entreprise technocratique d'éco-normalisation de l'agriculture, dans laquelle les agriculteurs resteraient la classe-objet dénoncée par Pierre Bourdieu en 1977[8]. Aussi convient-il de se garder d'une historiographie « évolutionniste » des études rurales, qui se bercerait de l'illusion d'un progrès de la connaissance des mondes ruraux et agricoles par l'élargissement de regards partiels et biaisés vers une science plus vaste et plus solide. Au contraire, on considérera comme une bonne nouvelle la généralisation du « doute » qui a saisi les études socio-historiques sur les rapports entre science, agriculture et alimentation, dans ce contexte de « dénaturalisation » du « progrès » que nous venons d'évoquer, ouvrant enfin la possibilité d'une rencontre effective entre les études rurales d'une part, et les études sociales et culturelles des sciences et des techniques d'autre part.

DE LA CHRONIQUE DU PROGRÈS TECHNIQUE À L'HISTOIRE DES POSSIBLES SOCIO-TECHNIQUES

Si les historiens des *Annales* et leurs continuateurs de la génération structuraliste surent porter un regard distancié sur les imaginaires aussi bien que sur les cultures matérielles dans la « longue durée » des siècles passés, ils se montrèrent plus défaillants dans l'analyse, proposée très tôt par Jürgen Habermas[9] dans une optique sociologique ou par Jacques Ellul et Cornélius

[8] Bourdieu, « Une classe objet ».

[9] Habermas, *La technique et la science comme « idéologie »*.

Castoriadis[10] dans une lecture plus politique, de la « modernisation » et de la rationalité techno-scientifique de leur siècle.

Emportés par le *credo* du « progrès » le long d'une voie unique et inéluctable, celle d'une rationalisation par la purification des objets de l'activité humaine, validée tant par les libéraux que par les marxistes et confortée par le réductionnisme macro-statistique qu'ils appliquaient à leurs données, les historiens de ces générations ne considérèrent pas comme de leur responsabilité d'interroger les évolutions les plus contemporaines, et déléguèrent longtemps l'étude de la « modernisation agricole » du 20e siècle à des économistes, des sociologues et des géographes. En témoigne le choix des auteurs du dernier tome de l'*Histoire de la France rurale* paru en 1976[11], alors même que des travaux pionniers avaient commencé à investir la première moitié du 20e siècle avec les outils propres de la méthode historique[12].

Les études ruralistes des décennies d'après la Seconde Guerre mondiale mettaient généralement en scène un face à face du « paysan » et du « progrès technique », ce dernier désigné, au singulier, comme une sorte de « boîte noire »[13]. Plusieurs bilans historiographiques récents ont pointé ce jeu d'opposition binaire des travaux de cette période : entre passé et avenir (impliquant un partage du travail entre une ethnologie s'intéressant aux « traditions » et une sociologie prenant la modernisation comme objet) ; entre « obscurité » des pratiques empiriques et « lumières » de la science ; entre les derniers jours d'une civilisation agraire vieille de plus d'un millénaire (et apparaissant singulièrement stable au regard de la mutation étourdissante du moment) et l'entrée dans la modernité technique et économique ; et enfin, entre politique agrarienne de maintien de l'agriculture de peuplement, et politique volontariste de développement et d'ouverture au marché[14]. Retraçant son itinéraire, Henri Mendras décrivait ainsi en 1995 l'atmosphère intellectuelle des sciences humaines et sociales d'après-guerre : « Nous sentions que le monde entier entrait dans une mue profonde [...].

---

[10] Castoriadis parle de manière très suggestive de la rationalité technicienne comme « forme historique de l'imaginaire ». Castoriadis, *L'institution imaginaire de la société*, p. 219.

[11] Gervais, Jollivet et Tavernier, *La fin de la France paysanne*.

[12] Barral, *Les agrariens français* ; Garrier, *Paysans du Beaujolais et du Lyonnais* ; Pech, *Entreprise viticole et capitalisme en Languedoc*, etc.

[13] Voir notamment Faucher, *Le paysan et la machine* ; Mendras, *La fin des paysans* ; Bodiguel, *Les paysans face au progrès*.

[14] Gavignaud-Fontaine, *La révolution rurale dans la France contemporaine* ; Cornu et Mayaud, « L'agrarisme, question d'histoire urbaine ? » ; Laferté et Renahy, « Tradition, modernisation, domination » ; Rogers, « Natural histories » ; Cornu et Mayaud, « Le temps retrouvé de l'agrarisme ? ».

Cette tension entre tradition et modernité se trouve comme le ressort commun de toutes nos recherches de l'époque [...]. On était à la recherche d'un Homme nouveau »[15].

L'hypothèse que nous voulons proposer ici est celle du rôle majeur d'une réification de la technique dans cette dramaturgie binaire, d'une science et d'une technique définies comme hors de l'histoire, et la déterminant cependant de toute la force de leur « évidence », dans un discours de la fatalité censé aider à la justification d'une mise aux normes particulièrement brutale d'un groupe social entier.

Bien que s'éloignant vite, avec Henri Mendras, du modèle diffusionniste simple, les sciences humaines et sociales des années 1950 à 1970 ne franchirent jamais le pas de considérer les savoirs scientifiques et techniques comme des constructions sociales situées, dont le contenu et le succès (ou l'échec) n'étaient pas dictés par une « réalité » déjà là, en surplomb des acteurs du moment et révélée par la « science ». Comme si les sciences sociales avaient refusé d'étendre leur empire à la mise en contexte des sciences et des techniques, et d'y appliquer les méthodologies éprouvées de l'observation simultanée d'un ensemble non fermé d'acteurs, d'objets et d'institutions, et de l'analyse des stratégies, conflits et systèmes de justifications et de représentations (*cf.* la notion de paradigme scientifique proposée par Thomas Kuhn). La « nouvelle histoire » elle-même faisait un détour. Et quand bien même on acceptait de s'intéresser au rapport des sciences et des techniques aux configurations de leur « naturalisation », on étudiait plutôt les déterminants de l'adoption d'une technique en fin de parcours que les formes particulières données à celle-ci au cours de son émergence. L'étude classique de Henri Mendras et de ses collègues sur l'adoption des semences hybrides de maïs en Béarn vers 1960, aussi fine soit-elle dans sa mise au jour des logiques sociales, appréhendait ainsi la technologie hybride comme un « déjà là », sans interroger sa genèse aux États-Unis, puis en France. La diversité des futurs socio-techniques proposés par les imaginaires, les pratiques et les configurations d'acteurs en place à un moment historique donné était ainsi irrémédiablement gommée, et les forces ayant conduit, dans un contexte donné, à la domination de telle option scientifique et technologique, ne pouvaient être saisies dans leur contingence historique. Ce qui tendait à leur conférer un caractère « naturel », anhistorique, et donc incontestable.

Avec cette optique, l'analyse de bien des sociologues et historiens ruralistes d'alors n'éclairait finalement le processus de changement technique qu'au moment où plus rien ou presque n'était négociable ; quand les chercheurs avaient déjà tranché, quand les techniques étaient déjà

---

[15] Mendras, *Comment devenir sociologue*, p. 64.

durcies, quand les filières et leur pouvoir étaient déjà en place. On expliquait peu ce qui avait rendu dominants certains groupes, certains savoirs ou institutions, certaines filières ou objets techniques (tels le maïs hybride, la céréaliculture intensive ou l'Inra) et rendu marginaux certains autres (tels les itinéraires techniques sans intrants chimiques, les petites exploitations de polyculture-élevage, les variétés population de maïs, la vache maraîchine, la châtaigne ou le haricot-maïs, *etc.*). C'est parce qu'elles omettaient d'analyser comment les sciences et innovations agronomiques incorporaient, dans leur « script »[16] même, des représentations, des intérêts, des rapports de force, et qu'elles négligeaient de mettre en scène, au-delà d'une histoire auto-légitimante des vainqueurs, une diversité de futurs socio-techniques possibles à chaque moment du passé récent, et naturalisaient ainsi le progrès technique (un seul, celui qui advenait), que les sciences humaines et sociales se cantonnèrent trop souvent à l'enregistrement d'une inéluctable « modernisation ». La messe de l'évangile agronomique ayant préalablement été dite, l'histoire et la sociologie rurale ne pouvaient plus que se faire la chronique de l'inexorable disparition de la « société paysanne ». Sur un mode triomphant ou nostalgique, en vérité les deux faces d'un même paradigme et d'un même ressort dramatique. C'était la fin d'un « avant » (en partie réinventé et figé pour les besoins de la dichotomie), « la fin des paysans » (Mendras), « la fin de la France paysanne » (Gervais et *al.*) et « la fin des terroirs »[17] (Weber).

ENTRECROISER HISTOIRE RURALE ET HISTOIRE DES SCIENCES ET DES TECHNIQUES

Comme on le voit, la difficulté à penser les sciences et les techniques en articulation réelle avec le développement rural et le jeu social dans son ensemble n'était pas le résultat d'une pluridisciplinarité insuffisamment développée. C'est bien au sein de chaque discipline, et singulièrement au sein de la recherche historique, que le problème se posait. Non pas selon une grille simpliste du type « anciens » contre « modernes » ou empiristes contre théoriciens, mais dans une dynamique historiographique complexe, dont il importe de retracer l'histoire afin d'éviter d'en prolonger les biais.

---

[16] Sur la notion de script des objets techniques, cristallisant des imaginaires et des rapports de force, et assignant des rôles et compétences aux différents acteurs et usagers d'une innovation, voir Akrich, « La description des objets techniques ».

[17] Le titre original de l'ouvrage de l'historien américain Eugen Weber : *Peasants into Frenchmen. The Modernization of Rural France, 1870-1914*, était moins directement connoté, mais le contenu ne dément pas le titre français…

Histoire rurale et histoire des sciences et des techniques mirent d'autant plus de temps à se rencontrer et à coaliser autour d'elles l'histoire des productions agricoles et de l'alimentation, que leurs statuts respectifs au sein de la production historique générale étaient profondément hétérogènes. De fait, l'histoire académique développa dès l'entre-deux-guerres un champ « ruraliste » par l'historicisation de la « ruralité » des géographes au-delà du cadastre napoléonien que ces derniers fréquentaient, inventant dès lors une géohistoire longue des sociétés rurales[18], surtout attentive aux aspects de la vie matérielle, aux systèmes agraires et aux cycles démographiques et économiques. Une histoire rurale dans laquelle les « révolutions » scientifiques et techniques apparaissaient de loin en loin seulement, facteurs exogènes plutôt qu'endogènes, et contrebalancées dans leurs effets perturbateurs par l'« immobilité » apparente des faits de structures socio-économiques. Encore s'intéressait-on davantage aux techniques « artisanales », comme l'irrigation, l'écobuage, le mode de labour ou de battage, la production fromagère ou textile, plutôt qu'à la maîtrise de la reproduction du bétail ou à la lutte contre les parasites des cultures[19]. L'*homo faber* aux champs, en quelque sorte. Quant à l'histoire du « progrès agronomique », elle fut certes prise en charge par les historiens de l'Ancien Régime et du 19e siècle – le 20e siècle restant longtemps un front pionnier –, mais dans une lecture économique et sociale qui prenait l'« invention » de telle ou telle technique ou pratique comme un *donné* et non comme un *construit*, lui supposant une rationalité que l'on ne songeait pas à analyser dans sa production sociale et culturelle. La charrue Dombasle était alors irréfutable. L'exemple le plus patent réside toutefois dans l'historiographie particulièrement nourrie des *enclosures* britanniques : on discuta âprement, entre spécialistes d'histoire « économique et sociale », de leur impact social et de leur rôle dans le triomphe du « capitalisme aux champs », rarement de leur rationalité technique intrinsèque.

De son côté, l'histoire des sciences et des techniques, il faut bien le reconnaître, a longtemps existé en dehors de l'histoire générale et de ses méthodes, comme un objet *de facto* réservé aux « spécialistes » seuls habilités à comprendre la documentation de leur champ de compétences, et disposant de leurs propres revues et lieux de validation académique – un peu à la manière de l'histoire du droit. Et comme de plus, en France, le prestige des grandes écoles industrielles s'est précocement imposé face aux formations agronomiques, et que le saint-simonisme a connu une plus grande postérité historiographique que la pensée physiocratique, l'histoire des sciences et des techniques a logiquement favorisé la production d'un récit

---

[18] Bloch, *Les caractères originaux de l'histoire rurale française.*

[19] Sigaut, *L'Agriculture et le feu.*

linéaire des innovations industrielles qui, du laboratoire aux usines, ont fait la puissance de l'économie nationale aux 19e et 20e siècles, accentuant encore la représentation d'un « progrès » technique en agriculture importé de l'industrie sur le tard. Ce n'est finalement que dans l'histoire de la médecine, et notamment de l'hygiénisme et de la révolution pasteurienne[20], que l'histoire sociale et celle de l'élevage ont été abordées sous l'angle des sciences et des techniques, notamment par la question des épizooties. Encore ajoutera-t-on que cette histoire des sciences et des techniques antérieure à la refondation des années 1970, pratiquée dans sa partie empirique par des chercheurs ou des érudits peu au fait des sciences sociales, et dans sa partie théorique par des penseurs qui voyaient la diffusion comme un phénomène physique, avait bien peu de chances de rencontrer une histoire rurale certes empirique, mais antipositiviste et fort peu intéressée par l'approche biographique de l'innovation. Sans doute l'échelle macro-sociale de l'histoire rurale labroussienne interdisait-elle également d'analyser les médiations par lesquelles les innovations réussissaient ou échouaient, se cristallisaient dans une forme unique ou s'adaptaient aux savoirs et aux pratiques antérieurs. Finalement, c'est par un détour par le politique et le rôle historique de l'associationnisme agraire, incarné par Pierre Barral dans les années 1960[21], que l'histoire rurale prit pied dans la question de la diffusion du « progrès »[22] – mais dans une forme qui, là encore, occultait les lieux de production de ce « progrès ».

Le résultat prévisible de cette ignorance mutuelle fut, très classiquement, la production à la fois de doublons et de lacunes historiographiques – ces dernières principalement sur le point de jonction entre pratiques et savoirs, voie descendante et voie ascendante de formalisation de la *praxis*. Ironie de l'histoire, c'est au moment où la rencontre aurait pu se faire et où elle aurait sans doute été la plus féconde, dans le tournant épistémologique et transdisciplinaire général des années 1970, que la dispersion de la fonction de pilotage de la recherche historique empêcha de mettre en relation une histoire économique et sociale des mondes ruraux arrivée au bout de sa collecte de monographies et commençant à développer les entrées thématiques, et une histoire des sciences et des techniques en plein

---

20 Avec des développements bien antérieurs à l'émergence de l'histoire sociale des sciences, notamment dans la tradition de la démographie historique française et de sa mise en relation précoce avec l'histoire sociale, notamment autour de Pierre Léon à Lyon dans les années 1960-1970.

21 Barral, *Les agrariens français de Méline à Pisani.*

22 Avec l'intérêt d'un comparatisme européen très poussé. Malatesta, *Le aristocrazie terriere nell'Europa contemporanea.*

renouvellement par l'apport de la réflexion théorique et épistémologique des chercheurs anglo-saxons.

Les renouvellements de l'histoire et de la sociologie des sciences et des techniques depuis une trentaine d'années ont en effet offert des perspectives et des outils méthodologiques génériques pour étudier les savoirs et les innovations agronomiques dans leurs phases tâtonnantes, et apporter un utile contrepoint à la lecture un peu trop linéaire du « progrès agricole » qui structurait les synthèses d'histoire rurale. Une sociologie et une histoire insistant sur la « construction sociale » des savoirs scientifiques se sont ainsi développées dès les années 1970, dans le prolongement du livre sur *La structure des révolutions scientifiques* de Thomas Kuhn, principalement en Grande-Bretagne autour de la revue *Social studies of sciences*[23]. Délaissant la science faite et l'innovation durcie pour l'étude de « la science en train de se faire » (encore incertaine, controversée, ancrée dans des compétences tacites et localisées plutôt qu'intrinsèquement universelles) et les trajectoires d'innovation, ce renouvellement posait les jalons d'une histoire renouvelée de l'agriculture et des sciences agronomiques (même si ce n'était pas là le premier objet de ce nouveau programme), d'une histoire qui se dégage d'une chronique d'un inexorable « progrès », une histoire des possibles socio-techniques en quelque sorte[24].

Impartialité et symétrie, deux des principes méthodologiques particulièrement utiles apportés par le « programme fort » de la sociologie des sciences impliquaient ainsi que l'analyste prête *a priori* la même attention et la même valeur aux énoncés des différents acteurs, vainqueurs ou vaincus d'une controverse scientifique ou d'une compétition technologique[25]. Différemment de la perspective bachelardienne d'« histoire jugée », qui utilise la connaissance scientifique du présent comme référentiel d'évaluation des savoirs d'« autrefois », ces principes interdisaient de jauger

---

[23] Pestre, *Introduction aux Science studies*, et Pestre, « Pour une histoire sociale et culturelle des sciences ».

[24] L'expression de « science en train de se faire » est de Bruno Latour. Celle de « possibles socio-techniques » est de Michel Callon, le Centre de sociologie de l'innovation de Latour et Callon ayant été en France dans les années 1980 le foyer de la sociologie des sciences.

[25] Le « programme fort » avancé par David Bloor en 1976 comportait quatre principes :
- Causalité: examiner les conditions – socio-économique, psychologiques, culturelles – conduisant à certains types de savoirs ;
- Impartialité : examiner dans chaque contexte les savoirs validés autant que les savoirs invalidés ;
- Symétrie : recourir à des explications de même nature pour rendre compte du devenir des énoncés ou technologies validés ou rejetés, vainqueurs ou vaincus ;
- Réflexivité : cette approche constructiviste s'applique à l'analyse sociologique elle-même)
Cf. Bloor, *Knowledge and social imagery.*

et de départager des énoncés scientifiques divergents d'une époque donnée en les étalonnant par rapport aux certitudes scientifiques du présent, supposées dire ce qu'était « vraiment » « la nature » à propos de laquelle les acteurs d'une controverse se disputaient. Il ne s'agissait pas, pour la plupart des chercheurs engagés dans cette refondation, de verser dans un relativisme ontologique, niant l'existence de « faits », mais plus simplement, dans un relativisme *méthodologique*, de ne pas utiliser une validation scientifique ou socio-économique d'une connaissance ou d'une option technique qui serait postérieure à l'époque considérée comme élément explicatif de leur succès ou échec au moment étudié. Ces principes méthodologiques n'étaient d'ailleurs qu'une déclinaison du refus du « péché de l'anachronisme » (Lucien Febvre), pièce majeure du dispositif épistémologique de la communauté historienne[26].

En somme, avec ces principes d'impartialité et de symétrie, les sciences et les techniques rejoignaient le domaine général de l'ambition explicative historienne. Elles ne faisaient plus exception ou « boîte noire » et pouvaient prendre toute leur place dans une histoire qui procèderait non par enregistrement, mais par questionnement de l'advenu, interrogation fondamentale sur les acteurs, les institutions et les constructions symboliques qui ont produit cet état de fait – ainsi que sur les acteurs, les institutions et les systèmes symboliques porteurs d'autres choix et d'autres stratégies, qui ont momentanément ou définitivement perdu la partie.

Dans le même temps, l'histoire rurale dépassait les illusions de la maîtrise globalisante de la géohistoire de la France rurale et de la téléologie du capitalisme aux champs – avec sous les yeux le tableau désenchanté d'une agriculture nationale dans l'impasse –, pour réinvestir la question du développement rural par l'échelle *micro* et la restitution des réseaux d'acteurs. Ce renouveau prenait la forme d'une ouverture pluridisciplinaire, les historiens s'associant aux travaux des géographes, sociologues et économistes ruraux réunis au sein de l'Association des ruralistes français, fondée en 1974, pour critiquer la vision linéaire du « progrès » héritée de la génération des « trente glorieuses », et proposer, à partir de travaux pionniers conduits sur le terrain de la pluriactivité montagnarde[27], mais également de la

[26] Refus qui ne saurait d'ailleurs être absolu puisque faire de l'histoire est, en soi, un anachronisme : « consciemment ou non, c'est toujours à nos expériences quotidiennes que, pour les nuancer, là où il se doit, de teintes nouvelles, nous empruntons, en dernière analyse, les éléments qui nous servent à reconstituer le passé » (Bloch, *Apologie pour l'histoire*, p. 93). Il s'agit plutôt de faire jouer l'heuristique des contrastes de façon réflexive, explicitée et contrôlée.

[27] Brelot et Mayaud, *L'industrie en sabots*.

« grande culture »[28], une refondation méthodologique de l'histoire rurale contemporaine, analogue d'une certaine manière à celle qui touchait l'histoire industrielle – mais à cette différence de taille que, tandis que la première allait chercher dans les outils de l'anthropologie et de la sociologie des clés de lecture pour déconstruire la rationalisation capitaliste, la seconde se rangeait sous la bannière des économistes pour la reconstruire. On ne saurait en effet souligner assez l'importance du statut de « champ dominé » des études rurales, conduisant ses chercheurs tantôt à faire preuve de zèle dans l'auto-normalisation de leurs objets, et tantôt de revendiquer une marginalité elle-même intéressée par les marges[29]. C'est clairement dans cette seconde logique que fonctionna cette refondation, empruntant les sentiers buissonniers d'une histoire des obscurs et des oubliés pour déconstruire la linéarité du « progrès ». Et c'est bien dans cette histoire sociale des mondes ruraux refondée par l'observation *micro* que surgirent les questionnements les plus prometteurs sur la dynamique et les formes de la « rationalisation », dans un dialogue critique avec les apports empiriques des aînés[30], mais somme toute fidèle à la méthode historique. Il s'agissait en effet d'étudier les vecteurs sociaux du développement rural, en interrogeant les lieux d'innovation et d'émulation, de reconnaissance et de promotion par l'exemple, avec un tropisme particulier pour l'élevage et les séries documentaires constituées par les dossiers de concours agricoles[31]. Où il apparaissait que, contrairement aux idées reçues, le « progrès » ne suivait pas une voie descendante systématique, et ne validait pas tous les apports de la « science agronomique » : il y avait bel et bien échange, traductions, compromis autour de ce que pouvait être, dans les deux langages de la pratique et de la doxa, une « belle vache » et un animal au potentiel productif optimisé. Les travaux de Ronald Hubscher sur le groupe social des vétérinaires confirmaient, de leur côté, toutes les potentialités d'une étude longitudinale des acteurs du développement et des configurations sociales dans lesquelles et par lesquelles ils participaient à l'élaboration d'une définition dominante de la « rationalité »[32].

[28] Notamment dans la voie tracée par Ronald Hubscher à partir de sa thèse sur le Pas-de-Calais. Hubscher, *L'agriculture et la société rurale dans le Pas-de-Calais.*

[29] ARF, *La pluriactivité dans les familles agricoles* ; Maclouf, *La pauvreté dans le monde rural.*

[30] On ne saurait oublier en effet que l'attention des historiens ruralistes des années 1950 à 1980 pour la « civilisation matérielle » dans sa définition braudélienne avait posé des jalons indispensables à la mise en chronologie des innovations et de leur diffusion, notamment dans l'approche de la viti-viniculture.

[31] Mayaud, *150 ans d'excellence agricole en France.*

[32] Hubscher, *Les maîtres des bêtes.*

Force est de constater toutefois que l'histoire rurale « critique » mit du temps à passer des principes et des expérimentations aux réalisations collectives[33], et se développa à partir des années 1990 seulement, dans un contexte de concurrence académique avec un renouveau de la tradition héritée des *Annales*, sous la forme d'une histoire longue des « sociétés rurales »[34] profitant des acquis à la fois de la démographie historique, de l'archéologie agraire, de l'histoire du paysage et du renouveau des monographies provinciales ou départementales, notamment dans la France de l'Ouest. Paradoxalement, c'est davantage ce courant qui attira dans un premier temps les chercheurs investis dans l'histoire des sciences et des techniques, peut-être parce qu'il offrait un panorama un peu plus familier, permettant sans grande difficulté d'ancrer une histoire de la pédagogie descendante sur des hiérarchies sociales et des systèmes juridiques nettement dessinés dans la pérennité des systèmes agraires[35].

Cette rencontre ne concernait cependant encore que quelques pôles d'histoire rurale – voire des chercheurs isolés – et une fraction seulement des chercheurs investis dans l'histoire des sciences et des techniques, principalement ceux qui avaient développé, dans une logique à la fois historique, anthropologique et socio-économique, des méthodologies empiriques de mise au jour des évolutions des pratiques[36]. Après une phase quelque peu dogmatique, durant laquelle les « *social studies of science* » avaient cherché à expliquer les contenus scientifiques comme simples produits des intérêts sociaux dominants dans un contexte donné, certains auteurs avaient en effet pointé qu'une activité cruciale des chercheurs consistait à faire émerger de nouveaux objets qui participeraient à des reconfigurations générales de la société et de son rapport au monde. Ainsi l'étude de la révolution pastorienne, qui fit émerger les « microbes » dans l'espace public, permit de comprendre l'affirmation de l'État-providence[37] et celle de la production scientifique et technique de la sécurité alimentaire, de comprendre l'avènement du marché agricole national puis européen. Ainsi, pour une histoire *en contexte* des sciences et des techniques agronomiques,

---

[33] Le pôle lyonnais du Laboratoire d'études rurales ne se développa qu'à partir de 1995, et comme unité de recherche autonome à partir de 2003 seulement.

[34] Avec la création de la revue *Histoire et sociétés rurales* en 1994, et l'organisation du colloque de Rennes « L'histoire rurale en France ».

[35] Voir les tables décennales 1994-2003 de la revue *Histoire et sociétés rurales*, publiées en 2004.

[36] Amouretti et Sigaut, *Traditions agronomiques européennes*.

[37] Latour, *Les microbes : guerre et paix*.

telle qu'elle se développait en France à la fin des années 1990[38], la « société », l'agriculture et les savoirs ne pouvaient-ils être que dans un rapport de co-construction et de co-évolution permanente. L'invention de la répression des fraudes alimentaires comme objet majeur de l'action publique avant et après la loi de 1905, était inséparable de l'affirmation des savoirs du laboratoire et de l'analyse chimique, et une pré-condition vite assimilée par les promoteurs de la filière fromagère[39]. De même, l'essor de la production laitière dans l'Ouest après 1945 apparaissait lié à celui du maïs hybride dans le Sud-Ouest, dont l'affirmation trouvait une origine dans les transformations du capitalisme agricole dans le Midwest américain, et dans la quête de « pureté » imprégnant la génétique moderne naissante dans le contexte d'industrialisation et d'internationalisation des productions et des marchés agroalimentaires de la fin du 19e siècle[40]. Préoccupations qui rencontraient celles exprimées par la nouvelle génération des chercheurs en histoire sociale des mondes ruraux, engagés avec les outils de la prosopographie dans la restitution des logiques sociales du développement rural et des innovations agricoles, pastorales, machinistes ou phytosanitaires[41].

Au terme de ces longs chemins parallèles, histoire rurale et histoire des sciences et des techniques trouvaient donc enfin des convergences, enrichies encore par le concours de l'histoire de l'alimentation, non pas dans le repli disciplinaire mais dans une transversalité maîtrisée, d'abord sur les questionnements, ensuite sur les méthodologies, ouvrant des perspectives d'enrichissement mutuel et sans logique de sujétion épistémologique, dont les textes publiés ici témoignent avec éloquence.

On voit par-là qu'il est crucial, dans une perspective d'étude historique réunifiée des rapports entre sciences et agriculture, de ne pas figer à l'avance ce qui relèverait des catégories de la « science », de l'« agriculture » et de la « société », et de cesser de se les représenter comme appartenant chacune à une dynamique historique autonome. La dichotomie science/société tend en effet à gommer les dimensions techniques des processus sociaux, et le rôle des objets dans la coordination des acteurs sociaux. Symétriquement, elle laisse croire à un déploiement de la recherche et de l'innovation qui serait

---

38 Jas, *Au carrefour de la chimie et de l'agriculture.*

39 Delfosse, *La France fromagère.*

40 Bonneuil, « Producing Identity, Industrializing Purity ».

41 Nous renvoyons ici aux positions de thèse et aux articles d'étape pour l'essentiel publiés dans la revue *Ruralia. Sciences sociales et mondes ruraux contemporains*, qui témoignent de la fécondité de ces approches du développement. Voir notamment Fourche, *Contribution à l'histoire de la protection phytosanitaire.*

purement déterminé par une logique endogène, bénéfique par principe à l'agriculture et la société, mais sans être induite par elles en dernier lieu.

La redécouverte de la sociologie des sciences de Ludwik Fleck, plus proche de la démarche historienne que celle de Thomas Kuhn, ne s'est pas opérée par hasard dans le vivier de l'histoire sociale de l'agronomie[42] : il y a bien là une affinité méthodologique profonde, susceptible de servir d'inspiration à une relecture contextualisée du « progrès aux champs ». Le choix d'un schéma d'amélioration génétique plutôt qu'un autre, d'un système de culture ou d'élevage, le choix d'un paradigme de recherche (avec ses objets, méthodes et normes de preuves particulières) plutôt qu'un autre, d'un type d'organisation de la recherche plutôt qu'un autre, ne résulte pas que des exigences d'une « nature » (état du milieu, biologie de l'espèce, *etc.*) progressivement mises au jour par les progrès successifs de la connaissance scientifique. Si telle conception du sol, de la productivité d'un peuplement animal ou végétal, si telle vision des frontières et des relations souhaitables entre espèces agricoles et espèces adventices, pathogènes ou bénéfiques, si telles représentations de l'hérédité et du gène, si tel schéma d'amélioration d'une espèce, telle organisation de la recherche agronomique, se sont imposés aux yeux des chercheurs comme une évidence à un moment donné, ce n'est pas parce qu'ils étaient les seuls « scientifiques », les seuls possibles (comme les « vainqueurs » de l'histoire l'assurent toujours) ; mais c'est plutôt, et c'est toute la tâche de l'historien que de l'éclairer, parce qu'ils s'ajustaient bien aux configurations d'acteurs et d'objets, aux façons de connaître et aux conceptions du bien à rechercher (la stabilité du corps politique national, la croissance des rendements, la modernisation agricole, l'industrialisation, la balance commerciale, la défense de l'indépendance nationale, la défense des industries nationales, la multifonctionnalité des espaces ruraux, l'environnement, *etc.*) qui sont propres à la période historique considérée.

La combinaison des ordres scientifiques, agricoles et sociaux tend ainsi à former un « monde » dans lequel la rationalité du premier apparaît comme une évidence aux yeux des chercheurs, menaçant sans qu'ils en soient toujours conscients, le possibilisme des deux autres. L'historien se doit donc d'interroger ces situations d'évidence, non pour dresser le procès des acteurs et de leurs « mondes » (il est facile et vain de faire aujourd'hui le procès du productivisme, comme l'on fit il y a un demi-siècle le procès de l'inaction supposée de la Troisième République en matière agricole), mais simplement, aidés par le recul et la confrontation, pour en montrer le caractère historiquement construit, en dégager les agencements et la contingence.

---

[42] C'est en effet Nathalie Jas qui a assuré la traduction et la publication en français en 2005 de *Genèse et développement d'un fait scientifique* (1935).

L'histoire des sciences agronomiques ou agricoles (le choix du mot n'est pas neutre) n'est donc pas l'histoire unidimensionnelle de l'application descendante d'une science de plus en plus exacte et pointue à une agriculture de moins en moins empirique et de plus en plus performante – même si cette « prophétie » a incontestablement eu un caractère auto-réalisateur[43]. Elle est bien celle de la co-construction[44], conjoncturelle et instable, imparfaite et contestée, d'objets et d'écoles de recherche, de stratégies techniques[45], et de nouveaux agencements des exploitations et sociétés rurales, des marchés et des modes de consommation, des politiques publiques et des représentations qui les légitiment. Au-delà même d'une succession de paradigmes scientifiques et techniques articulés avec des configurations socioéconomiques, c'est bien la labilité même du temps historique, sa pluralité et sa capacité à générer des possibles, que des recherches à la croisée des études rurales et des études des sciences et des techniques, mais également de l'analyse des institutions et des logiques organisationnelles, peuvent mettre en lumière.

Variables selon les moments, les espèces et les types de collectifs à l'œuvre, ces agencements infléchissent, en effet, la trajectoire des recherches et les productions discursives, qu'elles soient destinées au seul « cercle ésotérique » des « savants » ou à une socialisation directe ou indirecte. Il faut sans doute remonter au 18e siècle pour reconnaître les premiers engagements collectifs savants en faveur de l'agriculture – ou se servant de l'agriculture pour se légitimer – avec le soutien de personnalités ou des pouvoirs administratifs centraux ou locaux. À la fin du 18e siècle, l'ensemble de l'Europe et l'Amérique du Nord présentent en effet un vaste réseau de « physiciens agriculteurs » et de sociétés d'agriculture où s'expriment des offres savantes d'origine botanique, chimique ou physiologique, ou des propositions s'appuyant d'abord sur les pratiques et savoirs « paysans ». Ces dernières propositions appliquent à l'agriculture des principes posés pour les « arts et métiers » en général, notamment par Réaumur et le projet de descriptions des « arts et métiers » de l'Académie royale des sciences de Paris ou par Diderot, qui invite les savants de l'*Encyclopédie*, au nom de

---

43 Elle n'est pas non plus l'histoire unidimensionnelle de « l'induction » ascendante des pratiques et savoirs paysans vers une théorisation scientifique.

44 Cette co-construction s'opère par un travail de mise en commensurabilité, de traduction, à travers l'intégration de ce que l'on perçoit des discours, des modes de représentations, des paradigmes de l'autre dans les siens propre que l'on soit agriculteur, scientifique ou représentant des pouvoirs publics.

45 Ces stratégies techniques ne se réduisent ni à des inductions de la pratique paysanne ni à des « applications » de sciences, la pensée technique ayant son autonomie partielle et ses propres paradigmes : voir Dosi, « Technological paradigms » et Vincenti, *What engineers know* ; Denis, « Du physicien agriculteur ».

l'utilité des sciences, à se rendre dans les ateliers et les mines pour recueillir et codifier les connaissances des ouvriers et des artisans. Cet engouement savant est favorisé par le contexte favorable à l'agriculture et à la physiocratie. Ainsi, dans de nombreux domaines touchant à la production agricole, des études et des modèles explicatifs et opératoires se développent au cours de ce 18e siècle, depuis la proposition de systèmes de culture jusqu'aux modèles d'explication des maladies des céréales avec les remèdes associés, en passant par la sélection du mérinos ou la lutte contre les insectes dans les lieux de conservation des grains[46]. Un nouveau champ disciplinaire hétérogène se construit, soucieux de sa propre pérennisation, ce qui provoque de nombreux débats sur sa nature et son utilité, depuis les auteurs qui veulent le rattacher, comme application, à la botanique, tels Linné ou Thoüin, à la chimie, tels Fourcroy ou Chaptal, ou le voir comme une science particulière qui part des pratiques paysannes en les rationalisant tels Tessier[47].

Ces débats, non dissociables, en France, des formes de la vie socioculturelle générale des élites provinciales et parisiennes, sont naturellement traversés par des représentations diverses des relations entre science et culture des terres et soin du bétail ou de la vigne, depuis le mépris de la routine paysanne jusqu'à la reconnaissance des savoirs et des savoir-faire vernaculaires (Tillet[48]). Ils nourrissent dès le 18e siècle des projets d'enseignement et de fermes d'essais, qui viendront s'inscrire au 19e siècle dans le mouvement général d'acculturation par l'appareil d'État et ses organisations connexes : la « rationalisation » se présente comme une logique globale, quelles que soient les spécificités bien réelles des champs dans lesquelles elle tente de « naturaliser » l'intégration-sujétion des sociétés, et les mouvements contraires bien réels eux aussi, malgré l'occultation systématique dont ils font l'objet, par lesquels la rationalité des acteurs « remonte » vers les institutions censées les « éclairer »... Le fonctionnement des comices, plus tard des concours agricoles, en témoigne avec éloquence pour qui se donne la peine de suivre dans la durée les concurrents, les jurys... et les bêtes récompensées. La « pédagogie par l'exemple » est socialement très ambivalente, et la « démonstration de l'expertise » bien plus variable et incertaine dans ses codes qu'une lecture trop hâtive du « grand partage » entre science et société ne le laisserait penser.

---

46 Bourde, *Agronomie et agronomes* ; Denis, « Pratiques paysannes. » ; Sigaut, « Changement de point de vue » ; Weulersse, *Le mouvement physiocratique.*

47 Denis, « Du physicien agriculteur ».

48 Denis, « Pratiques paysannes ».

Ces différentes positions s'exprimeront différemment dans des projets variés, autour notamment de la place respective des sciences fondamentales et appliquées ou autour de types de relations à favoriser, avec les mondes agricoles et les cercles scientifiques et académiques, touchant à la formation supérieure et aux institutions scientifiques. Par exemple, pour les premières, ces positions s'expriment en France depuis le rattachement aux écoles de chimie avec Fourcroy au début du 19e siècle jusqu'à la création d'écoles supérieures spécialisées, nationale et régionales au milieu du même siècle ; aux États-Unis, depuis les collèges agricoles du *Land Grant Act* de 1862 jusqu'à l'intégration des sciences agricoles dans les départements de biologie des universités au début du 20e siècle[49]. La production d'une langue de l'expertise agronomique, et son « retour » sous la forme prescriptive, est une œuvre de longue haleine, qui plus est décalée dans le temps selon les secteurs – avec un triomphe précoce dans la chimie des sols, plus laborieux dans le contrôle laitier, et jamais total dans la production viti-vinicole.

Pour ce qui est des institutions scientifiques, on les retrouve notamment depuis les premières stations expérimentales notabilitaires, jusqu'aux institutions de recherche et aux universités à partir de la fin du 19e siècle, non sans lien déjà avec une vulgarisation agricole dont la Troisième République a fait l'un des fondements de sa légitimité politique dans le monde rural. L'agronomie et les sciences agricoles prennent « corps », au sens organisationnel de l'expression, dans une relation étroite à la hiérarchie sociale, aux institutions politiques, à l'organisation économique et au système de représentation en vigueur. Elles sont, de fait, le résultat d'une suite de conciliations entre des acteurs différents dans des configurations évolutives – malgré les pesanteurs indéniables des structurations académiques, en France en tout cas –, où les savoirs, les marchés, les représentations et les définitions sont nécessairement mouvantes[50].

Cette longue histoire explique ainsi, au moins en partie, la structuration du champ des sciences agricoles, de ses rapports avec les autres champs scientifiques, les pouvoirs publics, les mondes agricole et politique, de manière variée dans les différents pays, encore dans la seconde moitié du 20e siècle. La perception du statut épistémologique et de la « dignité académique » des sciences agricoles – incontestablement moins prestigieuses, et donc plus susceptibles d'importations normatives, de leurs relations avec l'agriculture comme secteur identifié, de leur place dans la

[49] Denis, « L'agronomie au sens large ».

[50] Buj, *El Estado y el control de plagas agrícolas* ; Jas, *Au carrefour de la chimie et de l'agriculture* ; Marcus, *Agricultural Science and the Quest of legitimacy* ; Russel, *A History of Agricultural Science ;* Simonetto, *I lumi nelle campagne* ; Finlay, « The German Agricultural Experiment »; Moore, « The Involvement of Experiment Stations ».

société et les cursus d'excellence, de la notion de progrès qui leur est attachée et qui les attache, qui s'expriment avec force lors de la création de l'Inra, se comprennent aussi en prenant en compte cette profondeur historique et cette lecture socio-institutionnelle de l'essor de l'expertise en agriculture et des aléas de son « triomphe » sur l'empirisme. Une profondeur historique que l'on ne saurait plus ramener à un récit linéaire, mais qu'il convient de lire comme l'écheveau complexe d'une pluralité de généalogies, avec des moments de synergie et des moments de désarticulation, des phases de structuration et des phases de pérennisation, des continuités et des discontinuités discursives, et tout un jeu de qualifications, requalifications, disqualifications des uns et des autres que seule la confrontation d'un grand nombre de travaux, et des enquêtes relationnelles et prosopographiques, peuvent nous permettre d'apprécier.

JALONS POUR UNE HISTOIRE « EN CONTEXTE » DES SCIENCES AGRONOMIQUES AU 20e SIECLE

Si la préoccupation sous-jacente à la création du Comité d'histoire de l'Inra et à la journée d'étude de 2006, dont est issu cet ouvrage, était d'interroger les évolutions de l'Inra depuis sa création en 1946, à la lumière d'un contexte plus contemporain où la recherche publique peine à trouver sa légitimité et sa place face à la montée de régulations marchandes et « citoyennes » plutôt que professionnelles et étatiques, il ne pouvait cependant être question de limiter l'investigation historique à celle du pourquoi des tensions actuelles entre « agriculture », « science » et « société » ou de reproduire les écueils de la périodisation binaire en découpant les soixante années d'existence de l'Inra en un « avant » (les « trente glorieuses ») et un « maintenant » (les crises, diversifications et évolutions contemporaines des savoirs, des institutions et des marchés). D'ailleurs les « trente glorieuses » furent-elles vraiment si consensuelles que cela où sont-ce les historiens qui n'ont pas encore suffisamment su exhumer la voix des vaincus, des victimes et des critiques de la modernisation productiviste ? Les débats sur l'impact environnemental des pratiques agricoles et sur la qualité alimentaire sont-ils si nouveaux ? Liebig, déjà, justifiait la nécessité des engrais par une alerte sur l'état des sols au début du 19e siècle, et la répression des usages pastoraux au nom de la durabilité des forêts trouvait ses origines dans l'Ancien Régime. On ne peut non plus résumer la Troisième République à un agrarisme conservateur et à une simple police des marchés générant un « retard de développement » – « retard » construit par rapport à une norme et à des exemples qu'il convient d'expliciter. Ainsi, seule l'appréhension d'une durée plus longue que celle de l'existence de l'Inra, et dans une périodisation plus fine, peut nous permettre de donner du sens à ces questions. Aussi avions-nous choisi, dans ce colloque inscrit dans la commémoration des soixante ans de l'Inra, et dans cet ouvrage, de ne pas caler le début du récit sur le moment de la création de l'Inra, mais plutôt sur la seconde moitié du 19e siècle.

C'est ainsi que le premier chapitre aborde les discours « modernisateurs » du 19e siècle. Chloé Gaboriaux, praticienne de la science politique, fait son miel des pages du *Journal d'agriculture pratique*, organe qui, depuis le milieu des années 1830 et durant près d'un siècle, s'adresse aux propriétaires férus d'agronomie. Riche de dizaines de milliers de pages, cette collection offre une belle somme de témoignages d'expériences culturales les plus diverses : les prescriptions et recommandations prennent appui sur de multiples comptes rendus de visites d'exploitations françaises ou étrangères, analysent les résultats obtenus dans les champs d'expérimentation et les écoles, racontent les comices et les concours agricoles (livrant notamment de précieux palmarès), sans négliger les essais de machines et de matériels. Les polémiques, parfois vives, attestent l'existence d'un lectorat engagé dans la recherche de performances culturales et zootechniques. L'auteur a choisi de livrer ici une réflexion sur la construction par les rédacteurs de cette importante publication de la figure de l'« agriculteur pratique », décrit comme nécessaire intermédiaire entre un monde des « spéculations agronomiques accusé d'être coupé du monde rural » et celui d'une « paysannerie » envisagée comme ignorante et routinière. L'« agriculteur pratique » serait ainsi l'intercesseur et le « passeur » chargé de donner l'exemple et de prescrire généreusement « au cultivateur les règles pratiques qu'il doit suivre ». Certes, les enjeux sociaux, économiques et politiques de cette invention méritent d'être mis au jour, attestant l'existence de configurations agrariennes dès les années 1840, lorsque sont débattues, par exemple, les questions de l'enseignement agricole ou celle de l'encouragement à la multiplication des comices. L'analyse des discours pratiquée dans ces pages est des plus suggestives, même s'il convient de la confronter aux résultats de l'histoire sociale fine du développement rural, étudiés dans l'espace villageois, cantonal et départemental. Le vaste et profond mouvement de démocratisation du « progrès agricole » du dernier quart du 19e siècle n'emprunte pas la seule voie d'une « descente de l'agronomie sur les masses ».

La contribution de Maurice Cassier porte sur la mise en place d'un réseau de diffusion du vaccin mis au point par Pasteur pour lutter contre la maladie du charbon, frappant notamment ovins et bovins. L'expérience de Pouilly-le-Fort, devant 200 personnalités du monde agricole, médical, vétérinaire, agronomique, scientifique et politique, en est le spectaculaire détonateur. L'année 1881 est ainsi à la fois l'année où le cabinet Gambetta fait de l'agriculture un ministère à part entière et où l'expérience de Pouilly-le-Fort, immédiatement suivie d'une campagne de vaccination massive de dizaines de milliers d'ovins et bovins, affirme l'emprise de la recherche scientifique, des vétérinaires et de la République sur les prés et les étables. Cette invention du vaccin moderne a fait l'objet de plusieurs recherches approfondies, permises par une grande richesse des sources, incluant des carnets de laboratoire et la correspondance entre Pasteur et ses collaborateurs[51]. Les études de Bruno Latour et de Gerald Geison sont emblématiques des apports d'une histoire qui étudie la « science en action », sans en masquer les tâtonnements, les mises en scène, les dimensions stratégiques de constitution d'audiences et d'alliés, les petits mensonges quand à la méthode d'atténuation utilisée, les enjeux industriels (comment produire en masse un vaccin fiable ?) et les aspects financiers, que l'historiographie avait trop longtemps occultés. Maurice Cassier poursuit dans cette veine en montrant non pas une science déjà stabilisée, passant ensuite par une phase d'application d'une innovation qui se diffuserait vers les espaces ruraux, mais un réseau multi-acteurs (vétérinaires, sociétés d'agriculture, stations de recherche françaises et étrangères, écoles supérieures d'agriculture, *etc.*) mobilisé et discipliné (par des règles, des contrats, des apprentissages de savoir-faire) pour que le vaccin puisse exister, c'est-à-dire pour qu'il soit possible de produire, transporter et administrer en masse un produit stable d'efficacité standard. Cassier montre comment Pasteur, devant les difficultés de préserver l'efficacité du vaccin ou au contraire d'éviter une trop grande virulence, parvient à construire un savoir particulier sur les techniques de préparation, de commercialisation (par contrat), de transport et de contrôle de la qualité, qu'il préfère garder secret par crainte que ces techniques soient mal pratiquées, ce qui mettrait en danger sa réputation et le succès de la diffusion de ses méthodes et limiterait les retours financiers de son invention. On est ici au cœur de l'enjeu de la standardisation des produits biologiques (ici le vaccin, ailleurs le vinaigre, la bière, la betterave sucrière, la pureté des semences et variétés...) dans un contexte d'industrialisation de la production alimentaire. Par sa promesse de stabilisation d'un vivant immutable et standardisé, la nouvelle biologie expérimentale de la fin du 19e siècle participe à l'avènement d'un nouveau rapport au vivant, au temps et à l'espace, à l'expansion des marchés et à l'industrialisation des procédés agro-alimentaires[52].

---

[51] Geison, *The Private Science of Louis Pasteur*, pp. 145-176; Latour, *Les microbes : guerre et paix*, pp. 67-101 ; Cadeddu, « Pasteur et le choléra des poules ».

[52] Thurtle, *The emergence of Genetic Rationality*; Nadau, *Itinéraires marchands du goût moderne* ; Teich, *Bier, wissenschaft und wirtschaft* ; Bonneuil, « Producing Identity,

La contribution de Gilles Denis interroge pour sa part la chronologie trop peu étudiée de la structuration de la recherche publique dans le premier 20e siècle, par la mise en lumière des débats sur le rôle de la « science » pour l'agriculture qui accompagnent la mise en place du premier Institut national de la recherche agronomique en 1921, sa suppression en 1934 et ses différents avatars jusqu'à la création de l'Inra en 1946. Dans l'attente d'une prosopographie des acteurs de cette affirmation d'une politique d'État, Gilles Denis propose, à partir de la lecture des sources administratives, syndicales et des publications contextualisées ou *a posteriori* des acteurs, des éléments éclairants sur les individus les plus en vue – ceux qui ont volontairement laissé des traces de leur action ou dont l'État et les organisations ont reconnu la légitimité – dans un processus d'affirmation plutôt hésitant, qui a pu prendre des formes pour le moins déroutantes, allant jusqu'au secret, avant de trouver la structuration pérenne que l'on sait après la Libération. On ne saurait trop insister sur l'intérêt qu'il y a à faire débuter cette histoire de la recherche publique très en amont de 1946, la création de l'Inra représentant un aboutissement tout autant qu'un commencement. Cette période féconde et instable à la fois, initiée en 1916 à l'Académie des sciences dans les débats sur la consolidation de l'autonomie agricole nationale, ne saurait toutefois être traitée comme un tout, et la contribution de Gilles Denis propose une première esquisse de contextualisation particulièrement utile. Les débats des années 1920 ne sont pas ceux des années 1930, et la temporalité des chercheurs a du mal à s'accorder à celle du pouvoir, comme le montrent les développements particulièrement intéressants sur le syndicat du personnel scientifique de l'Ira. L'article éclaire de manière très convaincante l'importance de cette phase de l'entre-deux-guerres dans la définition sociale et politique des finalités de la science. On ne saurait, de fait, isoler cette histoire de l'institutionnalisation de la science appliquée à l'agriculture et à l'alimentation, du lent mouvement de développement technocratique des organisations professionnelles et de l'État, non plus que de l'évolution générale du monde rural. Les deux guerres mondiales sont analysées ici comme des moments d'accélération, par l'acuité accrue des questions liées à la main d'œuvre rurale et aux subsistances, et par les changements de personnes et de logiques organisationnelles des services de l'État. Des enjeux, des possibles sont ainsi dévoilés. La question de l'opposition entre « traditionalisme » et « modernisme », et entre logiques sociopolitiques et logique intrinsèque de la rationalisation, qui sous-tendent l'ensemble du texte et expliquent la soumission paradoxale de la logique technoscientifique à la matrice agrarienne, ne manqueront pas de soulever des débats. Il y a de

---

Industrializing Purity »; Mendelsohn, « Message in a Bottle: The Business of Vaccines »; Delfosse, *La France fromagère* ; Stalheim, « The Hog Cholera ».

fait, dès avant la Grande guerre, un agrarisme favorable à la rationalisation technique – Gilles Denis en évoque les ambiguïtés discursives –, en France et dans d'autres pays européens. Au reste, un attachement à l'interclassisme rural et au dogme de l'autonomie des questions agraires peuvent très bien se combiner avec l'opposition au protectionnisme et l'exaltation de la « technique », et il y aurait lieu de rechercher, auprès des praticiens de la recherche agronomique de cette période, quelle relation exacte ils entretiennent avec les « fantasmes » du traditionalisme. Les contradictions traversent les parcours des acteurs politiques et organisationnels eux-mêmes : l'agrarien Victor Boret est également sélectionneur de semences, et on ne saurait oublier la proximité du « moderniste » Jacques Le Roy Ladurie avec Henry Dorgères, et son rôle central dans le Front paysan au cours des années 1930[53]. Sur la période de Vichy et la contextualisation des options de politique agricole et rurale du régime, il faudra aller plus loin – et approfondir la question du lien, non pas seulement de la politique agricole, mais également de la politique de la recherche, avec la collaboration économique et idéologique[54]. « L'œuvre persévérante de l'Administration », pour reprendre la citation de Robert Préaud malicieusement placée en exergue de son article par Gilles Denis, ne saurait être exonérée des contextes successifs dans lesquels elle déploie ses efforts et des compromis qu'elle passe avec intérêts économiques, forces sociales et systèmes de pouvoir, pour assurer sa pérennité. L'ambiguïté de la technocratie n'a pas fini de susciter interrogations et recherches.

Christophe Bonneuil et Frédéric Thomas retracent l'histoire de la recherche publique en génétique et amélioration des plantes depuis la fin du 19e siècle. C'est l'occasion d'éclairer d'un jour nouveau la création de l'Inra. Alors que deux groupes sont en concurrence après-guerre pour diriger la recherche agronomique[55], c'est en effet à celui des ingénieurs phytogénéticiens qu'est confié, et ce pour près d'un quart de siècle, le jeune Inra. Ce choix s'explique par la rencontre entre un certain projet politique d'intervention de l'État sur l'agriculture et un certain type d'expertise proposé par les phytogénéticiens, offrant un couplage entre expérimentation, optimisation et standardisation du vivant et encadrement de la production. Au-delà de l'histoire d'une institution, les auteurs caractérisent trois régimes successifs de production des savoirs et des innovations en génétique végétale

---

[53] Voir Bensoussan, *Combats pour une Bretagne catholique et rurale* et Walter, *Paysan militant. Jacques Le Roy Ladurie.*

[54] Voir notamment : Bitoun, « L'équivoque vichyssoise » et Lacroix-Riz, *Le choix de la défaite.*

[55] Sur cet affrontement, voir Archives nationales CAC 800 284 liasse 211 ; Cranney, *Inra 50 ans d'un organisme*, pp. 78-85 ; Bonneuil et Thomas, *Gènes, pouvoirs et profits*, chap. 1.

au cours des 130 dernières années. On mesure alors que la place centrale de la recherche publique en amélioration des plantes, qui semble aller de soi dans les années 1946-1970 (avec l'affirmation d'un État qui se fait fort d'administrer le « progrès génétique » aux champs, la domination de la recherche et de l'innovation publique sur la sélection privée et la domination des phytogénéticiens au sein de l'Inra), n'est de mise ni dans la période 1880-1940, ni dans la période postérieure aux années 1970. C'est donc la radiographie de l'affirmation puis du reflux d'un groupe social, d'un paradigme d'expérimentation et de gestion du vivant, et d'un type de régulation publique de l'innovation et du marché qui nous est proposée. Le concept organisateur de « régime de production des savoirs » permet de saisir les articulations entre façons de connaître, façons de produire, façon de s'approprier ou mutualiser, et façon de réguler l'agriculture, ces régimes étant non pas des blocs monolithiques, mais des combinaisons de multiples « modes de polarisation de la recherche », correspondant à autant de formes de couplages entre les pratiques et objets de recherche et les ordres socio-économiques[56].

La contribution de Nathalie Jas met au jour les études et alertes sur les effets des pesticides sur la santé des exploitants et travailleurs agricoles en France au cours des années 1950 et 1960, et la façon dont un certain traitement du dossier, et une certaine forme de recours à l'expertise, ont permis de maintenir ce problème largement invisible dans l'espace public. Cette trajectoire de la question des pesticides en France contraste notamment avec les cas américains[57] et anglais[58] où, suite notamment à la publication en 1962 de l'ouvrage *Silent Spring*[59] par la biologiste Rachel Carson, elle fut mise à l'agenda de nombreuses arènes et infléchit plus précocement les politiques publiques. Ainsi, aux États-Unis, contrairement à la France, la question des pesticides occupa une place centrale dans l'émergence du mouvement écologiste des années 1960, dans la genèse de l'Environmental protection agency crée en 1970 et dans la promulgation du Federal environnemental pesticide control act de 1972. Le travail de Nathalie Jas touche à l'histoire des empoisonnements en milieu professionnel et à domicile, ainsi qu'à l'histoire de la phytopharmacie et de la phytopathologie.

---

[56] La notion de « régimes de production des savoirs » avait été proposée par Pestre, *Science, argent et politique*, celle de « modes de polarisation de la recherche » par Franck Aggeri et Armand Hatchuel, cf. Aggeri et Hatchuel, « Ordres socio-économiques et polarisation de la recherche » ; cf. aussi Aggeri et al., *Les chercheurs et l'innovation*.

[57] Buhs., « Dead Cows on a Georgia Field »; Russell, *War and Nature*; Daniel, *Toxic Drift*; Nash, L., « The Fruits of Ill-Health »; Flippen, « Pests, Pollution, and Politics.

[58] Sheail, *Pesticides and Nature conservation.*

[59] Carson, *Silent Spring*.

Surtout, en retrouvant par un patient et obstiné travail de collecte archivistique les traces de corps atteints par les pesticides et de ceux qui les décrirent, Nathalie Jas offre un bel exemple d'exhumation historienne de signaux faibles, de « victimes » du modèle de modernisation agricole d'après-guerre.

Alain Chatriot s'attache à la façon dont l'affirmation de la Direction générale de la Recherche scientifique et technique en 1958 infléchit le pilotage des recherches agronomiques jusqu'ici largement délégué à l'Inra par le ministère de l'Agriculture. La polarisation nouvelle apportée par les moyens et la politique de la DGRST, placée auprès du premier ministre, suscite en retour des velléités de pilotage de la recherche par l'administration centrale du ministère, qui se feront encore bien plus pressantes dans les années 1970. Partant de la DGRST et des efforts de coordination de l'ensemble des recherches dans une politique nationale, la perspective d'Alain Chatriot offre un regard décentré sur histoire de la recherche agronomique, complémentaire des approches jusqu'ici focalisées sur l'Inra ou sur le monde agricole[60]. Après les épisodes discutés par la contribution de Gilles Denis, cette entrée par la DGRST permet d'éclairer un nouvel épisode des tensions récurrentes entre une conception des recherches agronomiques comme prolongement technique du ministère de l'Agriculture et des besoins spécifiques du monde agricole (*cf.* la séparation entre écoles agronomiques et universités, et l'échec du jeune Cnrs à intégrer les structures de recherche des ministères techniques) et une conception de celles-ci comme un rameau d'un dispositif national intégré de recherche. Par son angle original et parce qu'elle pointe les nombreuses zones d'ombre historiographiques qui subsistent dans notre connaissance de l'histoire de la recherche agronomique, cette contribution souligne l'intérêt qu'il y aurait à entreprendre de nouveaux chantiers d'histoire des institutions de recherche agronomique, des « politiques de recherche » (terme qui fut justement construit par les acteurs de l'après-guerre dans le cadre de stratégies variées, concourant toute à placer l'expansion des recherches comme une responsabilité de l'État), des modes d'organisation, ainsi que, notamment via une entrée prosopographique dans les réseaux d'acteurs, des générations de dirigeants, de chercheurs et de techniciens et autre « subalternes » qui la firent vivre.

Le texte de Delphine Berdah retrace l'histoire de la lutte contre la tuberculose bovine en France, alors que l'historiographie concernait jusqu'ici essentiellement la Grande-Bretagne. L'étude va depuis l'obtention par les vétérinaires en 1881 du monopole d'exercice sur la médecine des

---

[60] Telles celles de Cranney, *Inra. 50 ans d'un organisme de recherche* et de Denis, *Quelques mots*.

maladies contagieuses des animaux jusqu'à la loi sur la prophylaxie collective de la tuberculose bovine de 1954. L'auteur s'intéresse à la mise en place et à l'organisation de la profession de vétérinaires, dans ses rapports avec les pastoriens, les pouvoirs politiques et le monde agricole. Plusieurs études montrent le rôle important joué en France par les vétérinaires dans la diffusion des théories pastoriennes et inversement l'utilisation de ces théories par les vétérinaires pour construire leur profession[61], et notamment le travail de Cassier dans cet ouvrage. Il semble qu'au contraire en Grande-Bretagne, la profession des vétérinaires se soit construite d'abord contre la théorie des germes, cherchant plus une reconnaissance à travers la police sanitaire de l'État que par une alliance avec la science expérimentale[62], avant de se rallier à celle-ci dans l'Entre-deux-guerres et participer, avec l'insémination artificielle notamment, à la mutation vers une agriculture productiviste[63]. En France, la profession a du mal à voir son rôle pleinement reconnu par l'État et accepté par les éleveurs avant la Seconde Guerre, malgré quelques acquis législatifs. Berdah souligne que ce n'est qu'à l'heure du productivisme qu'un soutien fort des pouvoirs publics appuie l'emprise des vétérinaires dans le monde rural, notamment à partir des Groupements de défense sanitaire créés en 1951 et de la loi de 1954. Il apparaît alors que cette modification de la législation sur la tuberculose bovine a contribué à des transformations du monde rural, sous la pression des moyennes exploitations et au détriment des plus petites, avec la large participation des vétérinaires dans ce processus.

Jérôme Pelletier aborde la vulgarisation féminine agricole en Loir-et-Cher dans les années 1960. Dans un contexte de transfert de l'activité de conseil technique de l'administration à la profession, l'étude de l'activité et des Groupes de vulgarisation agricole féminine (GVAF) nous offre un regard sur la place attribuée aux femmes agricultrices dans les institutions et les discours modernisateurs. Considérées comme des freins au progrès, les femmes deviennent alors cibles d'interventions nouvelle de formation, mais cette formation est essentiellement conçue comme supplétive du mouvement de professionnalisation et la technicisation des chefs d'exploitation masculins. La vulgarisation féminine apparaît sous tutelle des hommes dirigeant la chambre d'agriculture, et les actions de vulgarisation féminine se concentrent sur les activités ménagères, le petit cheptel, et la comptabilité. Si les métaphores de genre appliquées à l'agriculture et la division sexuelle du travail agricole sont plus qu'anciennes, l'imaginaire de la modernisation

---

[61] Salomon-Bayet, *Pasteur et la révolution pastorienne* ; Hubscher, *Les maîtres des bêtes*.

[62] Worboys « Germ Theories »; Waddington « The science of cows » et « To stamp out »

[63] Woods « The farm as clinic ».

technique d'après-guerre renforça nettement cette polarité en associant une valeur de virilité associée au contrôle de la puissance mécanique[64]. J. Pelletier observe ainsi que la mécanisation de la traite alla de pair avec la « masculinisation » de cette activité. Après les travaux pionniers de sociologues comme Rose-Marie Lagrave dans les années 1970[65], ce chapitre ouvre finalement un beau chantier – insuffisamment travaillé en France – à la croisée de l'histoire culturelle, de l'histoire rurale et de l'histoire des sciences et des techniques, celui de l'étude des relations entre genre et technique dans les imaginaires modernisateurs et les identités professionnelles.

La contribution de Frédéric Thomas et Christophe Bonneuil porte sur la mise au point et la diffusion du maïs hybride en France. Elle se place dans un dialogue scientifique avec notamment Henri Mendras et Jean-Pierre Berlan. Revisitant le travail pionnier de Mendras, les auteurs illustrent l'avantage d'une histoire des innovations « en train de se faire », de ne pas considérer la technique comme une boite noire mais comme un construit historique, et d'expliciter les déterminants d'une genèse plus tâtonnante et controversée que l'histoire officielle ne l'avait laissé penser[66]. Ils mettent en effet au jour l'existence de porteurs oubliés d'une alternative à la voie hybride, la voie population synthétique. C'est ici qu'on rejoint le travail de Jean-Pierre Berlan sur l'économie politique du choix de la voie hybride aux États-Unis[67]. Celui-ci analysait la technique hybride née aux USA comme un élément de dépossession des agriculteurs au profit de l'industrie semencière, de la « marchandisation » du vivant entre les mains de quelques entreprises géantes américaines. Mais ce schéma explicatif fonctionne mal pour comprendre les forces à l'œuvre dans la France de l'immédiat après-guerre, où l'administration s'emploie avec succès à empêcher la pénétration du marché français par les variétés et entreprises américaines[68], où les

---

[64] Saugères, « Of tractors and men ». *Cf.* aussi plus largement : Wajcman, *Feminism Confronts Technology*. Sur les imaginaires de la modernisation de l'agriculture au 20e siècle, voir Fitzgerald, *Every Farm a Factory* ; Prével, *L'usine à la campagne*.

[65] Lagrave, *Celles de la terre.*

[66] Mais elle présente en retour une limite – fréquemment reprochée aux sociologues et historiens des sciences par les historiens et sociologues « généralistes », celle de tendre à centrer le regard que sur les scientifiques concepteurs de l'innovation comme s'ils étaient au centre du jeu social, en donnant moins d'épaisseur à d'autres acteurs. L'étude de Bonneuil et Thomas doit donc se lire comme une invitation à revisiter le terrain ouvert par Mendras et ses collègues, en dépouillant des archives départementales et de coopératives et en conduisant de nouveaux entretiens avec les acteurs locaux.

[67] Berlan, *Recherches sur l'économie politique d'un changement technique.*

[68] Contrairement par exemple à l'Italie où les entreprises américaines dominent le marché dès les années 1950.

bénéficiaires du choix hybride sont des agriculteurs et des coopératives de taille modeste du Sud de la France, et où le marché variétal est dominé par un opérateur public (l'Inra) jusqu'aux années 1960. Les auteurs montrent alors combien le « maïs hybride à la française » est le produit historiquement situé d'une configuration particulière de l'agriculture française et de son pilotage entre 1945 et 1960, qu'ils caractérisent comme colbertiste, planiste, et fordiste[69].

François Hochereau analyse l'oubli à l'apogée du productivisme, puis le retour récent d'une importance accordée aux « résistances génétiques » des céréales aux maladies fongiques (lutte génétique en compétition avec la lutte chimique, les fongicides). Il analyse la longue marche d'une innovation adaptée à des itinéraires techniques moins intensifs en intrants, les variétés de blé « rustiques » qui occupent aujourd'hui près de 15% du marché variétal en identifiant les résistances d'un bloc productiviste dans les années 1990 (ITCF, coopératives et leurs filiales de sélection, secteur phytosanitaire) à cette innovation porteuse de durabilité. Le travail en interdisciplinarité (entre génétique, agronomie et pathologie), l'expérimentation avec les sélectionneurs et les organisations professionnelles agricoles, dans le contexte de baisse des cours des années 1990 ouvrirent finalement la voie du marché aux variétés rustiques. Mais, phénomène que la hausse des cours ne démentira pas, celles-ci restent aujourd'hui essentiellement utilisées dans des itinéraires techniques intensifs (les dernières générations sur le marché étant presque aussi productive en condition intensive que les variétés classiques), comme si l'innovation avait été digérée et détournée de son milieu supposé « récepteur », nouvelle illustration des limites de l'approche diffusionniste...

La contribution de Jean-Paul Gaudillière porte sur la régulation de l'usage des hormones (en l'occurrence le Distilbène, DES) dans l'élevage en France et aux États-Unis depuis les années 1960. Comme toujours en histoire, l'approche comparatiste s'avère un outil puissant pour se garder de schémas explicatifs trop simples et pour mieux identifier les contingences, les contraintes et les effets de trajectoire (*path dependency*) dans la dynamique d'une controverse sanitaire ou environnementale et de son traitement en terme de politique publique[70]. Cette étude nous place en effet dans les années 1980 à une situation inversée à celle des années 1990 tant sur le bœuf aux hormones que dans le cas de la « vache folle » ou des OGM : controverses et précaution sont américaines (interdiction de l'usage du Distilbène aux USA en 1979 suite à une importante controverse publique)

---

[69] Ce qui n'exclut pas l'intérêt des hypothèses de Berlan pour analyser les évolutions de la filière semences de maïs postérieures à 1960 en France.

[70] Pour un exemple récent, voir Joly et Marris, « Les Américains ont-ils accepté les OGM? »

tandis que la France libéralise l'utilisation des estrogènes comme supplément de croissance en 1984. Gaudillière explique cette situation en analysant les trajectoires des controverses et les formes d'expertise et de régulation à l'œuvre. L'enclavement de la question des usages agricoles des hormones en France dans les années 1980 apparaît alors comme le produit d'une longue histoire, celle de l'affirmation du corps des vétérinaires comme groupe social au sein de l'État[71] et de la prégnance d'une régulation de type professionnel des hormones, ébranlée seulement après 1996.

Ces onze contributions, dans la diversité même des approches et des périodes abordées, nous offrent un aperçu particulièrement stimulant de ce que peut produire une lecture historienne de la recherche agronomique, interrogeant ses acteurs et ses institutions non plus seulement dans une logique diffusionniste à sens unique, mais dans la complexité des interrelations entre sphères et régimes de rationalité. Nous nous permettrons d'y voir un bel appel à une collaboration renforcée entre des études rurales renouvelées et une histoire sociale et culturelle des sciences et des techniques ouverte à la contextualisation large de ses objets. Certes, beaucoup reste à faire, depuis la recension historiographique pluridisciplinaire et internationale jusqu'à la production et l'interconnexion de corpus d'études, mais les questionnements sont posés, les enjeux éclaircis, et l'impératif d'une périodisation large et d'une contextualisation fine reconnus.

Gageons donc que cette première étape sera suivie d'autres rencontres et projets transversaux, et que le Comité d'histoire de l'Inra pourra continuer à jouer le rôle indispensable de lieu de confrontation, de synthèse et de diffusion des recherches interrogeant l'inscription historique des acteurs et des institutions des sciences et des techniques investies dans les champs de l'agricole et de l'alimentaire et, au-delà, interagissant avec la dynamique globale de la modernisation. Le « progrès » a perdu sa qualité de discours historique, il a gagné le statut d'objet d'histoire.

BIBLIOGRAPHIE

Aggeri, F. et Hatchuel, A., « Ordres socio-économiques et polarisation de la recherche. Pour une critique des rapports science-société », *Sociologie du travail*, 2003, vol. 45, pp. 113-133.

Aggeri, F., Callon, M., Attonaty, J., Joly, P-B., Fixari, D., Hatchuel, A. et

[71] Hubscher, *Les maîtres des bêtes*.

Spira, R., *Les chercheurs et l'innovation : Regard sur les pratiques de l'Inra*. Paris, Inra Editions (coll. Science en Question), 1998.

Akrich, M., « La description des objets techniques », *Techniques et culture*, 1987, n° 9, pp. 49-64

Allaire, G. et Boyer, R. (eds.), *La grande transformation de l'agriculture. Lectures conventionnalistes et régulationnistes*, Paris, Inra-Economica. 1995.

—, « Émergence d'un nouveau système productif en agriculture », *Canadian Journal of Agricultural Economics*, 1996, (44), pp. 461-479.

Amouretti, M.-C. et Sigaut, F. (eds.), *Traditions agronomiques européennes. Élaboration et transmission depuis l'Antiquité. 120e Congrès national des sociétés historiques et scientifiques, section histoire des sciences, Aix-en-Provence, 1995*, Paris, Éditions du Comité des travaux historiques et scientifiques, 1998.

Association des ruralistes français, *La pluri-activité dans les familles agricoles, colloque de l'Association des ruralistes français, L'Isle-d'Abeau, 19-20 novembre 1981*, Paris, ARF Éditions, 1984.

Barral, P., *Les agrariens français, de Méline à Pisani*, Paris, A. Colin, 1968.

Barral, P., *Les sociétés rurales du 20e siècle*, Paris, A. Colin, coll. U, 1978.

Bensoussan, D., *Combats pour une Bretagne catholique et rurale. Les droites bretonnes dans l'entre-deux-guerres*, Paris, Fayard, 2006.

Berlan, J.-P., *Recherches sur l'économie politique d'un changement technique : les mythes du maïs hybride*, thèse d'État, Faculté des sciences économiques, Université Aix-Marseille 2, 1987.

Bitoun, P., « L'équivoque vichyssoise », *Bulletin du MAUSS*, 1985/03, n° 13, pp. 11-36, 1985/06, n° 14, pp. 127-148, 1985/09, n° 15, pp. 101-121 et 1985/12, n° 16, pp. 151-186.

Bloch, M., *Apologie pour l'histoire ou Métier d'historien (1941-1942)*, Paris, A. Colin, 1993.

—, *Les caractères originaux de l'histoire rurale française*, Oslo, H. Aschehoug, 1931.

Bloor, D., *Knowledge and social imagery*, Londres, Routledge, 1976.

Bodiguel, M, *Les paysans face au progrès*. Paris, Presses de la Fondation nationale des sciences politiques, 1975.

Bonneuil, C., « Les transformations des rapports entre sciences et société en France depuis la Seconde Guerre mondiale : un essai de synthèse », in *Actes du colloque Sciences, Médias et Société, École normale supérieure, Lettres et Sciences humaines, Lyon 15, 16, 17 juin 2004*, sous la dir. de Joëlle Le Marec et Igor Babou. ENS, 2005, pp. 15-40.

—, « Producing identity, industrializing purity. Elements for a cultural history of genetics », in S. Müller-Wille et H.-J. Rheinberger (eds.), *A Cultural History of Heredity IV*, Berlin, Max-Planck-Institut für

Wissenschaftsgeschichte (Preprint 343), 2008, pp. 81-110.
Bonneuil, C. et Hochereau, F., « Gouverner le "progrès génétique" : biopolitique et métrologie de la construction d'un standard variétal dans la France agricole d'après-guerre », *Annales. Histoire, Sciences Sociales*, nov.-déc. 2008, sous presse.
Bonneuil, C. et Thomas, F., *Gènes, pouvoirs et profits. Recherche publique et régimes de production des savoirs en génétique végétale de Mendel aux OGM*, Paris, Editions Quæ, 2009.
Boulet, M. (éd.), *La formation des acteurs de l'agriculture. Continuités et ruptures 1945-1985 - Actes du colloque ENESAD, 27-29 novembre 2001*, Dijon, Educagri éditions, 2003.
Boulet, M., *Le fonctionnaire et le paysan (1836-1912)*, Dijon, INRAP, Coll. Expérimentations et recherches, 1990.
Bourde, A. J., *Agronomie et agronomes en France au 18e siècle*, Paris, SEVPEN, 1967.
Bourdieu, P., « Une classe objet », *Actes de la recherche en sciences sociales*, 1977, n°17-18, pp. 2-5.
Brelot, C.-I. et Mayaud, J.-L., *L'industrie en sabots. Les conquêtes d'une ferme-atelier aux 19e et 20e siècles. La taillanderie de Nans-sous-Sainte-Anne*, Paris, J.-J. Pauvert aux Éditions Garnier, 1982.
Buhs, J. B., « Dead Cows on a Georgia Field : Mapping the Cultural Landscape of the Post-World War II American Pesticide Controversies », *Environmental History*, Jan. 2002, 7, pp. 99-121
Buj, A., *El Estado y el control de plagas agrícolas. La lucha contra la langosta en la España contemporánea*, Madrid, Ministero de Agricultura, Pesca y Alimentación, 1996.
Cadeddu A., « Pasteur et le choléra des poules: révision critique d'un récit historique », *History and Philosophy of the Life Sciences*, 7, 1985, pp. 87-104.
Carson, R., *Silent Spring*, Boston, Houghton Mifflin, 1962 [traduit en français en 1963 chez Plon, sous le titre *Printemps silencieux*].
Castoriadis, C., *L'institution imaginaire de la société*, Paris, Le Seuil, 1975.
Charvolin, F., et Bonneuil, C., « Entre écologie et écologisme : la protection de la nature au Muséum dans les années 1950 », *Responsabilité & Environnement*, Avril 2007, n° 46, pp. 46-52
Cornu, P., et Mayaud, J.-L. (eds.), *Au nom de la terre. Agrarismes et agrariens en France et en Europe du 19e siècle à nos jours*, Paris, La Boutique de l'Histoire, coll. « Mondes ruraux contemporains », 2007.
Cornu, P., et Mayaud, J.-L., « L'agrarisme, question d'histoire urbaine ? Approche comparée de la construction des campagnes dans la France et l'Allemagne de l'ère industrielle », in Chauvaud, F. et Caron, J.-C. (eds.), *Les campagnes dans les sociétés européennes. France, Allemagne, Italie*

(1830-1930), Rennes, Presses universitaires de Rennes, 2005, pp. 33-54.
Cranney, J., *Inra. 50 ans d'un organisme de recherche*, Inra, Paris, 1996.
Cronon, W, *Nature's Metropolis. Chicago and the Great West*, New York-Londres, W.W Norton & Co, 1991.
Daniel, P., *Toxic Drift : Pesticides and Health in the Post-World War II South*, Bâton Rouge, Louisiana State University Press, 2005.
Delfosse, C., *La France fromagère (1850-1990)*, Paris, Éditions la Boutique de l'Histoire, coll. « Mondes ruraux contemporains », 2007.
Denis, G., « Préambule à une histoire de l'agronomie française », *Bulletin d'histoire et d'épistémologie des sciences de la vie*, vol. 2, n° 2, 1995, pp. 251-265.
—, *Quelques mots sur l'histoire de l'Institut national de la recherche agronomique*, 37 p., document interne à l'Inra, Paris, 1995.
—, « Agronomie, chimie et botanique (1755-1805) en France ; l'exemple des maladies des plantes », Hoppe, B., *Biology integrating scientific fundamentales*, Munich, Institut für Geschichte der Naturwissenschaften, 1997, pp. 31-100.
—, « L'agronomie au sens large. Une histoire de son champ, de ses définitions et des mots pour l'identifier », Robin, P., Aeschlimann, J.-P. et Feller, C. (eds.), *Histoire et agronomie*, Paris, IRD, 2007, pp. 61-90.
—, « Pratiques paysannes et modèles théoriques savants pré-agronomiques du dix-huitième siècle. Le cas des débats sur la transmission des maladies des grains de blés », *Revue d'histoire des sciences*, 2001, 54/4, pp. 451-494.
Dix, A. et Langthaler, E. (eds.), *Grüne Revolutionen. Agrarsysteme und Umwelt im 19. und 20. Jahrhundert*, Innsbrück, Studien Verlag, 2006.
Dosi, G., « Technological paradigms and technological trajectories: a suggested interpretation of the determinants and directions of technological change », *Research Policy*, 1982, 11(3), pp. 147-62
Dumont, R., Le problème agricole français, esquisse d'un plan d'orientation et d'équipement, Paris, Les éditions nouvelles, 1946.
Faucher, D., *Le paysan et la machine*. Paris, Éditions de Minuit, 1954.
Finlay, M. R., « The German Agricultural Experiment Stations and the Beginnings of American Agricultural Research. », in Danbom, D. B. (éd.), *Publicly Sponsored Agricultural Research in the United States : Past, Present and Future*, Washington, The Agricultural History Society, 1988, pp. 41-50.
Fitzgerald, D. K., « Beyond Tractors: The History of Technology in American Agriculture », *Technology and Culture*, 1991, 32, pp. 114-126.
—, *Every Farm a Factory: The Industrial Ideal in American Agriculture*, New Haven, Yale Univ. Press, 2003.
Fleck, L., *Genèse et développement d'un fait scientifique*, Paris, Les Belles-

Lettres, 2005 [1981].

Flippen, J. B., « Pests, Pollution, and Politics : The *Nixon Administration's Pesticide* Policy », *Agricultural History*, 1997, vol. 71, n° 4, pp. 442-456.

Fourche, R., *Contribution à l'histoire de la protection phytosanitaire dans l'agriculture française, 1880-1970*, Thèse d'histoire contemporaine sous la direction de Jean-Luc Mayaud, Université Lumière-Lyon 2, 2004.

Friedmann, H. et McMichael, P., « Agriculture and the state system: the rise and decline of national agricultures, 1870 to the present », *Sociologia ruralis*, 24, 2, 1993, pp. 93-117.

Friedmann, H., « From colonialism to green capitalism: social movements and emergence of food regimes », *New directions in the sociology of global development. Research in rural sociology and development,* 11, 2005, pp. 229-267.

Frost, R. L., « The flood of "progress" : technocrats and peasants at Tignes (Savoie), 1946-1952 », *French Historical Studies*, 1985, 24 (1), pp. 117-140.

—, « La technocratie au pouvoir… avec le consentement des syndicats : la technologie, les syndicats et la direction à l'Électricité de France, 1946-1968 », *Le Mouvement social*, 130, 1985, pp. 81-96.

Garrier, G., *Paysans du Beaujolais et du Lyonnais : 1800-1970*, Grenoble, Presses universitaires de Grenoble, 1973.

—, *Le phylloxéra : une guerre de trente ans, 1870-1900*, Paris, A. Michel, 1989.

—, *Histoire sociale et culturelle du vin*, Paris, Bordas, 1995.

Gavignaud, G., *La révolution rurale dans la France contemporaine (18e-20e siècles)*, Paris, L'Harmattan, 1996.

Gay, J.-P., *Fabuleux maïs, histoire et avenir d'une plante*, AGPM, 1984.

Geison G. L., *The Private Science of Louis Pasteur*, Princeton, New Jersey, Princeton University Press, 1995.

Gervais, M., Jollivet, M. et Tavernier, Y., *La fin de la France paysanne de 1914 à nos jours*, vol. IV de Duby, G. et Wallon, A. (eds.), *Histoire de la France rurale*. Paris, Seuil, 1976.

Habernas, J., *La technique et la science comme « idéologie »*, Paris, Gallimard, 1973 [1971].

Hecht, G., *Le rayonnement de la France : énergie nucléaire et identité nationale après la Seconde Guerre mondiale*, Paris, La Découverte (Textes à l'appui), 2004 [1998 en anglais].

Hubscher, R., *L'Agriculture et la société rurale dans le Pas-de-Calais, du milieu du 19e siècle à 1914*, Arras, Commission départementale des monuments historiques du Pas-de-Calais, 1979-1980, 2 vol.

Hubscher, R., *Les maîtres des bêtes : les vétérinaires dans la société française, 18e-20e siècle*, Paris, O. Jacob, 1999.

Jansen, S. *« Schädlinge ». Geschichte eines wissenschaftlichen und politischen Konstrukts 1840-1920*, Frankfurt/Main, Campus, 2003.

Jas, N., *Au carrefour de la chimie et de l'agriculture, les sciences agronomiques en France et en Allemagne 1840-1914, Paris, Édition des archives contemporaines*, 2001.

Jollivet, M., et Mathieu, N. (eds.), *Du rural à l'environnement : la question de la nature aujourd'hui*, Paris, ARF-L'Harmattan, 1989.

Joly, P.-B., et Marris, C., « Les Américains ont-ils accepté les OGM ? Analyse comparée de la construction des OGM comme problème public en France et aux Etats-Unis », *Cahiers d'économie et sociologie rurales*, 2000, n° 67, pp. 11-45

Kaplan, S. L., *Le pain maudit. Retour sur la France des années oubliées, 1945-1958*, Paris, Fayard, 2008.

Kloppenburg, J., *First the seed: The Political economy of Plant Biotechnology*, Cambridge Univ. Press, 2004.

Kuhn, T. K., *La structure des révolutions scientifiques*, Paris, Flammarion, 1983 [1962 pour la 1ère édition américaine].

Kuhnholtz-Lordat, G., *L'Écran vert*, Paris, Édition du Muséum, 1958.

Laferté, G., et Renahy, N., « Tradition, modernisation, domination. Trois regards des études rurales françaises cristallisés autour d'une enquête (RCP Châtillonnais, 1966-1975) », *Working paper Cesaer* n°2, 2006 (http://www2.dijon.inra.fr/esr/publications/docs/WP2006_2.pdf).

Lagrave, R.-M. (éd.), *Celles de la terre. Agricultrice : l'invention politique d'un métier*, Paris, Ed. de l'EHESS, 1988.

Lacroix-Riz, A., *Le choix de la défaite : les élites françaises dans les années 1930*, Paris, A. Colin, 2006.

Lamarche, H., « L'exploitation familiale en France », in Lamarche, H. (éd.) *L'agriculture familiale. Comparaison internationale, tome 1 : Une réalité polymorphe*, Paris, L'Harmattan, 1992, pp. 108-123.

Latour, B., *La science en action*. Paris, La découverte, 1989.

—, *Les microbes : guerre et paix*, Paris, Métailié, 1984.

—, *Politiques de la nature. Comment faire entrer les sciences en démocratie*, Paris, La découverte, 1999.

Maclouf, P. (éd.), *La pauvreté dans le monde rural*, Paris, ARF Éditions/Éditions L'Harmattan, 1986.

Malatesta, M., *Le aristocrazie terriere nell'Europa contemporanea*, Rome, Laterza, 1999.

Marcus, A., *Agricultural Science and the Quest of legitimacy: Farmers, Agricultural Colleges, and Experiment Stations, 1870-1920*, Iowa State University Press, Ames, 1985.

Mayaud, J.-L., *150 ans d'excellence agricole en France. Histoire du Concours général agricole*, Paris, Belfond, 1991.

—, *La petite exploitation rurale triomphante, France, 19e siècle*, Paris, Belin, 1998.

—, « La porte de l'étable. Approche sociohistorique des acteurs, des techniques et des représentations mobilisées dans la production du vivant aux 19e et 20e siècles », in Hervieu, B., Heurgon, É. et Hubert, B., *De l'étude des sociétés rurales à la gestion du vivant. 50 ans de savoirs confrontés. Actes du colloque de Cerisy, 19-26 septembre 2007*, Paris, Éditions La Découverte, 2009, sous presse.

Mazoyer, M. et Roudard, L., *Histoire des agricultures du monde*, Paris, Éditions du Seuil, 1997.

Mendelsohn, A., « Message in a Bottle: The Business of Vaccines and the Nature of Heredity after 1880 », in *A Cultural History of Heredity III: 19th and Early 20th Centuries*, Berlin, Max-Planck-Institut für Wissenschaftsgeschichte (Preprint 294), 2005, pp. 85-100.

Mendras, H., *La fin des paysans*. Actes Sud, Collection Babel, Paris, 1992 [1967].

—, *Sociétés paysannes*, coll. U, Paris, A. Colin, 1976.

— (coll. P. Le Galès et M. Oberti), *Comment devenir sociologue. Souvenirs d'un vieux mandarin*, Actes Sud, 1995.

Moore, G. E., « The Involvement of Experiment Stations in Secondary Agricultural Education, 1887-1917 » in Danbom, D. B. (éd.), *Publicly Sponsored Agricultural Research in the United States : Past, Present and Future*, Washington, The Agricultural History Society, 1988, pp. 164-176.

Muller, P., *Le technocrate et le paysan, essai sur la politique française de modernisation*, Paris, Économie et humanisme, 1984.

Nadau, T., *Itinéraires marchands du goût moderne. Produits alimentaires et modernisation rurale en France et en Allemagne (1870-1940)*, Paris, Editions de la Maison des sciences de l'homme, 2005.

Nash, L., « The Fruits of Ill-Health: Pesticides and Workers' Bodies in Post-World War II California », *Osiris*, 2004, vol. 19, pp. 203-219.

Nicolino, F. et Veillerette, F., *Pesticides. Révélation sur un scandale français*, Paris, Fayard, 2007.

Pech, R., *Entreprise viticole et capitalisme en Languedoc Roussillon : du phylloxéra aux crises de mévente*, Toulouse, Association des publications de l'Université de Toulouse-Le Mirail, 1975.

Pesche, D., *Le syndicalisme agricole spécialisé en France, entre la spécificité des intérêts et le besoin d'alliances*, Paris, L'Harmattan, 2000.

Pestre, D., « Les physiciens dans les sociétés occidentales de l'après-guerre. Une mutation des pratiques techniques et des comportements sociaux et culturels », *Revue d'histoire moderne et contemporaine*, janvier-mars 1992, vol. 39, n°1, pp. 56-72

—, « Pour une histoire sociale et culturelle des sciences. Nouvelles définitions, nouveaux objets, nouvelles pratiques », *Annales. Histoire, Sciences Sociales*, 1995, 50, pp. 1417-1453.

—, *Science argent et politique, un essai d'interprétation*, Paris, Inra Éditions, 2003.

—, *Introduction aux Science Studies*. Paris, La Découverte (coll. Repères), 2006.

Prevel, M., *L'usine à la campagne. Une ethnographie du productivisme agricole*, Paris, L'Harmattan, 2007.

Rémy, J., Brives, H. et Lemery, B. (eds.), *Conseiller en agriculture*, Paris, Inra Éditions, 2006.

Robin, P., Aeschlimann, J.-P. et Feller, C. (eds.), *Histoire et agronomie. Entre ruptures et durée*, collection « Colloques et séminaires », Paris, IRD édition, 2007.

Rogers, S. C., « Natural histories: The Rise and Fall of French Rural Studies », *French Historical Studies*, 1995, 19-2, pp. 381-397

Russel, E. J., *A History of Agricultural Science in Great Britain 1620-1954*, Londres, Georg Allen and Unwin Ltd, 1966.

Russell, E., *War and Nature: Fighting Humans and Insects with Chemicals from World War I to Silent Spring*, New York, Cambridge University Press, 2001.

Salmona, M., « La culture économique et technique face au développement », *Options méditerranéennes*, n° 21, 1974, pp. 47-57.

—, *Métis, paradoxe, qualification ou expropriation de l'intelligence de la production; les avatars de la vulgarisation scientifique et technique dans l'agriculture, texte théorique rédigé dans le cadre de la recherche sur les qualifications dans l'agriculture*, CAESAR/APCA, 1978.

Salomon-Bayet, C. (éd.), *Pasteur et la révolution pastorienne*, Paris, Payot, 1986.

Saugères, L., « Of tractors and men: Masculinity, technology and power in a French farming community », *Sociologia ruralis*, 2002, vol. 42, n° 2, pp. 143-159.

Sheail, J., *Pesticides and Nature conservation: The British Experience, 1950-1975*, Oxford, Clarendon Press, 1985.

Sigaut, F., *L'agriculture et le feu : rôle et place du feu dans les techniques de préparation du champ de l'ancienne agriculture européenne*, Paris, Mouton, 1975.

—, « Changement de point de vue dans l'agronomie française du 18e au 20e siècle », *Journal d'agriculture tropicale et de botanique appliquée*, 1976, t. XXIII, pp. 19-32.

—, « Entre pratiques raisonnées et science efficace : l'âge des doctrines en agronomie », in Amouretti, M.-C. et Sigaut, F. (eds.), *Traditions agronomiques européennes...*, ouv. cité, pp. 197-221.

—, « Histoire rurale et sciences agronomiques. Un cadre général de réflexion », Ghislain Brunel, G. et Moriceau, J.-M. (eds.) *L'histoire rurale en France. Actes du colloque de Rennes (6-7-8 octobre 1994), Histoire et sociétés rurales*, 1er semestre 1995, n° 3, pp. 203-214 et pp. 254-260.

Simonetto, M., *I lumi nelle campagne. Academie e agrioltura nella Repubblica di Venezia (1768-1797)*, Canova Treviso, Edizioni Fondazione Benetton Studi Ricerche, 2001.

Stalheim, O., « The Hog Cholera Battle and Veterinary Professionalism », *Agricultural History*, 1988, 62, n°2, pp. 116-121.

Stanziani, A., *Histoire de la* qualité *alimentaire, 19e-20e siècles*, Paris, Seuil, 2005.

Teich, M., *Bier, wissenschaft und wirtschaft in Deutschland, 1800-1914. Ein Beitrag zur deutschen Industrialisierungsgeschichte*, Vienne, Böhlau Verlag, 2000.

Thirsk, J., *The Agrarian history of England and Wales*, vol. V (1640-1750), Cambridge, Cambridge University Press, 1984.

Thurtle, P., *The emergence of Genetic Rationality. Space, Time and Information in American Biological Science, 1870-1920*, Seattle et Londres, University of Washington Press, 2007.

Vincenti, W. G., *What engineers know and how they know it: analytical studies from aeronautical history*, John Hopkins University Press, 1990.

Waddington, K., « The science of cows: tuberculosis, research and the state in the United Kingdom, 1890-1914 », *History of science*, 2001, vol. 39, pt. 3, n° 125, pp. 355-381.

—, « To stamp out 'so terrible a malady': bovine tuberculosis and tuberculin testing in Britain, 1890-1939 », *Medical history*, 2004, vol. 48, n° 1, pp. 29-48.

Wajcman, J., *Feminism Confronts Technology*, University Park, Penn State University Press, 1991.

Walter, X., *Paysan militant. Jacques Le Roy Ladurie, 1925-1940*, Paris, F.-X. de Guibert, 2008.

Weber, E., *La fin des terroirs. La modernisation de la France rurale. 1870-1914*, Paris, Fayard/ Recherches, 1983 [1976].

Weulersse, G., *Le mouvement physiocratique en France (de 1756 à 1770)*, Paris, La Haye, Mouton, 1968.

Wievorka, O., « Charles de Gaulle, la technique et les masses », in Institut Charles De Gaulle, *De Gaulle en son siècle*, 7 vol., Paris, Plon, La Documentation française, 1991-1992. Actes du colloque de l'UNESCO, 19-24 nov. 1990, vol. 3, 1992, pp. 713-724.

Williams, R. L., *The origins of Federal Support for Higher Education – George W. Althertob and the Land-Grant College Movement*, University Park, The Pennsylvania State University Press, 1991.

Woods, A., « The farm as clinic: veterinary expertise and the transformation of dairy faming, 1930-1950 », *Studies in History and Philosophy of Biological and Biomedical Sciences*, 2007, vol. 38, n° 2 (June), pp. 462-487.

Worboys, M., « Germ Theories of Disease and British Veterinary Medicine, 1860–1890. », *Medical History*, 1991, vol. 35, pp. 308-327.

ENTRE INNOVATIONS AGRONOMIQUES ET PRATIQUES PAYSANNES

LA FIGURE DE L'« AGRICULTEUR PRATIQUE » AU 19E SIÈCLE

Chloé GABORIAUX[1]

La question des rapports entre la recherche scientifique et les transformations du monde rural s'est posée de façon cruciale au 19e siècle à tous ceux qui, agronomes, grands propriétaires terriens, chefs d'exploitation mais aussi publicistes et politiques, étaient intéressés au progrès de l'agriculture française. Le sentiment d'un retard français en matière agricole était en effet largement partagé, non seulement en comparaison des succès anglais souvent cités, mais surtout par rapport à l'état de la science agronomique française. Aux yeux des élites du pays, le monde rural, et en particulier sa majorité paysanne, semblait hermétique aux innovations scientifiques et techniques du moment, figé dans des pratiques routinières et archaïques. Chacun aurait alors sans doute fait sien le constat que Louis Moll, professeur d'agriculture au Conservatoire et cultivateur dans la Vienne, confie au début de l'année 1848 au *Journal d'agriculture pratique* : « Nul pays ne possède une aussi importante réunion de savants ; nul n'a des ouvriers, je ne dirai pas, moins intelligents, ce serait inexact, mais plus ignorants »[2]. Au défi que constitue cet écart entre le dynamisme de la recherche et la routine supposée des paysans français, une grande partie des élites rurales a répondu par la promotion de l'« agriculteur pratique », c'est-à-dire par un appel à favoriser l'émergence d'une classe de grands exploitants, propriétaires ou fermiers – les « agriculteurs pratiques » –

[1] Chloé Gaboriaux est docteure en science politique (Sciences Po - CEVIPOF), <c.gaboriaux@free.fr>.
[2] Moll, « Des fermes-écoles », p. 5.

destinés à diffuser par l'exemple les enseignements de l'agronomie aux petits cultivateurs, qui, une fois convaincus d'abandonner les procédés traditionnels au profit de techniques résolument modernes, feront entrer l'agriculture française dans la voie du progrès. Il s'agit ici de saisir les enjeux de cette proposition, faite par des grands propriétaires terriens en faveur, disent-ils, de la petite propriété et de la petite culture. Le dépouillement du *Journal d'agriculture pratique*, qui rend compte de leurs idées et de leurs actions depuis 1837, a permis d'analyser une position défendue avec constance par la revue jusqu'à la fin du siècle. Cette dernière est présentée avant tout comme un modèle de développement agricole spécifiquement français, en rupture avec les aspirations des agronomes du 18e siècle, souvent plus enclins à vanter l'Angleterre et la grande culture. Mais la promotion de l'« agriculteur pratique » est surtout la réaction d'un groupe social dont l'influence est menacée et qui doit donc se réinventer une légitimité pour conserver un rôle dans une société de plus en plus démocratique. On verra cependant que ces efforts ont échoué en partie : au tournant du siècle, l'élite rurale semble en effet devoir abandonner ses prétentions politiques.

LA DÉFENSE D'UN MODÈLE DE DÉVELOPPEMENT AGRICOLE SPÉCIFIQUEMENT FRANÇAIS

Revue ouverte au débat, le *Journal d'agriculture pratique* publie des auteurs dont les positions en matière scientifique, économique et politique sont divergentes voire opposées. Fondée en 1837 par Alexandre Bixio, qui a également participé à la création de la *Revue des deux mondes* et qui occupe brièvement la fonction de ministre de l'agriculture et du commerce sous la IIe République, elle connaît des rédacteurs en chef souvent libéraux mais ouvre largement ses colonnes aux légitimistes qui restent nombreux parmi les grands propriétaires terriens[3]. Les innovations agronomiques y sont discutées, de même que les orientations de la politique agricole, en particulier sur la question des droits de douane, avec un souci d'équilibre entre les différentes opinions qui conduit les rédacteurs à publier régulièrement les réactions des lecteurs à tel ou tel article.

Aucune contribution ne vient en revanche briser le consensus qui se dégage à propos du progrès agricole : qu'ils soient d'inspiration légitimiste ou libérale, de tendance libre-échangiste ou protectionniste, les auteurs des divers articles sont unanimes à défendre un modèle de développement qui, parce qu'il prône la recherche de l'équilibre entre la grande et la petite

[3] Tudesq, *Les grands notables*.

exploitation, rompt avec la préférence exclusive de bon nombre de leurs prédécesseurs pour la grande culture[4]. Contre la plupart de leurs aînés physiocrates mais aussi et surtout contre les « économistes » de leur temps[5], les rédacteurs du *Journal d'agriculture pratique* refusent de voir dans l'exemple anglais la seule voie du progrès agricole : selon eux, la prépondérance numérique des petites exploitations non seulement n'exclut pas la modernisation de l'agriculture française mais en est la condition. En témoigne le compte-rendu qu'Édouard Lecouteux fait en 1858 de l'ouvrage de Léonce de Lavergne, *L'agriculture et la population*. Il se réjouit d'y trouver des arguments à opposer à tous ceux qui considèrent l'exode rural et la concentration de la propriété « comme le témoignage irrécusable d'une civilisation progressive ». L'analyse de Léonce de Lavergne lui permet en effet de montrer que le progrès de l'agriculture française exige au contraire le maintien d'une population rurale importante, qu'on ne saurait fixer dans les campagnes sans la faire accéder à la propriété. « Plus l'agriculture se perfectionne, écrit-il, plus elle a besoin de bras, et notons bien ce fait, de bras intelligents ». L'erreur des économistes doit selon lui être attribuée à leur admiration excessive de l'agriculture anglaise. Or, ajoute-t-il,

> « N'oublions pas, en dernière analyse, qu'il n'en est pas de l'agriculture française comme de l'agriculture anglaise. Celle-ci, soit par ses débouchés, soit par la nature du sol et du climat, ne s'occupe guère que de la production des fourrages, des grains et des bestiaux. Celle-là, beaucoup plus complexe, doit joindre à la production des denrées alimentaires, la production des vignes, des mûriers, des oliviers, des arbres fruitiers, des plantes industrielles et des plantes horticoles de plain champ. La petite culture prédomine donc sur notre territoire ; or la petite culture, c'est la population rurale en grand nombre »[6].

« Nature du sol et du climat », « débouchés », type d'exploitation : il est frappant de constater que les critères invoqués par Édouard Lecouteux sont en partie identiques à ceux que Patrick O'Brien et Caglar Feyder ont mis en avant à la fin des années 1970 pour remettre en cause à leur tour l'idée d'un retard de l'agriculture française sur l'agriculture anglaise au 19e siècle, et conclure eux aussi à l'existence de « deux systèmes agraires très différents »[7].

Mais les petits cultivateurs n'ont-ils pas prouvé leur incapacité à s'engager dans la voie du progrès, ne sont-ils pas loin de constituer ces

---

4 Warner, « The Journal d'agriculture pratique ».

5 Le terme désigne alors les théoriciens du libéralisme économique dont la tribune est le *Journal des économistes*.

6 Lecouteux, « L'agriculture et la population », p. 13 et 15.

7 O'Brien et Keyder, « Les voies de passage vers la société industrielle », p. 1297.

« bras intelligents » que réclame Édouard Lecouteux ? Telle est l'objection que le *Journal d'agriculture pratique* s'emploie à réfuter à longueur d'années. Si le paysan est routinier et refuse d'adopter les dernières innovations techniques, ce n'est pas qu'il soit « inintelligent », lit-on sous la plume de Jean-Baptiste Biot en 1851, dans un article au *Journal des savants* reproduit dans le *Journal d'agriculture pratique* : « il n'est que sage », car il se méfie à juste titre des « hasards théoriques »[8]. On a tort, dit encore un grand propriétaire en 1864, de dire du paysan qu'il « fait à tout progrès une opposition stupide » :

> « Le paysan voit, auprès de lui, tant d'innovations dans la manière de cultiver ne rien produire de bon, qu'il lui est permis à lui, l'être pratique et l'être ignorant, de se tenir en garde contre tout ce qui n'a pas subi l'épreuve du temps. Il laisse faire l'expérience, et, quand l'opération a rempli son programme, il l'adopte à bon escient »[9].

Pour combattre l'archaïsme des méthodes de culture du paysan, il suffit donc de lui démontrer, par « l'expérience », l'utilité pratique d'en changer. Or, seul le grand exploitant est suffisamment riche et instruit pour mener cette expérience et initier les paysans parcellaires au progrès. La réhabilitation de la psychologie paysanne, qui conduit à substituer aux accusations de « routine » l'éloge du bon sens et de la prudence du petit cultivateur, débouche ainsi sur la défense d'un équilibre entre grandes et petites exploitations, dans lequel les « agriculteurs pratiques » sont appelés à faire le lien entre les innovations agronomiques et les pratiques paysannes. L'appel à la création de cette « classe intermédiaire » constitue le *leitmotiv* de la revue jusqu'à la fin du siècle. En 1848, Louis Moll la veut « assez éclairée pour comprendre l'agronome, assez pratique pour être comprise du paysan »[10]. Adrien de Gasparin affirme en 1850 que « c'est l'agriculteur [terme qui désigne à l'époque « celui qui fait valoir par lui-même et en grand »[11]] qui est l'âme directrice de l'entreprise agricole », et il ajoute, songeant à l'agronome d'une part et au paysan d'autre part : « sans lui l'agriculture n'est qu'une abstraction ou une routine »[12]. Devenu rédacteur en chef du *Journal d'agriculture pratique* à partir de 1866, c'est au tour d'Édouard Lecouteux de se faire le défenseur infatigable de ces hommes qui

---

[8] Biot, « L'agriculture et la science », p. 222.
[9] Sclafer, « Du paysan », p. 471.
[10] Moll, « Des fermes-écoles », p. 5.
[11] Larousse, *Grand dictionnaire universel du 19e siècle*, tome I, p.142.
[12] Gasparin, « L'Agronome, le Cultivateur et l'Agriculture », p. 280.

« se sont dévoués à l'agriculture et sont parvenus à répandre l'aisance et l'instruction autour d'eux »[13].

Ces conceptions dépassent le cadre de la revue. Nombreux sont ceux en effet qui, parmi l'élite rurale, tiennent à les voir guider la politique agricole des différents gouvernements. Leur attitude sous la IIe République en est un bon exemple. S'agit-il d'organiser l'enseignement agricole ? Le *Journal d'agriculture pratique*, relayé par certains élus, espère que les professeurs des fermes-écoles seront recrutés parmi les « agriculteurs pratiques », qui seuls possèdent « science et expérience, théorie et pratique »[14]. S'agit-il de décider de la composition des chambres d'agriculture ? Dezeiméris, rédacteur au *Journal d'agriculture pratique* et représentant du peuple, s'inquiète d'une loi qui admet les « agronomes distingués » des sociétés savantes au même titre que les « agriculteurs pratiques » alors que ces derniers sont seuls à même de former « une représentation *spéciale* et *exclusive* de *l'agriculture* »[15].

La promotion de l'« agriculteur pratique » nourrit donc chez une grande partie de l'élite rurale un discours tourné vers l'action, qui repose sur un modèle très cohérent de développement agricole : ce dernier se réclame des spécificités économiques et sociales françaises, ainsi que de la psychologie paysanne, pour défendre une conception du progrès agricole où des cadres sociaux élitistes sont la condition d'une vulgarisation scientifique et technique réussie parce que dispensée par l'exemple.

À LA RECHERCHE D'UNE NOUVELLE LÉGITIMITÉ SOCIALE ET POLITIQUE

Une question mérite cependant d'être posée : comment cette élite rurale en est-elle venue à défendre un tel modèle ? Il lui permet certes de se donner un rôle moteur dans le progrès agricole, mais on pourrait en dire autant du modèle concurrent de la grande exploitation capitaliste à l'anglaise, dont la légitimité scientifique est aussi voire plus reconnue – n'a-t-elle pas le soutien des économistes ? – et qui repose en outre sur des idées mieux implantées chez les grands propriétaires terriens – ne sont-ils pas issus d'un milieu qui, très influencé par les idéaux physiocratiques, avait coutume de faire l'éloge de l'Angleterre et la critique de la routine paysanne ?

Quels que soient les attraits du modèle anglais, une grande partie de l'élite rurale française est en fait convaincue qu'il ne suffirait pas à conjurer

[13] Lecouteux, « Chronique agricole du 18 juillet 1867 », p. 66.
[14] Moll, « Des fermes-écoles », p. 13.
[15] Dezeimeris, « Chronique agricole de mars – deuxième quinzaine », p. 297 et 295.

le déclin de son influence économique, sociale et même politique[16]. Les grands propriétaires terriens craignent en effet tout d'abord de ne pas pouvoir maintenir leur patrimoine. Il semble clair, et ce dès les années 1830-1840, que les gouvernements ne reviendront pas sur le partage égal[17]. Ce qui l'est moins, c'est si l'économie tend naturellement à la concentration ou au morcellement de la propriété. Beaucoup de grands propriétaires se sentent menacés et partagent la vision pessimiste d'un Balzac : la première partie des *Paysans*, parue dans *La Presse* en 1844, témoigne de l'amertume résignée d'un auteur désormais persuadé que l'histoire en marche est du côté des petits propriétaires[18]. En 1867, Édouard Lecouteux s'interroge encore :

> « Est-il vrai que le flot démocratique de la petite propriété et de la petite culture monte toujours ? Est-il vrai qu'il menace d'engloutir bientôt presque toute la grande culture et ses grands domaines ? Est-il vrai que, devant la rareté croissante des bras, combinée nécessairement avec la hausse des salaires, la grande culture soit forcée de s'avouer vaincue par la petite culture qui dispose à la fois de plus de bras et de plus de capitaux par hectare ? »[19].

En outre, même si la grande propriété parvient à résister à la division des domaines, elle perd peu à peu tous ses privilèges politiques. L'abaissement puis la suppression du cens en 1831 puis 1848 entament la légitimité des grands propriétaires terriens dans la sphère politique, à un moment où beaucoup d'entre eux, déçus par les révolutions successives, préfèrent se retirer sur leurs terres. Ce retrait entre d'ailleurs bientôt dans la représentation que l'élite rurale aime à donner d'elle-même. Dans un discours tenu le 12 décembre 1860 dans la séance publique de rentrée de la Société impériale et centrale d'agriculture de France, Antoine Passy, de l'Académie des Sciences, rappelle qu'« en 1830 comme en 1848, les champs furent l'asile d'un grand nombre d'hommes distingués qui abandonnèrent les rangs de la politique active »[20]. « Nos continuelles révolutions ont amené aux champs beaucoup de naufragés, beaucoup de vaincus », constate Édouard Lecouteux plus abruptement[21]. Et tous deux de montrer que ces hommes

---

[16] Thébault, « La faute des pères ».

[17] La Révolution de Juillet, qui a conduit à l'abolition de l'hérédité de la pairie, paraît également impliquer la consécration du partage égal, avec notamment la suppression des majorats. La loi du 12 mai 1835 les interdit à l'avenir, mais conserve cependant « les majorats fondés jusqu'à ce jour », limités à deux degrés. Elle est abrogée le 7 mars 1849.

[18] Balzac, *Les paysans*.

[19] Lecouteux, « Chronique agricole du 2 mai 1867 », p. 585.

[20] Passy, « Éloge de M. Chabrol », p. 486.

[21] Lecouteux, « Le parti de l'agriculture », p. 643.

restent de bons patriotes quoiqu'ils aient quitté les affaires : « c'est servir encore son pays que d'augmenter les produits de la terre »[22].

Or, même sur ce terrain, l'influence des grands propriétaires terriens risque d'être remise en cause. Comme l'a montré Nathalie Jas, les années 1840-60 voient en effet la montée en puissance d'un nouvel acteur agricole : le chimiste-agronome, qui supplante bientôt l'agriculteur-agronome dans la recherche scientifique et technique[23]. L'autorité du grand propriétaire terrien en matière de progrès agricole est ainsi menacée par une redéfinition de la science agricole qui paraît condamner l'empirisme au profit du travail en laboratoire.

On comprend dès lors que la promotion de l'« agriculteur pratique » ait pu apparaître comme un moyen d'offrir une nouvelle légitimité à un groupe social en perte de vitesse. La valorisation de la pratique dans la diffusion du progrès agricole lui permet d'abord de répondre à la concurrence que lui font les chimistes. Inlassablement, les rédacteurs du *Journal d'agriculture pratique* soulignent la nécessité de mettre à l'épreuve les résultats obtenus par la nouvelle science agricole. En témoigne notamment leur devise, qui apparaît dès 1854 au début des volumes – « pratique avec science, progrès avec modération ». Le commentaire qu'en fait Jean-Augustin Barral, alors rédacteur en chef de la revue, est représentatif des efforts menés pour conserver aux « agriculteurs pratiques » un rôle moteur dans les destinées de l'agriculture :

> « Faire luire le flambeau de la science au milieu des données de la pratique, assurer le progrès par la prudence même avec laquelle les perfectionnements des méthodes agricoles seront conseillés, enrichir la science à son tour de tous les faits de l'observation et de l'expérience dus aux innombrables travailleurs agricoles, tel est le rôle que nous avons essayé de faire remplir au recueil que nous dirigeons »[24].

Et l'argumentation porte, au point d'influencer le discours des chimistes agricoles eux-mêmes, qui n'hésitent pas à avoir recours à des expérimentations concrètes pour donner plus de poids à leurs démonstrations scientifiques[25].

Mais l'ambition de cette élite rurale va bien au-delà du terrain agronomique. Il s'agit aussi de reconquérir le prestige social que la naissance et la richesse foncière ne suffisent plus à lui conférer. La figure de l'« agriculteur pratique », parce qu'elle oppose le mérite à l'hérédité et la

---

[22] Passy, « Éloge de M. Chabrol », p. 486.
[23] Jas, *Au carrefour de la chimie et de l'agriculture.*
[24] Barral, « Chronique agricole – deuxième quinzaine de décembre », p. 41-42.
[25] Jas, *Au carrefour de la chimie et de l'agriculture.*

défense des petits au capitalisme agressif, redessine les contours de ce groupe social pour mieux l'intégrer à la société nouvelle, tout en l'ouvrant à une bourgeoisie longtemps tenue éloignée de la sociabilité aristocratique des notables traditionnels. La position d'un Édouard Lecouteux est éclairante : l'évolution à laquelle il convie la vieille élite rurale et qui seule, dit-il, doit la sauver du déclin, lui permet de s'en faire le champion légitime, lui, le fils d'un maraîcher. Il insiste ainsi régulièrement sur la nécessité d'ouvrir la classe des grands agriculteurs à qui voudrait y entrer : « ici pas de situation protégée par des lois d'exception. Les portes sont toujours ouvertes aux nouveaux venus ». Ce qui l'autorise à conclure :

> « Cette classe sera donc une très grande force sociale dans nos campagnes lorsqu'elle aura de puissantes individualités qui prendront en main la défense des intérêts agricoles, ceux de la grande culture comme ceux de la petite culture. Elle n'a pas à redemander de privilèges politiques qui irritaient autrefois contre elle. Sa force, c'est d'être dans le droit commun, c'est de parler au nom d'intérêts qui ne sont pas exclusivement les siens, mais ceux de la population la plus nombreuse »[26].

Contre tous ceux qui seraient tentés par un repli sur des valeurs anciennes et dépassées, le rédacteur en chef de la revue appelle ainsi à la constitution d'une nouvelle élite sociale, formée à partir de l'ancienne mais sur des critères appropriés aux temps démocratiques.

Mieux encore : à l'heure du suffrage universel, l'influence sociale ainsi acquise sur la paysannerie, c'est-à-dire l'électorat majoritaire, ne doit-elle pas avoir le pouvoir politique pour contrepartie ? Parce qu'il a tissé des liens étroits avec les populations rurales – salariat, embauche saisonnière, mais aussi prêt de matériel et conseils techniques – l'« agriculteur pratique » n'a-t-il pas toutes les chances d'être élu dans les assemblées politiques ? Quand la défense exclusive de la grande propriété les réduirait au statut de groupe de pression, l'appel à un système agricole qui ménage un équilibre entre grande et petite culture fait de ces grands exploitants les meilleurs représentants de la majorité rurale du pays. Mais c'est à une condition, que cette nouvelle élite rurale a d'emblée saisie : il faut que les électeurs se déterminent moins sur un clivage d'opinions que sur la qualité des services rendus aux populations. En matière politique en effet, cette élite rurale reste divisée, on l'a vu, mais aussi, dans de nombreuses régions, discréditée par ses origines souvent légitimistes. La version politique de l'« agriculteur pratique » implique donc une redéfinition de la sphère politique, qui substitue la défense des intérêts matériels des populations aux questions institutionnelles. Dès l'annonce des premières élections au suffrage

---

[26] Lecouteux, « Le parti de l'agriculture », p. 644-645.

universel, prévues pour le mois d'avril 1848, le *Journal d'agriculture pratique* invite ainsi les paysans à ne pas sacrifier « le point de vue agricole à la question politique. Si l'homme qu'il choisira doit représenter ses intérêts comme citoyen, il doit comprendre également ses besoins comme cultivateur, car toutes les questions vitales pour l'agriculture seront débattues dans l'Assemblée constituante »[27]. Vingt ans plus tard, dans un article cité plus haut, Édouard Lecouteux affirme à son tour que la classe intermédiaire des grands exploitants « a de l'avenir, elle doit tâcher de conquérir la confiance des populations pour que celles-ci prennent leurs élus parmi les hommes utiles aux campagnes »[28]. Et cette conviction ne le quitte pas, même après que les républicains ont pris le pouvoir. Jusqu'à sa mort, il prédit l'avènement de « la politique des intérêts matériels », que la démocratie rend selon lui inéluctable et qui doit garantir à ses yeux la conquête du pouvoir par les élites rurales :

> « La politique des intérêts matériels, c'est la politique qui inspire les gouvernements lorsqu'ils édictent des mesures législatives ou administratives destinées à agir directement, soit en bien, soit en mal, sur les intérêts agricoles, manufacturiers et commerciaux de leurs pays respectifs. Cette politique, la seule dont le *Journal d'agriculture pratique* ait à s'occuper, n'est qu'une branche de la politique générale ; mais il est de fait que, par la force des choses, elle tend à prendre une place de plus en plus large dans les programmes, dans les actes des gouvernements les plus progressifs. Plus le suffrage universel grandira dans la pratique de ses droits et de ses devoirs, plus elle fera prévaloir dans nos pouvoirs publics les idées qui gouverneront le monde du travail, le monde qui accroît la richesse publique, le monde qui dispose des majorités électorales »[29].

La promotion de l'« agriculteur pratique » n'est donc pas seulement le choix d'un modèle de développement agricole, c'est aussi et peut-être surtout la réaction d'un groupe social en pleine mutation et soucieux de redéfinir la représentation qu'il donne de lui-même, au sens où Roger Chartier entend le terme de « représentation » : c'est-à-dire comme lutte « dont l'enjeu est l'ordonnancement, donc la hiérarchisation de la structure sociale elle-même »[30]. En se plaçant délibérément du côté de l'expérimentation plutôt que de la science, de la méritocratie plutôt que de l'hérédité, de la démocratie plutôt que du privilège, les « agriculteurs pratiques » ont pu penser à bon droit qu'ils allaient retrouver le sens de l'histoire et la maîtrise de leur destin.

---

[27] Garnier, « Chronique agricole de février », p. 154.
[28] Lecouteux, « Le parti de l'agriculture », p. 645.
[29] Lecouteux, « La politique des intérêts matériels », p. 114.
[30] Chartier, « Le monde comme représentation », p. 1514.

DES RÉSULTATS EN DEMI-TEINTE

Quelle fut l'efficacité concrète du discours des « agriculteurs pratiques » ? On voudrait pour finir tenter d'en mesurer les effets. De nombreux indices témoignent du succès que les thèses du *Journal d'agriculture pratique* ont rencontré chez les élites rurales. Au cours du siècle, la revue a vu sa périodicité augmenter et son tirage se maintenir à un bon niveau malgré la concurrence : d'abord mensuelle, elle devient bimensuelle en 1851 puis hebdomadaire en 1867, et tire à 4600 exemplaires en 1880 contre 2000 en 1849 (mais 10 000 en 1860). Ses rédacteurs se félicitent en outre régulièrement de l'activité déployée par des « agriculteurs pratiques » toujours plus nombreux et qui, à partir de 1884, contribuent en grande partie à l'essor du syndicalisme agricole[31].

En revanche, la figure de l'« agriculteur pratique » n'a pas totalement satisfait les espoirs politiques de ses promoteurs. Si les élections d'avril 1848 ont pu paraître confirmer leurs analyses en permettant à de nombreux notables ruraux d'entrer à l'Assemblée[32], le vote du 10 décembre 1848 révèle la force du bonapartisme rural, qui, quoique divers, se maintient jusqu'à la chute du Second Empire[33]. Dès lors les grands propriétaires, quand ils sont élus, le sont surtout parce qu'ils soutiennent le régime en place ou parce qu'ils s'y opposent : l'argument des services rendus à l'agriculture, largement exploité, reste toujours secondaire, et nombre d'entre eux échouent devant les électeurs.

Les déceptions électorales des agriculteurs les conduisent alors à professer un apolitisme qui apparaît bientôt comme un lieu commun incontournable des chroniques du *Journal d'agriculture pratique*. En effet, cet apolitisme sert l'élite rurale à de nombreux égards. Sous la IIe République, il lui permet de donner aux questions agricoles un tour technique dénué de toute implication politique et ainsi de conserver le pouvoir en matière de politique agricole, à titre d'experts. L'évolution des discussions relatives aux chambres consultatives d'agriculture illustre bien cette stratégie. En 1848, sûrs de leur influence, les agriculteurs réclament au nom du suffrage universel l'élargissement du corps électoral de ces assemblées à tous les paysans, allant parfois jusqu'à exiger l'intégration des ouvriers agricoles[34]. Mais le projet est enterré et la discussion ne reprend qu'en février-mars 1851 lorsque la proposition Ladoucette vient à être

---

[31] « Les organisations syndicales et professionnelles » ; Barral, *Les agrariens français*.
[32] Fraser, « The French Election of April 23, 1848 ».
[33] Vigier, « Le bonapartisme et le monde rural ».
[34] Garnier, « Chronique agricole de janvier ». Voir aussi Hély-d'Oissel, *Chambres consultatives d'agriculture*.

débattue à l'Assemblée. Les agriculteurs sont alors divisés : certains maintiennent leur position initiale, d'autres se prononcent pour une définition plus stricte du corps électoral des chambres consultatives. Mais quelles que soient leurs positions, le critère invoqué pour les soutenir n'est plus l'universalité du suffrage mais la capacité à défendre les intérêts agricoles : comme le dit la commission chargée d'examiner la proposition, il s'agit désormais de définir un corps électoral qui réunira « l'intelligence, l'expérience et le savoir »[35]. Les républicains eux-mêmes, toujours enclins à voir dans l'introduction des questions agricoles dans le débat politique une manœuvre électorale des grands propriétaires, admettent sans difficulté un argument qui semble indiquer que les notables ruraux renoncent à se servir de leur influence sociale à des fins politiques. Chacun s'accorde ainsi pour séparer les questions politiques, dominées par le principe du suffrage universel[36], des questions agricoles, laissées aux plus compétents. Or sur ce terrain, les « agriculteurs pratiques » ont l'avantage et réussissent ainsi à garder la mainmise sur la politique agricole : leur autorité y est reconnue, et les lois agricoles, dont les paysans, en ces temps démocratiques, semblaient devoir être les premiers bénéficiaires, se révèlent finalement plus favorables aux intérêts des grands agriculteurs[37].

Le rétablissement de l'Empire encourage ensuite leur apolitisme. Peu d'entre eux profitent du renouvellement du personnel politique – sans s'opposer de front à l'Empire, beaucoup se refusent à le servir – et le système des candidatures officielles dissipe les espoirs que certains avaient pu nourrir de rétablir leur influence sur les paysans. La loi sur la presse favorise en outre les publications non politiques en les dispensant du timbre et du cautionnement. Plus généralement, on peut penser comme Jean-Pierre Chaline à propos des sociétés savantes que le pouvoir impérial voyait d'un bon œil ce type de sociabilité apolitique qui orientait les grands notables « vers des activités jugées par le pouvoir soit anodines, soit, somme toute, utiles et conformes aux projets gouvernementaux »[38]. De nombreuses pages du *Journal d'agriculture pratique* sont alors consacrées à la redéfinition de l'agriculture, qu'on détache de ses anciens rapports à la politique pour en

[35] Rapport de M. Talon déposé le 11 février 1851, *Moniteur universel*, p. 511.

[36] La restriction du suffrage universel opérée par la loi du 31 mai 1850 n'a rien entamé de sa légitimité, au contraire. Louis-Napoléon Bonaparte en sait quelque chose, qui s'appuie sur la nécessité de le restaurer pour justifier le coup d'État.

[37] C'est le cas de la loi relative aux chambres consultatives d'agriculture, qui réserve finalement le droit de vote aux propriétaires et aux membres des comices. C'est aussi le cas de la loi relative à l'enseignement agricole, dont Michel Boulet a montré qu'elle ne s'adressait pas à « la masse des petits agriculteurs » mais répondait aux besoins des grandes exploitations. Boulet, *Les enjeux de la formation des acteurs de l'agriculture*, p. 27.

[38] Chaline, *Sociabilité et érudition*, p. 125.

faire « un terrain neutre » à même de réunir « tous les véritables amis du progrès »[39].

La neutralité politique affichée par les « agriculteurs pratiques » leur permet d'ailleurs de participer aux affaires locales. Les élections aux conseils généraux, cantonaux et municipaux ont en effet pris sous le Second Empire un tour apolitique sous la pression conjointe des notables locaux d'une part, qui y voient un moyen de conserver leurs positions, et de l'administration impériale d'autre part, qui cherche par là à réduire les occasions d'agitation politique[40]. Avant chaque consultation, les journaux bonapartistes appellent ainsi les électeurs à choisir des hommes « spéciaux », dont la compétence vaut mieux que l'étiquette politique.

> « Ce choix en effet, peut-on lire dans *La Patrie* à l'occasion des cantonales de 1867, veut être fait en dehors des influences et des passions politiques. Il est et doit être tout local. Les titres des candidats sont ceux que tous les électeurs peuvent connaître et apprécier : les intérêts à défendre sont des intérêts locaux, qui demandent des connaissances et une expérience toutes spéciales »[41].

C'est donc avec la bienveillance sinon la bénédiction du pouvoir que les « agriculteurs pratiques » peuvent réaliser leur idéal politique au niveau local : les services rendus en matière agricole sont récompensés par un siège dans l'une ou l'autre des assemblées locales[42]. Pour Édouard Lecouteux, cet enchaînement vertueux a tout du conte de fées :

> « Ils se sont dit que l'agriculture a des consolations pour toutes les déceptions de ce monde, des sympathies pour toutes les infortunes noblement supportées, des espérances pour toutes les ambitions utiles. Et ils ont vécu au milieu des populations rurales ; et ils ont entraîné dans un nouvel ordre d'idées la question du métayage, et ils ont fondé de belles entreprises de culture améliorante… Puis, les populations reconnaissantes leur ont confié l'honneur de les représenter dans les conseils du département… »[43]

Pourtant, lorsque les « agriculteurs pratiques » tentent de nouveau leur chance aux élections législatives, encouragés par leurs succès locaux ainsi que par l'évolution libérale qui se dessine dans les années 1860, ils sont confrontés à un échec durable, qui se prolonge jusque sous la IIIe République. Écoutés en matière de politique agricole, élus pour leurs initiatives dans les assemblées locales, ils ne parviennent pas à donner une

---

[39] Barral, « Chronique agricole – première quinzaine d'août », p. 160.
[40] Hazareesingh et Wright, « Le Second Empire ».
[41] Dréolle, « Les élections cantonales », p. 1.
[42] Plessis, *De la fête impériale au mur des fédérés*, p. 72.
[43] Lecouteux, « Chronique agricole – deuxième quinzaine de juillet », p. 113.

légitimité politique nationale à leur discours économique et social. Jusqu'à la fin du siècle, les candidats qui se présentent au nom des seuls intérêts agricoles sont régulièrement écartés par les électeurs. Dès 1863, Jean-Augustin Barral, qui vient de faire les frais de ce désaveu, doit reconnaître que « le drapeau agricole ne rallie autour de lui qu'un petit nombre de personnes, et que la foule préfère suivre les drapeaux politiques »[44]. Pour Édouard Lecouteux, « c'est pour s'être renfermés jusqu'à présent dans un cercle d'idées trop exclusives que beaucoup d'excellents agriculteurs ont échoué aux élections devant les hommes à idées générales ». Il appelle donc les « agriculteurs pratiques » à en tirer les conclusions qui s'imposent : « il faut que, sans rien déserter des intérêts qu'ils servent plus particulièrement, ils apprennent à planer sur tous les intérêts généraux, qui, au résumé, disent le dernier mot dans toutes les discussions où se débattent le présent et l'avenir du pays »[45]. Mais rien n'y fait. Quand Édouard Lecouteux se félicite, en 1869 et en 1871, de l'élection au Corps Législatif puis à l'Assemblée nationale de « députés agricoles », ses adversaires ont beau jeu de lui rappeler qu'il s'agit en réalité de candidats d'horizons politiques divers, dont le seul point commun est d'être inscrit à la Société des agriculteurs de France…[46] Les intérêts de l'agriculture sont un bon argument électoral mais suffisent rarement à faire élire un candidat[47].

Contrairement aux espoirs des « agriculteurs pratiques », l'enracinement de la République a tendance à accentuer la polarisation de la vie politique française, y compris dans les élections locales. Il leur est alors impossible d'imposer l'avènement de la « politique des intérêts matériels » qu'Édouard Lecouteux appelle de ses vœux. Le candidat agricole, s'il n'est pas un authentique républicain, est systématiquement accusé d'être un monarchiste déguisé, et ses positions, quoique souvent politiquement libérales et socialement conservatrices, sont généralement considérées comme dangereusement réactionnaires. La politisation gagne même les organisations agricoles qui contribuent bientôt à l'essor du syndicalisme rural. Inquiet de l'influence que pouvait avoir sur les populations rurales la Société des agriculteurs de France, fondée par Édouard Lecouteux en 1867, Léon Gambetta suscite en 1880 la création de la Société nationale d'encouragement à l'agriculture, qui se veut résolument républicaine. En

---

44 Barral, « Chronique agricole – première quinzaine de juin », p. 614.

45 Lecouteux, « Chronique agricole du 18 juillet 1867 », p. 65.

46 Sur les 80 députés qu'Édouard Lecouteux cite en 1869 comme « agricoles », plus de la moitié soutiennent le régime en place contre une vingtaine d'opposants de diverses tendances, souvent libéraux, plus rarement républicains ou légitimistes.

47 Suzanne Berger a montré pour la période suivante que les organisations agricoles avaient échoué à imposer les questions agricoles dans le débat politique, alors axé sur le clivage État / Église. Berger, *Les Paysans contre la politique*.

retour, et sans cesser de revendiquer son apolitisme, la Société des agriculteurs de France devient un bastion conservateur, plus ou moins hostile au nouveau régime. La défense des intérêts agricoles, dont le *Journal d'agriculture pratique* avait espéré faire un terrain neutre pour mieux servir les ambitions des grands agriculteurs, n'échappe plus désormais à la lutte politique.

La force du clivage gauche-droite dans la vie politique française semble ainsi avoir eu raison des prétentions politiques portées par la figure de l'« agriculteur pratique ». Il n'en demeure pas moins que l'« agriculteur pratique » a constitué pendant plus de cinquante ans l'horizon d'une grande partie de l'élite rurale, qui a su voir dans cette redéfinition du rôle du grand exploitant le moyen le plus propre à résister au déclin : à l'heure où l'industrialisation gagne les pays européens et où la France connaît ses premières expériences démocratiques, qu'elles soient républicaines ou autoritaires, elle a ainsi pu renouveler ses formes de sociabilité et conserver une influence aussi bien dans les cercles spécifiquement agricoles que dans la vie politique locale.

La figure de l'« agriculteur pratique » prouve donc combien il est difficile, dans un pays encore très rural et déjà démocratique, de séparer la question du progrès agricole des enjeux sociaux et politiques qu'elle implique. Elle permet également de mieux comprendre la force qu'a pu avoir en France l'idéal d'une agriculture qui concilierait petite exploitation et modernisation agricole : le projet a certes eu les faveurs d'une gauche à la fois progressiste et attentive aux petits mais a aussi rallié, on l'a vu, une grande partie des élites rurales, pourtant traditionnellement conservatrices. Ses échecs sont enfin aussi instructifs que ses succès : si la promotion de l'« agriculteur pratique » montre que l'existence d'une majorité électorale paysanne a sans cesse pesé sur les positions économiques et sociales des uns et des autres, elle suggère aussi combien il lui a été difficile d'imposer dans le débat politique des questions agricoles toujours suspectées d'arrière-pensées électorales.

BIBLIOGRAPHIE ET SOURCES IMPRIMÉES

« Les organisations syndicales et professionnelles agricoles en Europe », *Cahiers du Cevipof*, n°5, 1989.

Balzac, H. (de), *Les paysans*, *in La Comédie humaine*, Paris, Gallimard, 1978, tome 9, pp. 3-347.

Barral, J.A., « Chronique agricole – première quinzaine d'août », *Journal d'agriculture pratique*, juillet-décembre 1853, tome II, pp. 160-166.

—, « Chronique agricole – deuxième quinzaine de décembre », *Journal d'agriculture pratique*, janvier-juin 1854, tome I, pp. 41-44.

—, « Chronique agricole – première quinzaine de juin », *Journal d'agriculture pratique*, janvier-juin 1863, tome I, pp. 613-623.

Barral, P. *Les agrariens français de Méline à Pisani*. Paris, Armand Colin, 1968.

Berger, S., *Les Paysans contre la politique : l'organisation rurale en Bretagne, 1911-1974*, Paris, Éditions du Seuil, 1975.

Biot, J.B., « L'agriculture et la science », *Journal d'agriculture pratique*, janvier-juin 1851, tome II, pp. 221-223.

Boulet, M. (éd.), *Les enjeux de la formation des acteurs de l'agriculture : 1760-1945*, Dijon, Educagri, 2000.

Chaline, J.-P., *Sociabilité et érudition : les sociétés savantes en France, 19e-20e siècle*, Paris : Éditions du C.T.H.S., 1995.

Chartier, R. « Le monde comme représentation », *Annales E.S.C.*, novembre-décembre 1989, n°6, pp. 1505-1520.

Dezeiméris, E., « Chronique agricole de mars – deuxième quinzaine », *Journal d'agriculture pratique*, janvier-juin 1851, tome II, pp. 292-298.

Dréolle, E., « Les élections cantonales », *La Patrie*, 27 juillet 1867, p.1.

Fraser, G. W., « The French Election of April 23, 1848: Suggestions for a Revision », *French Historical Studies*, vol. V, printemps 1968, n°3, pp. 285-298.

Garnier, P., « Chronique agricole de janvier », *Journal d'agriculture pratique*, janvier-décembre 1848, tome V, pp. 105-111.

—, « Chronique agricole de février », *Journal d'agriculture pratique*, janvier-décembre 1848, tome V, pp. 154-159.

Gasparin, A. (de), « L'Agronome, le Cultivateur et l'Agriculture », *Journal d'agriculture pratique*, janvier-décembre 1850, tome I, p. 280.

Hazareesingh, S. et Wright, V., « Le Second Empire », *in* Fougère, L., Machelon, J.-P., Monnier, F. (éd.), *Les communes et le pouvoir de 1789 à nos jours*, Paris, P.U.F., 2002, pp. 263-349.

Hély-d'Oissel, M., *Chambres consultatives d'agriculture*, Paris, J.P. Gros, 1849.

Jas, N., *Au carrefour de la chimie et de l'agriculture : les sciences agronomiques en France et en Allemagne, 1840-1914*, Paris, Éditions des archives contemporaines, 2001.

Larousse, P., *Grand dictionnaire universel du 19e siècle*, Paris, Larousse, 1866-1876.

Lecouteux, E., « L'agriculture et la population », *Journal d'agriculture pratique*, janvier-juin 1858, tome I, pp. 13-18.

—, « Chronique agricole – deuxième quinzaine de juillet », *Journal d'agriculture pratique*, juillet-décembre 1866, tome II, pp. 113-119.
—, « Chronique agricole du 2 mai 1867 », *Journal d'agriculture pratique*, janvier-juin 1867, tome I, pp. 585-591.
—, « Chronique agricole du 18 juillet 1867 », *Journal d'agriculture pratique*, juillet-décembre 1867, tome II, pp. 65-69.
—, « Le parti de l'agriculture », *Journal d'agriculture pratique*, juillet-décembre 1868, tome II, pp. 641-645.
—, « La politique des intérêts matériels », *Journal d'agriculture pratique*, janvier-juin 1881, tome I, pp. 114-116.
Moll, L., « Des fermes-écoles », *Journal d'agriculture pratique*, janvier-décembre 1848, tome V, pp. 5-13.
O'Brien, P. et Keyder, C., « Les voies de passage vers la société industrielle en Grande-Bretagne et en France (1780-1914) », *Annales E.S.C.*, novembre-décembre 1979, n°6, pp. 1284-1303.
Passy, A., « Éloge de M. Chabrol », *Journal d'agriculture pratique*, juillet-décembre 1860, tome II, pp. 486-490.
Plessis, A., *De la fête impériale au mur des fédérés*, Paris, Seuil, 1979.
Sclafer, H. « Du paysan », *Journal d'agriculture pratique*, juillet-décembre 1864, tome II, pp. 469-474.
Thebault, V., « 'La faute des pères' : fragmentation patrimoniale et représentation du déclin social », *Ruralia*, 2002-10/11 [en ligne, http://ruralia.revues.org/document296.html]
Tudesq, A.J., *Les grands notables en France, 1840-1849 : étude historique d'une psychologie sociale*, Paris, P.U.F., 1964.
Vigier, P., « Le bonapartisme et le monde rural », *in :* Hammer, K., Hartmann, P. C. (eds.), *Le bonapartisme : phénomène historique et mythe politique*, Munich, Artemis Verlag, 1977, pp. 11-21.
Warner, C. K., « The Journal d'agriculture pratique and the Peasant Question during the July Monarchy and the Second Republic », *in :* Warner, C. K. (éd.), *From the Ancient Regime to the Popular Front : Essays in the History of Modern France in Honor of Sheppard B. Clough*, New-York / London, Columbia University Press, 1969, pp. 93-109.

L'INVENTION ET LA DIFFUSION DU VACCIN CHARBONNEUX

PASTEUR, ENTRE SCIENCE, AGRICULTURE ET NOUVELLE INDUSTRIE BIOLOGIQUE

Maurice CASSIER[1]

INTRODUCTION

Quelques mois seulement après que Pasteur eut produit en laboratoire ses premiers vaccins charbonneux, « par un artifice de culture »[2], et juste après la démonstration publique de Pouilly le Fort en mai 1881, son laboratoire dut faire face à une forte demande de vaccins de la part de la profession agricole, en France comme à l'étranger :

> « La méthode que je viens de vous exposer pour obtenir la vaccine du charbon n'était pas plus tôt connue qu'elle fût immédiatement appliquée sur une très vaste échelle… depuis ce moment, je n'ai pu suffire à donner la quantité de vaccin que me demandent les fermiers »[3].

En juin 1882, soit juste un an après la démonstration publique de Pouilly le Fort, un décret inscrit la vaccination charbonneuse dans la loi de police sanitaire des animaux adoptée le 31 juillet 1881. La loi mentionne que la mise en quarantaine des herbages et locaux déclarés infestés ne s'applique pas « aux animaux qui seront immédiatement vaccinés » et que les animaux frappés de prohibition à l'importation pourront être admis « mais avec une inoculation obligatoire ». Dans le même temps, des compagnies d'assurances

[1] Maurice Cassier est chercheur au Cnrs, au Centre de recherche médecine, science, santé et société (Cermes), <cassier@vjf.cnrs.fr>.
[2] *Œuvres complètes*, tome 6, p. 335.
[3] *Œuvres complètes*, tome 6, p. 727.

contre la mortalité du bétail, à l'instar de l'Avenir, introduisent dans leurs contrats « l'obligation de la vaccination charbonneuse ». Ce mouvement d'adoption et de diffusion de la vaccination charbonneuse précipite la création d'une nouvelle industrie biologique par essaimage du laboratoire d'origine, et cela dès l'été 1881.

Notre article présentera quatre aspects du processus de production et de diffusion du vaccin charbonneux. La première section revient sur le mode de production de la science et de la technologie de Louis Pasteur, dans le contexte de l'économie agricole. L'État et la profession agricole interviennent aussi bien pour demander les recherches sur le charbon que pour construire les réseaux d'adoption de l'invention vaccinale. La seconde section détaille le rôle primordial des vétérinaires dans le processus d'invention et d'adoption du vaccin charbonneux. La troisième section étudie la création d'une nouvelle industrie biologique essaimée à partir d'un laboratoire académique et les difficultés de la stabilisation de ses produits. La quatrième section envisage l'appropriation de l'invention justifiée par le souci de contrôler la qualité des vaccins et de percevoir la rente d'innovation afin de financer la création de l'Institut Pasteur. Au fil de cet article, on passe d'une sociologie des réseaux de traduction scientifique à une sociologie de la normalisation industrielle et de l'appropriation des produits de santé.

L'INVENTION DE LA « VULGARITION DU VACCIN CHARBONNEUX PASTEUR » : ENTRE LABORATOIRE, ÉTAT ET PRATIQUE AGRICOLE

Dès 1867, Pasteur justifie auprès de Napoléon III la création d'un nouveau laboratoire pour étudier les germes des maladies contagieuses par les bénéfices de ses recherches passées sur les fermentations et les micro-organismes « pour les industries agricoles et les études médicales », et par les bénéfices futurs que l'économie de l'élevage pourrait en retirer. Ce nouveau laboratoire devrait être suffisamment spacieux pour accueillir une animalerie et être « sans danger pour la santé ». À l'appui de sa demande, il cite une évaluation des pertes causées par la maladie du charbon dans la région de la Beauce et envisage même le déplacement saisonnier de son laboratoire près de Chartres pour commencer ses observations :

> « La maladie du sang de rate fait perdre annuellement à la Beauce quatre millions de francs : il serait indispensable d'aller, pendant plusieurs années sans

doute, à l'époque des grandes chaleurs, passer quelques semaines dans les environs de la ville de Chartres pour s'y livrer à de minutieuses observations »[4].

En 1877, le ministère de l'Agriculture, qui relaye une demande de la Société d'Agriculture du département d'Eure et Loir, commande à Pasteur de développer des recherches sur l'étiologie et la prophylaxie du charbon. « La bactériologie de plein air » selon les mots de Roux[5], co-inventeur du vaccin charbonneux, peut dès lors se mettre en place avec les financements du ministère de l'Agriculture et du conseil général d'Eure et Loir. En 1880 et les années suivantes, le comité des épizooties recommande au ministère de l'Agriculture d'allouer à Pasteur une subvention de 50 000 F pour les recherches sur le charbon et de nouvelles maladies contagieuses[6]. Le directeur de l'Agriculture, Eugène Tisserand, suit personnellement les travaux de Pasteur et dès que Pasteur eut fait sa communication à l'Académie des Sciences sur les « virus » vaccins, le ministère de l'Agriculture mit à disposition une ferme expérimentale pour faire les premiers essais de vaccination. Entre temps, la Société d'Agriculture de Seine et Marne conclut avec Pasteur une convention programme pour tester les vaccins à Pouilly le Fort. Tisserand participe à la démonstration publique de Pouilly le Fort et donne l'autorisation à l'École nationale d'agriculture de Montpellier de maintenir pendant plusieurs années dans un lieu confiné un troupeau d'animaux vaccinés pour tester la durée d'immunité du vaccin[7]. Le laboratoire de Pasteur est sans conteste fortement ancré dans la politique agricole de l'État. Il en tire ses financements, ses équipements, des chercheurs, la mise à disposition de sites d'expérimentation[8]. Il collabore avec des stations agronomiques – Duclaux à Clermont-Ferrand qui succédera à Pasteur à la tête de l'Institut Pasteur–, avec les Écoles vétérinaires – les

[4] *Œuvres complètes*, tome 6, p. VIII.

[5] Archives de l'Institut Pasteur, fonds Emile Roux, ROU 7, document 15748, Roux, « L'œuvre agricole de Pasteur ».

[6] Lettre de Pasteur au ministère de l'Agriculture du 6 juin 1882. Pasteur justifie la reconduction de ce financement par la généralisation de la vaccination charbonneuse, « qui entre de plus en plus dans la pratique agricole », et par les nouvelles demandes de recherches sur d'autres maladies contagieuses qui émanent de plusieurs départements et du Comité des épizooties, *Correspondance Générale*, tome 3, p. 286.

[7] Lettre de l'École nationale d'agriculture au ministère de l'Agriculture, 28 juin 1882, Musée Pasteur, document 10457.

[8] Pendant plusieurs années, Pasteur conduit des essais du vaccin charbonneux à la ferme de la Faisanderie à Joinville-le-Pont et sur le troupeau de l'École d'Alfort. La mise à disposition des troupeaux de l'État fut d'ailleurs l'objet de controverses. Un professeur de l'École vétérinaire d'Alfort, Colin, virulent opposant à la vaccination charbonneuse, se plaint de ne pas avoir accès à ces facilités : « M. Colin fait remarquer à M. Bouley que les Écoles de Lyon et de Toulouse disposent à leur gré des troupeaux de l'État, tandis que lui, à l'École d'Alfort, est loin de jouir de ces faveurs », *La Presse Vétérinaire*, 31 mars 1881.

échanges, les emprunts, le cas échéant la compétition avec Toussaint et Chauveau[9]–, ou encore directement avec des vétérinaires et éleveurs locaux qui lui fournissent du matériel d'observation[10]. Se concrétise un mode particulier de production de la science, « dans le contexte des applications », stylisé par les économistes de la science et de l'innovation Nelson et Romer comme étant justement celui du « faire comme Pasteur »[11]. Cette forte inscription des recherches pastoriennes dans l'économie agricole fut mobilisée par les pastoriens à la fin des années 1890 dès lors que le ministère de l'Agriculture décida de réduire fortement la subvention de l'Institut Pasteur[12].

Le passage du vaccin charbonneux du laboratoire à la pratique agricole fut rendu possible par l'extension des liens du laboratoire avec les professionnels de l'agriculture, vétérinaires et éleveurs et leurs institutions agricoles – Sociétés départementales et comices agricoles, École nationale d'Agriculture, Stations agronomiques – et vétérinaires – Écoles vétérinaires, Société Centrale de Médecine Vétérinaire, presse vétérinaire. Une série d'épreuves publiques furent organisées à l'initiative des Sociétés locales d'Agriculture qui négocièrent avec Pasteur des conventions ou lettres programmes prévoyant les lieux des démonstrations publiques, la sélection et la mise à disposition des animaux, l'acheminement des vaccins ainsi que le financement des opérations. Les démonstrations publiques sont financées par des subventions des Sociétés d'Agriculture[13], du ministère de l'Agriculture, des conseils généraux ou directement par des souscriptions

---

[9] Ces échanges et cette compétition entre les trois équipes de Pasteur à Paris, de Toussaint à Toulouse, et de Chauveau à Lyon, constituent l'émergence d'une communauté scientifique dédiée à la mise au point de vaccins vétérinaires.

[10] Dès 1877, Pasteur sollicite Boutet, vétérinaire à Chartres, pour qu'il lui adresse des échantillons de sang de moutons morts du charbon, Pasteur, *Correspondance Générale*, Tome 3, p. 14-15. En 1878, Pasteur et ses collaborateurs sont accueillis dans une ferme près de Chartres pour y conduire leurs travaux.

[11] Ces deux auteurs opposent trois modes de production de la science, plus ou moins à distance des applications et du marché : les « Bohr likes activities », les plus éloignées de l'industrie et du commerce ; les « Pasteur likes activities », doublement engagées dans l'académie et les applications ; les « Edison like activities », soit un laboratoire de recherche déjà intégré au marché de la science, R. Nelson, P. Romer, 1994.

[12] En 1896, lorsque le ministère de l'Agriculture annonce une réduction de l'aide qu'il accorde à l'Institut Pasteur, le conseil d'administration de l'Institut proteste et demande « ...au nom des services déjà rendus et de ceux que l'Institut se prépare à rendre, le maintien de l'allocation de 30 000F », CA IP, archives Institut Pasteur.

[13] À la fin de l'année 1882, Pasteur soulignait le soutien financier des sociétés agricoles locales : « Ayons bon espoir dans la générosité des sociétés. Ce sont des expériences de longue haleine et très dispendieuses », lettre à Rossignol, le 30 novembre 1882, BNF, NAF 18098.

auprès des éleveurs[14]. Désireux de généraliser l'usage du vaccin charbonneux, Pasteur proposa au conseil général du Cantal de mettre sur pied un système de garantie des pertes liées à la vaccination :

> « Le conseil général ferait très bien pour étendre tout de suite les bienfaits de la vaccination de garantir les pertes pour celle-ci. Ces pertes seront nulles. Mais comme vous le dites, dans les cas bien entendu où la vaccination sera pratiquée avant que le charbon spontané puisse se manifester »[15].

En octobre de la même année, Duclaux fait le bilan de la garantie mise en place par le conseil général : « Les responsabilités que vous aviez assumées tant au point de vue de l'inoculation elle-même que de ses conséquences sont à peu près épuisées. La garantie de remboursement que vous aviez assurée aux animaux vaccinés qui viendraient à périr, dans l'année courante, a cessé d'être effective pour la plupart d'entre eux... Vous n'aurez à payer qu'une vache, morte encore dans des conditions très douteuses ... »[16]. Dans l'été 1881, le département de Seine et Marne proposera de financer l'installation d'un laboratoire local pour produire les vaccins charbonneux[17]. En octobre 1881, Pasteur refusera cette proposition d'installer un laboratoire de production en province, même à proximité de Paris, dans la mesure où il estime que la méthode de préparation du vaccin n'est pas suffisamment stabilisée pour pouvoir être transférée en dehors du contrôle direct qu'il exerce sur sa mise en œuvre.

Si les professionnels de l'agriculture et les pouvoirs publics contribuent à la diffusion du vaccin charbonneux, l'effort consenti par le laboratoire de Pasteur n'est pas moindre : les chercheurs et les techniciens se déplacent sur les sites des essais pour assurer les inoculations, transférer leur savoir-faire et éduquer le public, c'est-à-dire les vétérinaires et les éleveurs présents. Pasteur fait ainsi part de son engagement personnel dans cette tâche de vulgarisation et de transfert de la méthode pendant les années 1881-1882 :

> « Je suis occupé par le travail du laboratoire, par ma correspondance qui s'accroît chaque jour, par les envois de vaccins et les expériences que nécessite la surveillance de ces derniers, de leur efficacité ou de leurs défaillances possibles »[18].

---

[14] « ...M. Lesage, qui sans le secours d'aucune société savante, était parvenu à intéresser les agriculteurs des environs et avait provoqué leur souscription pour couvrir les frais des expériences » in Chamberland, *Le charbon et la vaccination charbonneuse*, p. 143.

[15] BNF, NAF 18098, Lettre du 24 mai 1882 à Duclaux.

[16] *Le Moniteur du Cantal*, 24 octobre 1882.

[17] Lettre parue dans le *Supplément de la Revue Médicale* du 1er octobre 1881.

[18] BNF NAF 18098, lettre du 5 avril 1882 à JB Pasteur.

Le laboratoire fournit gratuitement les vaccins et les instruments nécessaires pour les démonstrations publiques, à l'instar du Puy de Dôme[19], à moins que la gratuité ne soit couverte par des subventions[20], comme dans le Cantal, en veillant toutefois à ce que les demandes de vaccination des éleveurs n'excèdent pas les essais gratuits :

> « Quoi qu'il en soit c'est une traînée de poudre dans le pays, jusqu'ici du moins. Je reçois bien pour plus de 300 animaux de demandes par jour. Comme je n'y suffirai pas et que le conseil général n'a voté qu'un crédit limité, je vais mettre une note dans les journaux disant que les jours de gratuité sont passés. Je suis convaincu que cela n'arrêtera pas l'élan »[21].

Ces conventions ou lettres programmes négociées et conclues entre Pasteur et les promoteurs des essais constituent une série de contrats d'application de la recherche ou de transfert des techniques de laboratoire dans la pratique agricole. Pour effectuer ce transfert, les parties s'attachent à définir une série de « traductions » entre les milieux de laboratoire et les « conditions de la pratique »[22]. D'un côté, les promoteurs des essais sont soucieux de se rapprocher autant que faire se peut des milieux agricoles, « je m'étais attaché à trouver un lot d'animaux qui nous permît de mettre M. Pasteur dans les conditions de la pratique »[23]. D'un autre côté, ils sélectionnent les animaux testés de manière à ce que la démonstration ne soit pas empêchée par une contagion préalable du charbon : « les moutons, après avoir été enlevés à l'influence des localités de provenance furent soumis à la vaccination préventive »[24]. Dans le domaine de Packisch en Allemagne, le troupeau sélectionné pour l'essai public est soigneusement isolé pour éviter les risques de contagion :

---

[19] « L'illustre académicien consulté par la société s'est empressé de nous fournir gratuitement le vaccin et les instruments nécessaires ; non content de nous faire bénéficier de son obligeance désintéressée, il a bien voulu déléguer M. Duclaux, son collaborateur, pour diriger les expériences-». Société d'Agriculture du Puy de Dôme, compte rendu des expériences sur la vaccination charbonneuse, 1882, Musée Pasteur, document 10446.

[20] Compte-rendu des expériences sur la vaccination charbonneuse faite à Clermont-Ferrand le 15 mai 1882, Musée Pasteur 10446.

[21] Lettre de Duclaux à Pasteur du 21 juin 1882, Musée Pasteur 10447.

[22] Ces traductions entre la grandeur du laboratoire et la grandeur nature ont été analysées par B. Latour, à propos de l'essai de Pouilly le Fort, dans son ouvrage *Les microbes, guerre et paix*, p. 99.

[23] Rossignol, Rapport sur les expériences de Pouilly le Fort, 1881, Musée Pasteur, Document 17975.

[24] *A contrario*, lors des essais publics effectués en Hongrie, l'envoyé de Pasteur pour surveiller l'opération se plaint de la sélection d'animaux trop chétifs dans le troupeau sélectionné.

« Toutes les précautions ont été prises pour que le charbon n'éclate pas spontanément sur les animaux en expérience. Ils ont été achetés dans un village où le charbon est inconnu de mémoire d'hommes et installé le 1er avril dans une grange neuve dont on a bétonné le sol et les murs à 1m50 de hauteur pour la désinfection »[25].

Les expériences sur la durée de l'immunité conférée par le vaccin nécessitent parfois que le troupeau des animaux vaccinés soit isolé et entretenu pendant plusieurs années dans un cadre expérimental. Il en est ainsi du troupeau de moutons vaccinés à Montpellier en 1882 qui fut testé jusqu'en 1885 : « Les dernières expériences ne sont guère possibles qu'à la condition d'être faites et surveillées à l'École d'Agriculture de Montpellier. Il faut par conséquent que cette école puisse se charger pendant plusieurs années de la garde du petit troupeau mis en expérience ». Pour cela, l'École de Montpellier du requérir une autorisation du ministère de l'Agriculture : « Une autorisation ministérielle est indispensable »[26]. Enfin, ces troupeaux « mis en expérience », soustraits à leur environnement naturel, sont généralement composés de races multiples choisies pour tester leur susceptibilité ou leur résistance plus ou moins grandes au charbon :

« Nous avons l'intention d'expérimenter sur trois races du midi : la race des Causses, très dure et très robuste, la race du Larzac plus fine plus délicate et très importante pour les qualités laitières, c'est elle qui produit les fromages de Roquefort, la race Barbarine, importée d'Afrique et très connue dans nos pays par sa résistance au pissement de sang »[27].

Les conditions d'expérience s'étendent même aux opérations de vaccination en routine ou de « vaccination pratique » selon l'expression de Pasteur : pendant toute l'année 1881, Pasteur demande aux fermiers de ne vacciner qu'une partie de leurs troupeaux afin de pouvoir disposer d'une population témoin de non vaccinés : « Pendant l'été de l'année 1881, M. Pasteur voulant juger plus sûrement de l'effet produit, conseilla de ne vacciner que la moitié environ de chaque troupeau, l'autre moitié devant servir de témoin. C'est ce qui fut fait, sauf chez quelques agriculteurs, qui insistèrent pour faire vacciner totalement leurs animaux »[28].

Cet aménagement des conditions d'expériences lors des démonstrations publiques fit l'objet d'interrogations et de controverses relatives à la réalité

---

25 Franck et Wrotnowska, *Correspondance of Pasteur*, p. 110.

26 Lettre de la Société d'Agriculture de l'Hérault à Pasteur, Montpellier, le 13 février 1882, Musée Pasteur.

27 Lettre-programme de la Société d'Agriculture de l'Hérault, février 1882. Musée Pasteur, document 10452.

28 Chamberland, *Le charbon et la vaccination charbonneuse*, p. 250.

de la preuve qu'elles étaient censées fournir dès lors qu'elles se déroulaient dans des milieux isolés de l'environnement ou trop artificiels. Plusieurs demandes furent faites pour que l'on se rapproche davantage des conditions naturelles. Pour valider l'efficacité de la vaccination, l'inoculation d'un « virus » virulent issu du laboratoire était parfois jugée insuffisante. Les promoteurs des essais jugeaient nécessaire de tester les animaux vaccinés sur les « prés maudits » afin de vérifier s'ils contactent ou non la contagion spontanée du charbon : « L'épreuve du pâturage dans un pré maudit que devront subir ces mêmes animaux nous donnera la valeur exacte de la vaccination »[29]. Il fallait également se rapprocher du naturel en pratiquant la contre-épreuve de la vaccination non pas avec du « virus » virulent cultivé en laboratoire, qui penche trop du côté de l'artificiel, mais avec du sang d'un animal mort du charbon. Des programmes d'expériences fixaient que la troisième inoculation, celle de la contre-épreuve, se ferait « pour partie avec du « virus » virulent, pour partie avec du sang charbonneux »[30]. Et comme il était difficile de se procurer du sang d'un mouton mort très récemment du charbon, les promoteurs des essais demandaient à Pasteur de leur adresser « un petit cochon d'Inde inoculé avec du « virus » très virulent de manière à ce que nous puissions avoir jeudi 6 du sang charbonneux »[31]. Las, lorsque les sites d'expériences étaient éloignés du laboratoire, les cobayes arrivent parfois déjà morts depuis longtemps[32]. Un des vétérinaires les plus engagés dans la mise au point et la diffusion des vaccins, Cagny, président de la Société Centrale de Médecine Vétérinaire, soulignait l'écart irréductible entre le laboratoire et la ferme :

> « Je tiens seulement à constater que les choses ne se passent pas dans la pratique comme dans un laboratoire. Celui qui opère dans un laboratoire est maître des circonstances, il les modifie à son gré, il peut ainsi agir avec une certitude mathématique ; celui qui agit dans la pratique n'a aucune action sur les circonstances, il est leur esclave. Ce n'est pas toujours une chose aisée que de vacciner dans une ferme quelques centaines de moutons »[33].

---

[29] *Bulletin de la Société Départementale d'Agriculture de la Nièvre*, 1882, Musée Pasteur 10489. La Société d'Agriculture répondit également à un article d'un médecin réfractaire à la vaccination publié dans « *La ligue de l'Agriculture* » en avril de la même année, Musée Pasteur document 10487.

[30] Lettre programme de la Société Départementale d'Agriculture de la Nièvre, 31 mars 1882, Musée Pasteur 10479..

[31] *Ibid.*

[32] « Pour faciliter l'expérience, M. Pasteur avait bien voulu envoyer deux cobayes inoculés dans son laboratoire, mais ces cobayes moururent prématurément en route », Société d'Agriculture du Puy de Dôme, 1882. Musée Pasteur document 10446.

[33] Compte-rendu de la séance du 8 juin 1882 de la Société Centrale de Médecine Vétérinaire,, Chamberland, *Le charbon et la vaccination charbonneuse*, p. 282-296.

Cette sociologie des sciences pragmatique formulée par un praticien souligne toute la difficulté du passage du laboratoire à la pratique vétérinaire.

LE RÔLE DES VÉTÉRINAIRES POUR L'ADOPTION ET LA MISE AU POINT DU VACCIN CHARBONNEUX

Pasteur pense que l'enrôlement des vétérinaires jouera un rôle essentiel dans l'adoption de son vaccin :

> « Je ne cacherai pas que j'éprouve ici une vive satisfaction à donner les noms des vétérinaires que le désir de connaître la vérité appela à Pouilly le Fort, dans la ferme de leur confrère, M. Rossignol ... Ce sont aujourd'hui les plus fervents apôtres de la nouvelle doctrine...Ils deviendront les propagateurs de la vaccination charbonneuse »[34].

Tous les étages de la profession sont mobilisés : Bouley, membre de l'Institut et de l'École d'Alfort, fait des conférences pour défendre et vulgariser la vaccination charbonneuse. Les vétérinaires de base sont désignés pour œuvrer à son adoption par les éleveurs avec lesquels ils ont partie liée dans l'amélioration de l'économie agricole : « Nous ne saurions trop louer les vétérinaires qui se sont associés à cette œuvre de propagande provoquée par la Société d'Agriculture sur l'initiative de son président. Ils ont compris le lien intime qui unit leurs intérêts à ceux des agriculteurs au milieu desquels ils vivent »[35].

La loi du 21 juillet 1881 relative à la police sanitaire des animaux leur donne le monopole pour la prévention des maladies contagieuses. En 1886, un ouvrage édité par un pastorien fait le dénombrement des vétérinaires engagés dans la vaccination qu'il appelle « les premiers croyants-pratiquants »[36].

---

[34] *Œuvres Complètes*, tome 6, p. 350. Quelques années plus tard, une école vétérinaire proposera d'intégrer Pasteur dans le corps des vétérinaires, ce qui soulèvera quelques protestations !

[35] *Annales de la Société d'Agriculture du département de la Charente*, 1882. Musée Pasteur, Document 10475.

[36] L'ouvrage en recense 136 en 1881 et 320 en 1885, p. 106, *M. Pasteur, la rage, le vaccin charbonneux,* 1886.

Pour autant, la pasteurisation n'est pas complète. En 1888, le directeur de la Société de Vulgarisation du Vaccin Charbonneux envisage d'envoyer

« des agents vétérinaires chargés de faire connaître la méthode et de l'appliquer aux départements contaminés et dans ceux où le vaccin n'est pas connu ou dont les praticiens se sont montrés jusqu'ici réfractaires à toute innovation »[37].

Les démonstrations publiques sont l'occasion d'un apprentissage collectif de l'élite agricole aux principes de la microbiologie – l'École nationale d'Agriculture de Montpellier prépare des photographies des cultures de la bactéridie charbonneuse – et aux méthodes de la vaccination. Les chercheurs et les techniciens du laboratoire de Pasteur, envoyés sur le terrain, transfèrent leur savoir-faire pour les inoculations :

« C'est donc le savant professeur de l'Institut agronomique qui nous a initié à la méthode nouvelle et qui nous a appris à la pratiquer ... M. Duclaux a ajouté quelques explications pratiques plus spécialement destinées à MM. les vétérinaires »[38].

Dans son ouvrage paru en 1883, Chamberland observe à l'occasion des vaccinations de l'année 1882 un début d'apprentissage parmi les vétérinaires :

« Et cependant c'était la première année où la pratique de la vaccination se faisait sur une grande échelle. MM. les vétérinaires étaient plus ou moins au courant du Manuel opératoire »[39].

Les vétérinaires sont des points de passage obligés dans le processus d'innovation. Non seulement, ils initient des démonstrations publiques à l'image de Rossignol à Pouilly le Fort, mais ils suggèrent parfois des épreuves particulières pour se rapprocher des conditions de la pratique agricole ou encore pour tester la durée de l'immunité vaccinale ou la qualité des vaccins. En février 1883, un vétérinaire à l'initiative des « expériences de vaccination charbonneuse » dans l'Aude, décide de s'écarter du programme initialement fixé pour tester le degré de virulence des vaccins :

« dans le cours de la vaccination, voulant me rendre compte du degré de force du liquide vaccinal, j'inoculai un des moutons, le 1er février par une dose de vaccin

---

[37] Lettre de M. de Sainte Marie à Chamberland, 27 mai 1888, Archives Institut Pasteur, document 10599.

[38] « Compte-rendu des expériences sur la vaccination charbonneuse faîtes à Clermont-Ferrand le 15 mai 1882, Société d'Agriculture du Puy de Dôme, Musée Pasteur, document 10446.

[39] Chamberland, *Le charbon et la vaccination charbonneuse*, p. 253.

triple [...] ; et le 12 février, un mouton que j'avais réservé fut vacciné d'emblée par le vaccin le plus fort, il n'avait pas reçu le vaccin du premier degré atténué »[40].

Il discute des enseignements de cette expérience pour évaluer la virulence des vaccins et suggère une modification de leur graduation :

> « Si dans le cours de nos expériences, je me suis permis de sortir du programme en expérimentant le degré de force du liquide vaccin, c'est que j'avais en vue d'éviter quelque insuccès. En effet, le liquide vaccin ne pourrait-il point parfois être trop affaibli d'où la nécessité d'une nouvelle opération avant l'inoculation du virus ? Telle était la proposition que je m'étais faite. [...]. J'ai la confiance qu'un vaccin du 1er degré, moins atténué que celui qui a servi à nos expériences et qui préparerait les animaux à recevoir un vaccin du 2ème degré plus fort, capable même de tuer s'il était appliqué le premier, aurait les meilleurs effets »[41].

Le vétérinaire de l'Aude a bien conscience que la méthode de vaccination n'est pas encore parfaitement stabilisée et il entend participer aux perfectionnements de l'invention : « si le principe de la grande découverte de M. Pasteur est acquis à tout jamais : la méthode n'en est pas moins à l'étude quant à son perfectionnement ». En 1883, Chamberland se félicite que la Société Vétérinaire d'Eure et Loir ait reproduit de son propre chef une expérience de vaccination en gardant des animaux témoins : « Heureusement, à notre insu, l'expérience que nous avions faite en 1881 a été répétée cette année par la Société Vétérinaire d'Eure et Loir »[42].

Au début de l'année 1882, tandis que les échecs de vaccination se multiplient, la Société Centrale de Médecine Vétérinaire constitue une commission pour recenser les cas d'échecs et organise une discussion publique avec Pasteur pour débattre de la qualité et de l'efficacité des vaccins charbonneux. Il s'agit de rassurer les vétérinaires de base :

> « Je suis heureux de voir M. Pasteur assister à notre séance et je profiterai de sa présence pour vous parler de revers éprouvés dans la pratique de la vaccination anti-charbonneuse par quelque uns de nos confrères. Il m'a semblé que leur foi était ébranlée et que ce serait bien servir les intérêts de la vaccination nouvelle de venir vous signaler les revers plutôt que les passer sous silence [...] les vétérinaires qui ont été malheureux éprouvent, on le comprend, une certaine hésitation à conseiller de nouvelles vaccinations charbonneuses. Nous avons le

---

40 *Journal de la Société Centrale d'Agriculture de l'Aude*, année 1883, avril, Musée Pasteur, Document 17925.
41 *Ibid.*
42 Chamberland, *Le charbon et la vaccination charbonneuse*, p. 259.

devoir de les rassurer et je ne doute pas que la parole autorisée du maître atteigne facilement ce résultat »[43].

C'est au cours de cette réunion que Pasteur annonce les problèmes de stabilité des vaccins charbonneux :

> « je suis heureux de voir M. Pasteur profiter de la publicité de notre Bulletin pour affirmer l'existence de ces accidents et en donner l'explication. Il vient de reconnaître que ces vaccins n'étaient pas fixés comme il l'avait espéré »[44].

Une question scientifique et industrielle majeure, celle de la stabilité et de l'efficacité des vaccins, est discutée publiquement entre Pasteur et la profession vétérinaire. Pasteur doit absolument convaincre les propagateurs de la vaccination pour imposer son invention. Lors de cette réunion, Pasteur encourage la Société Centrale de Médecine Vétérinaire à entreprendre de nouveaux essais : « il y aurait lieu, et votre Commission doit le faire, d'essayer de nouveau le degré de résistance des animaux ... ».

Les vétérinaires sont encore enrôlés pour collecter les résultats des opérations de vaccination pratique et produire une statistique qui permettra de juger et le cas échéant de défendre la vaccination charbonneuse. Dès le mois d'octobre 1881, Pasteur adresse des questionnaires aux vétérinaires afin qu'ils reportent précisément les pertes sur les animaux vaccinés entre la première et la seconde inoculation et à l'issue des deux vaccinations[45]. Tous ces questionnaires et rapports sont centralisés par le laboratoire de Pasteur[46] qui produit une statistique générale qui est publiée dans des ouvrages et des conférences internationales et mobilisée dans les controverses, notamment dans celle qui oppose Koch et Pasteur :

> « Qui pourrait se porter garant de l'exactitude de ces chiffres ? Comment et par qui les éléments de ce calcul ont-ils été rassemblés ? Voilà ce que se demande quiconque s'est occupé de statistique médicale et sait le cas qu'il convient d'en faire »[47].

---

[43] Société Centrale de Médecine Vétérinaire, séance du 8 juin 1882 ; Chamberland, *Le charbon et la vaccination charbonneuse*, pp. 282-296.

[44] Discussion reproduite dans le Bulletin de la Société Centrale de Médecine Vétérinaire.

[45] Documents 17774, 17773, 17643, Musée Pasteur.

[46] « Pour les nombreux autres départements où la vaccination a été pratiquée, il n'a pas encore été fait de travail statistique d'ensemble, comme pour celui d'Eure et Loir ; mais une foule de lettre de vétérinaires m'informent que les résultats n'ont pas été moins satisfaisants », *Œuvres Complètes*, tome 6, p. 434.

[47] *La Semaine médicale du* 3 août 1887.

Dans sa réponse, Pasteur propose de mettre à disposition de Koch « tous les rapports des vétérinaires »[48]. En 1887, au Congrès de Vienne, Chamberland expose la procédure de production de cette statistique à partir des tableaux remplis par les vétérinaires :

> « Dans le cas où il y aurait encore quelque contestation sur l'exactitude de la statistique, je demanderai, si toutefois cela n'est pas contraire aux habitudes du congrès, de nommer une commission chargée de dépouiller tous les rapports »[49].

Pourtant, en 1887, Chamberland note un certain émoussement de la mobilisation des vétérinaires « qui négligent de nous envoyer leurs rapports »[50]. En 1883, Pasteur se plaignait déjà que la Société Vétérinaire d'Eure et Loir fut la seule qui produisit une statistique complète sur les opérations de vaccination, statistique qui fut citée in extenso par Pasteur et Chamberland dans plusieurs ouvrages et communications à l'Académie des Sciences[51].

Les vétérinaires locaux sont enfin les vigies de la surveillance de la qualité des vaccins. Ce sont eux qui alertent le laboratoire de Pasteur en cas d'accidents de vaccination[52]. Par exemple en décembre 1881 :

> « notre confrère a pratiqué la vaccination dans plusieurs fermes avec des insuccès assez nombreux. Il s'adresse à M. Pasteur qui fait répondre que le virus employé a été reconnu trop faible, qu'il fallait recommencer »[53].

PRODUIRE ET STABILISER LES VACCINS

La diffusion rapide du vaccin charbonneux dans la pratique agricole, dès l'été 1881, supposait la production de plusieurs dizaines de milliers de tubes de vaccins stables, transportables et correctement gradués[54]. Au début de

---

[48] *Œuvres Complètes*, t 6, pp. 460-461.

[49] Compte-rendu du Congrès d'Hygiène tenu à Vienne, *Le Bulletin Médical*, 1887, Musée pasteur, Document 17500.

[50] *Annales de l'Institut Pasteur*, 1887. n°6, pp. 301-307.

[51] « Dans le département d'Eure et Loir, la société vétérinaire a rédigé un travail bien fait, mais c'est le seul département où il ait été fait un travail de cette nature », *Œuvres Complètes*, tome 6, p. 441.

[52] Les cahiers du Service des Vaccins Charbonneux de l'Institut Pasteur enregistrent les informations fournies par les vétérinaires : *« quelques vétérinaires se plaignent de réactions vives après le premier vaccin »(1926).*

[53] Chamberland, *Le charbon et la vaccination charbonneuse*, p. 286.

[54] Le vaccin charbonneux Pasteur repose en effet sur l'emploi de deux vaccins de virulence croissante inoculés à quelques jours d'intervalle.

l'année 1881, Pasteur pense posséder des vaccins fixés, inaltérables qu'il suffit d'industrialiser et d'expédier pour satisfaire la demande :

> « Tout en réservant l'étude ultérieure des difficultés de détail que nous pourrons rencontrer dans la mise en œuvre d'une vaste prophylaxie charbonneuse, il n'en reste pas moins établi que nous avons à notre disposition non seulement des bactéries filamenteuses pouvant servir de virus-vaccins dans l'affection charbonneuse, mais des virus vaccins fixés dans leurs germes avec toutes leurs qualités propres, transportables, sans altération possible »[55].

Pasteur organise l'essaimage d'un petit laboratoire de production et d'expédition des vaccins, situé rue Vauquelin, à proximité immédiate du laboratoire de la rue d'Ulm :

> « À dater de ce jour – l'essai de Pouilly le Fort –, les agriculteurs des départements où sévissait la maladie charbonneuse sollicitèrent des envois de ce vaccin. Je fus obligé d'organiser précipitamment, à côté de mon laboratoire une officine de préparation et un bureau d'expédition »[56].

Chamberland, l'un des co-inventeurs du vaccin de Pouilly le Fort, assure le transfert de la technologie tandis que Pasteur continue à la rue d'Ulm les travaux de recherche sur les méthodes d'atténuation qui ne sont pas encore stabilisées[57] et qui sont partiellement tenues secrètes[58]. Désormais, les demandes de vaccins sont gérées par une entité spécifique, « le Vaccin charbonneux F. Boutroux, 28 rue Vauquelin à Paris ». Les manuels de vulgarisation ou les instructions destinées aux vétérinaires et aux éleveurs mentionnent cette dénomination commerciale[59], qui figure également sur les courriers et les carnets de comptabilité. L'industrialisation de la production des vaccins, à une échelle encore très modeste, est décrite dans une lettre adressée au préfet de Seine et Marne qui souhaite la création d'une fabrique locale de vaccin charbonneux, à proximité des troupeaux et des foyers

[55] *Œuvres Complètes*, tome 6, p. 345.

[56] Pasteur, *Correspondance Générale*, t 4, pp. 173-174.

[57] En mars 1882, à Packisch en Allemagne, l'envoyé de Pasteur, Thuillier, utilise plusieurs souches vaccinales, les unes atténuées par la méthode pastorienne utilisant l'air et la chaleur, les autres atténuées selon la méthode Roux-Chamberland recourant à l'action d'un antiseptique, le bichromate de potassium. Voir la correspondance Pasteur, Thuillier éditée par Franck, 1969.

[58] Koch, « Réponse de M. Koch à M. Pasteur » ; Caddedu, « Pasteur et la vaccination contre le charbon » ; Geison, *The Private Science of Louis Pasteur* : Grmek, « L'âge héroïque : les vaccins de Pasteur ».

[59] « Vaccinations charbonneuses. Principe de la vaccination », document 17993, Musée Pasteur.

d'épidémie[60]. Pasteur fait part au préfet des nouvelles contraintes que suppose la fabrication en grand, à savoir le stockage et la conservation des vaccins : « Tout le vaccin qui est sorti de mon laboratoire depuis un mois appartient à des cultures récentes. La fabrique suppose le magasin, l'emploi à longs intervalles de tubes préparés »[61]. Pasteur souhaite exercer une surveillance immédiate sur cette montée en production compte tenu des problèmes de conservation et de stabilité non encore résolus : « Des difficultés, faciles à lever sans doute, peuvent se présenter pour la conservation du vaccin, la forme des vases, etc. Pendant la première année, il y aura lieu de contrôler l'état du vaccin conservé, la permanence de ses vertus préservatrices ». En raison de ces incertitudes de la production, il refuse un nouvel essaimage en province :

> « Bien des questions de détail sont encore à résoudre, qui ne peuvent l'être que par moi [...] une installation en province m'occuperait à l'égal de la propre fabrique que je vais disposer »[62].

À la même période, pendant l'été 1881, il est également incertain sur le calibrage de certains lots de vaccins : « Ce premier vaccin ne vous paraît-il pas trop faible ? C'est fâcheux qu'on n'ait pas essayé le 5 et le 10 mars sur plusieurs troupeaux afin de voir si le 5 mars ne préserve pas mieux de prime saut. Je suis très porté à croire qu'avec celui-ci on aurait moins de pertes entre les deux vaccinations »[63]. Pour autant, à l'automne 1881, Pasteur et Chamberland livrent les vaccins issus des cultures successives des souches du printemps 1881 (« le 5 et le 10 mars » de Pasteur) en postulant que ces souches vaccinales sont fixées et peuvent se cultiver indéfiniment[64].

Les accidents de vaccination enregistrés à l'automne 1881 et au printemps 1882, en France et à l'étranger, provoquent une révision complète du postulat de la fixité, de l'inaltérabilité et de la transportabilité des vaccins charbonneux :

> « Les faits de la pratique ont montré que les vaccins s'étaient affaiblis et alors se sont produits des accidents de nature diverse [...] les virus au lieu d'être, comme on le supposait autrefois, quelque chose de fixe et d'immuable, sont au contraire

[60] *Supplément à la Revue Médicale* du 1er octobre 1881, p 503.
[61] *Ibid*, p 503..
[62] *Ibid*, p 503-504.
[63] Lettre à Roux du 25 août 1881. *Correspondance Générale*, tome 3, p. 235.
[64] Chamberland, *Le charbon et la vaccination charbonneuse*, pp. 281-296.

quelque chose de variable, se modifiant sous l'action du temps, des circonstances climatériques, etc. »[65].

Le postulat de la fixité des vaccins s'efface devant celui de leur variabilité fondamentale. Les fondements de l'industrie biologique ne sont plus les mêmes. Entre temps, il a été nécessaire de retourner au laboratoire de recherche pour faire deux constats que nous livrent les cahiers de laboratoire en 1882 et 1883. Premièrement, les vaccins s'affaiblissent par des cultures répétées : il faut donc renouveler périodiquement leurs origines. Deuxièmement, les vaccins préparés vieillissent et perdent de leur efficacité avec le temps : il faut utiliser des vaccins fraîchement préparés. Cette phase de crise de la production et de reconstitution de nouveaux vaccins testés et calibrés dure plusieurs mois de l'année 1882 :

> « Ces expériences furent longues et délicates [...] Il me suffira de dire que bientôt nous acquîmes la certitude que nos deux vaccins étaient allés en s'affaiblissant. Nous préparâmes de nouveaux vaccins, ce qui exigea encore un certain temps »[66].

Le temps de recréation de ces nouveaux vaccins peut être estimé à environ six mois. Il a été nécessaire d'ajuster les nouveaux vaccins du printemps 1882, qui se sont avérés trop forts pendant l'été, pour revenir à des vaccins reconstitués sur le modèle de ceux de l'année 1881. Cette reconstitution montre deux aspects intéressants de la reproduction des vaccins ; premièrement, les origines des vaccins de 1881 n'avaient pas été conservées. Elles s'étaient modifiées au fur et à mesure des cultures répétées de cette année-là ; deuxièmement, Pasteur et Chamberland ont pu, grâce aux enregistrements des cahiers de laboratoires et aux normes de calibrage biologique des vaccins reproduire « pour ainsi dire mathématiquement » nous dit Chamberland, les vaccins de l'année précédente. Chamberland nous dit aussi que l'on conserve désormais précieusement les origines des nouveaux vaccins.

Le nouveau postulat de la variabilité des vaccins charbonneux a des conséquences pratiques considérables pour ce qui concerne la production, le transport et la conservation des vaccins. Premier point, il faut sans cesse tester les origines des vaccins et les renouveler dès qu'elles ne satisfont plus les standards biologiques : « surtout, il faut être constamment en vérification de la valeur des vaccins et en préparation de nouveaux. Ce n'est pas aussi simple que cela semble, mais nous y parviendrons »[67]. Second point, compte

65 Société Centrale de Médecine Vétérinaire, juin 1882, in Chamberland, *ibid.*, pp. 281-296.
66 Chamberland, *Le charbon et la vaccination charbonneuse*, pp. 281-296.
67 Franck et Wrotnowska, *Correspondance of Pasteur*, p. 198.

tenu de l'altération rapide des vaccins, les manuels des opérateurs recommandent désormais de n'utiliser que des vaccins fraîchement préparés : « Sauf en cas de force majeure, les vaccins doivent être inoculés dès réception, dans toute leur fraîcheur »[68]. Troisième point, cette altérabilité des vaccins nécessite une nouvelle géographie industrielle de la production des vaccins charbonneux. Tandis que Pasteur avait refusé en octobre 1881 de transférer sa technologie en Hongrie pour l'installation d'un laboratoire de production à Budapest, en 1883 Chamberland recommande la création de « laboratoires locaux à l'étranger » qui seront à même de distribuer du vaccin frais :

> « Je pense donc que pour les pays éloignés, pour tous ceux où il faut plus de 15 ou 20 jours avant que le vaccin arrive à destination, il serait extrêmement avantageux, pour ne pas dire indispensable, d'établir de petites fabriques destinées à produire des vaccins frais qui seraient expédiés à l'état frais dans toute la région voisine »[69].

LE MONOPOLE ÉTABLI SUR LE VACCIN CHARBONNEUX PASTEUR

Alors qu'il est délégué par Pasteur en Hongrie pour faire des démonstrations publiques des vaccins charbonneux à Budapest et à Kapuvar, Thuillier nous révèle les enjeux de propriété industrielle de la technologie de préparation de ces vaccins :

> « Les Hongrois sont encore plus admirateurs de votre découverte que je ne le pensais d'abord [...] L'expérience démonstrative que je fais en ce moment les intéresse, mais modérément [...] Ce qui les intéresse beaucoup plus c'est d'apprendre 1° à faire les cultures pures, 2° à fabriquer le vaccin »[70].

Le véritable intérêt du ministère hongrois de l'Agriculture qui patronne les essais est le transfert de la technologie :

> « le Ministre de l'Agriculture, le Baron de Kemeny, a nommé une commission de neuf membres [...] afin, non pas de surveiller l'expérience actuelle, mais bien d'apprendre de moi toutes les manipulations de la préparation du vaccin »[71].

---

[68] « Vaccinations charbonneuses. Principe de la Vaccination », document 17993, Musée Pasteur.
[69] Chamberland, *Le charbon et la vaccination charbonneuse*, p. 296.
[70] Franck et Wrotnowska, *Correspondance of Pasteur*, pp. 90-91.
[71] *Ibid.*

Thuillier décrit ensuite le contenu et les obligations de ce processus d'apprentissage et de transfert de technologie :

> « Non seulement, je devais leur montrer tout cela, mais ils devront le faire sous mes yeux, avec obligation pour moi de les garantir de toute faute. De cette façon ils seraient à même à fabriquer à leur tour, sans crainte d'insuccès, tout le vaccin dont ils auraient besoin »[72].

En manipulant sous la supervision directe de l'envoyé de Pasteur, les préparateurs hongrois pourraient acquérir les savoir-faire de fabrication. Ce faisant, les Hongrois contrôleraient le marché des vaccins de l'Europe orientale: « [...] leur orgueil national serait très fier de rendre les Allemands, les Russes et tous ceux qui voudront bien, tributaires de leur industrie ». Ils deviendraient concurrents directs des pastoriens : « C'est beaucoup de besogne qu'ils veulent éviter à Jean et à Eugène »[73].

Le 4 octobre 1881, dans une lettre très argumentée, Pasteur s'attache à justifier son refus de transférer sa technologie au ministère hongrois de l'Agriculture. Revenons sur ses arguments. Premier point, Pasteur souligne l'importance du savoir-faire de laboratoire nécessaire à la préparation du vaccin ainsi que la durée et le coût d'une telle mise au point :

> « Cette préparation est assez simple en principe. Je l'ai publiée dans les comptes-rendus de l'Académie des Sciences de Paris. Son application est fort longue et fort dispendieuse pour arriver à une certitude absolue. Mais pour en assurer toute la valeur, il faut beaucoup de temps et même de dépenses. Il faut essayer chaque jour, pour ainsi dire, l'état du parasite charbonneux virulent en voie de modification progressive et cet essai ne peut être accompli qu'à l'aide d'inoculations pratiquées sur des animaux, en dernier lieu sur des moutons en nombre suffisant »[74].

Au-delà de la connaissance du principe d'atténuation, Pasteur révèle l'importance du dispositif de mesure et de contrôle de la virulence qui permet d'établir une échelle de virulence des différentes cultures et de déterminer le rapport de virulence entre le premier et le deuxième vaccin qui permettra de produire l'immunité. La durée nécessaire à l'atténuation des microbes et à la mise en place de ces mesures excéderait selon Pasteur la mission de son envoyé : « Le temps manquerait absolument à M.

---

[72] *Ibid.*

[73] Jean Arconi et Eugène Viala sont des garçons de laboratoire de Pasteur.

[74] Franck et Wrotnowska, *Correspondance of Pasteur*, p. 102.

Thuillier pour se livrer à cette étude »[75]. La méthode de préparation des vaccins n'étant pas parfaitement stabilisée, elle doit rester sous le contrôle des inventeurs afin qu'ils perfectionnent l'invention : « il reste quelques points de détail à étudier que seul, en ce moment, je puis éclaircir »[76].

Pasteur justifie ensuite son refus de transférer la fabrication du vaccin par le souci de la qualité et de la réputation du vaccin charbonneux :

> « En outre permettez-moi de vous faire observer que par prudence et afin de ne pas compromettre le succès d'une méthode à tout prendre délicate, je désire extrêmement que pendant une année au moins, tout le vaccin qui sera utilisé par les éleveurs de mouton et de bestiaux soit préparé par moi ou sous ma surveillance immédiate ».

De mauvaises préparations pourraient ruiner la carrière du vaccin charbonneux alors que le principe de la vaccination est encore très controversé. Avant de songer à la dissémination de la fabrication du vaccin, il faut consolider et étendre le réseau de son adoption : « Pour le moment, il faut convaincre les fermiers et les grands propriétaires de l'intérêt de la méthode ».

Pasteur précise les contours de l'organisation industrielle et commerciale qu'il envisage. Il décrit le lancement de son petit laboratoire industriel : « Du reste, je m'occupe présentement d'installer une sorte de fabrique. Je ne possède pas moins déjà de deux hectolitres de liquide tout prêts à être transformés en vaccin. Au printemps prochain, je pourrai expédier au loin des tubes remplis de liquide vaccinal livré aux prix les plus modiques au prix de revient ou à peu près ». Son laboratoire parisien produira en grand les vaccins qui seront expédiés à l'étranger. Il propose un accord de commerce : « La Hongrie serait après la France, la nation favorisée ». Il envisage ensuite, pour faire face à la croissance du marché, l'installation d'un laboratoire de production en Hongrie :

> « Si la pratique de la vaccination se répand de plus en plus comme j'en ai l'espoir, je ne serai que peu à peu en mesure de livrer tout le vaccin qui sera

---

[75] Dans un carnet de 1885, Roux écrit qu'il faut 15 à 20 jours pour obtenir une série de cultures de plus en plus atténuées. Le premier vaccin, le moins virulent étant pris entre le onzième et le douzième jour, le second entre le septième et le huitième jour.

[76] On pourrait en tirer l'argument inverse : la dissémination de la technique, même incomplète, favoriserait une mise au point rapide par les additions et perfectionnements des autres utilisateurs. Cette alternative – monopolisation ou dissémination de l'invention pour en assurer le développement – est classique en économie de l'innovation et de la propriété intellectuelle.

demandé. Une fabrique pourrait être créée en Hongrie et je serai le premier à en assurer le succès par les indications les plus précises »[77].

Cette dernière phrase confirme à la fois l'importance du savoir-faire à transférer et le refus de Pasteur de le partager dans l'immédiat avec les Hongrois.

En 1886, la diffusion du vaccin charbonneux à l'étranger est confiée à une société commerciale, la Compagnie de Vulgarisation du Vaccin Charbonneux, qui entend élargir le marché du vaccin pastorien à l'étranger[78]. L'objectif est d'augmenter et de capter les revenus des vaccins vétérinaires pour financer la fondation de l'Institut Pasteur[79]. Compte tenu « de la difficulté de l'envoi du vaccin », ce qui renvoie aux problèmes de conservation et de transportabilité du vaccin charbonneux, la société a pour mission d'établir des laboratoires à l'étranger : « Dans ces conditions, il a été reconnu que sa vulgarisation ne pouvait se faire que par l'établissement de laboratoires à l'étranger »[80]. La Compagnie de Vulgarisation du Vaccin Charbonneux reçoit un monopole de 30 années. Elle vendra des licences aux laboratoires locaux qui cultiveront le vaccin. Ce système de contrats crée un monopole commercial auquel se superpose le monopole technique du laboratoire de Paris : les contrats précisent que les laboratoires locaux se contenteront de régénérer les « semences » de vaccins préparés à Paris. Ce faisant, le laboratoire de Chamberland gardait le monopole de la technologie de fabrication. Il limitait aussi les problèmes de variabilité des vaccins en gardant le contrôle de la préparation des « semences. » Bien que Paris conserve le monopole de la technologie et garde le secret sur ses méthodes de préparation, le secret industriel n'empêchera pas le développement d'un vaccin concurrent en Australie, par des transfuges du laboratoire local installé par les pastoriens au début des années 1890[81]. Ce régime de secret fut également contesté par l'Académie de Médecine et la communauté médicale. En 1880, la *Gazette des Hôpitaux* avait critiqué Louis Pasteur qui n'avait alors pas divulgué la méthode d'atténuation du vaccin contre le choléra des poules :

« Nous l'avons dit dernièrement à propos de M. Pasteur qui, tenant secrets ses procédés d'atténuation du choléra des poules, avait néanmoins entretenu

[77] Franck et Wrotnowska, *Correspondance of Pasteur*, p. 102.
[78] Cassier, « Appropriation and Commercialization of the Pasteur Anthrax Vaccine ».
[79] En 1881 et en 1882, Pasteur avait envisagé un moment la création d'une société par actions pour commercialiser son invention. Le projet aboutira en 1886 avec le besoin de financement de l'Institut Pasteur.
[80] Préambule du contrat. Fonds IP Direction, document 10587.
[81] Todd, « The Pasteur Institute in Australia ».

l'Académie des bons effets qu'il avait obtenus par l'inoculation de ce virus atténué ...C'est qu'il ne connaissait pas bien les coutumes de notre monde : il ne savait pas que la règle est d'y mettre tout en commun, en fait de connaissances acquises et de moyens d'investigation, d'observations et de méthodes, de procédés et de découvertes »[82].

CONCLUSION

La conception, le développement et le perfectionnement du vaccin charbonneux sont intervenus dans le contexte de l'économie agricole, en coopération et en compétition avec les vétérinaires et leurs écoles[83]. L'État central comme les conseils généraux soutinrent l'expérimentation du vaccin en subventionnant les démonstrations publiques ou en mettant les fermes d'État et les Écoles nationales d'Agriculture à la disposition de Pasteur. En 1882, Pasteur interviendra à deux reprises auprès du Premier ministre, Gambetta, et du ministre de l'Agriculture, Méline, pour que la manufacture du vaccin soit prise en charge par l'État. Ce projet de création d'une manufacture publique du vaccin charbonneux, dont Pasteur céderait l'invention à l'état en contrepartie d'une pension pour lui et sa famille, témoigne de l'inscription de cette invention dans la politique agricole de l'État : « Je résolus donc d'offrir à l'état ce service spécial de la livraison du vaccin charbonneux pour la France »[84]. Si la manufacture d'État ne vit pas le jour, le laboratoire de production de la rue Vauquelin puis l'Institut Pasteur bénéficièrent des subventions du ministère de l'Agriculture. Finalement, Pasteur diffusera son vaccin à l'étranger dans le cadre d'un monopole commercial confié à une société privée. La captation de la rente d'innovation des vaccins vétérinaires deviendra une source des recettes du nouvel Institut Pasteur en cours de création. Ce dernier intégrera dans ses murs trois économies différentes, fondées sur la philanthropie, le bien public et le commerce des vaccins[85].

Les premières années de l'invention du vaccin charbonneux et de la mise en place de la petite industrie biologique créée dans l'urgence par Pasteur, Chamberland et Roux, révèlent un processus d'apprentissage de la standardisation des produits biologiques. La vulgarisation du vaccin

---

[82] *Gazette des Hôpitaux*, Jeudi 29 juillet 1880.

[83] Sur la compétition entre Pasteur et Toussaint, voir Geison, *The Private Science of Louis Pasteur*.

[84] Pasteur, *Correspondance Générale*, tome 3, p.271-272.

[85] Concernant ce caractère hybride de l'Institut Pasteur, voir Liebenau et Robson, « L'institut Pasteur et l'industrie pharmaceutique » ; Moulin, « Une maison de commerce scientifique », Löwy, « On Hybrizations, networks, and new disciplines ».

charbonneux qui passe dans la pratique agricole et l'augmentation de l'échelle de production des vaccins supposent un processus de normalisation des méthodes de production et des produits. Or les vaccins sont encore très peu stabilisés au début des années 1880. Les préparateurs élaborent une série de tests biologiques afin de mesurer l'effet des vaccins sur les animaux inoculés, en termes de température, de durée de survie, de pourcentage d'animaux survivants et recueillant des observations cliniques, notamment sur la survenue d'œdèmes suite à la vaccination :

> « si nous convenons que deux virulences sont identiques, lorsque, en opérant dans les mêmes conditions sur un même nombre d'animaux de même espèce, la proportion de la mortalité est la même dans le même temps, nous constaterons que pour nos cultures successives la virulence est la même »[86].

La construction de cette échelle de virulence à partir des multiples essais biologiques réalisés prend évidemment beaucoup de temps et elle est sujette à de nombreuses incertitudes relatives par exemple au poids ou à la race des animaux testés, qui sont inégalement susceptibles au charbon. Au début du 20e siècle, les tableaux de mesure des tests s'affinent. Toutefois, les carnets d'essais du Service des Vaccins Charbonneux de l'Institut Pasteur entre 1900 et 1939 enregistrent des variations inexpliquées de la virulence des souches et les travaux d'ajustement de la virulence des vaccins des deux degrés demandent une surveillance continue. On comprend ici les réticences de Pasteur à transférer la technologie de préparation du vaccin charbonneux et son insistance à vouloir contrôler la production des semences envoyées de Paris à l'étranger pour y être cultivées.

L'invention et l'industrialisation du vaccin charbonneux révèlent des normes et des pratiques d'appropriation originales relatives aux biotechnologies intéressant la santé. Tandis que Pasteur utilisa systématiquement le droit des brevets pour contrôler ses inventions biotechnologiques dans le domaine agroalimentaire – il ne déposa pas moins de 6 brevets entre 1857 et 1873, sur un nouveau procédé de fermentation du vinaigre, sur le procédé de conservation des vins et sur un procédé de fabrication de la bière –, il ne déposa aucun brevet sur les diverses inventions vaccinales qu'il développa. L'absence de dépôt de brevets sur le vaccin charbonneux, et sur les autres vaccins mis au point par Pasteur, s'explique principalement par le fait qu'en France, depuis 1844, « les compositions pharmaceutiques et les remèdes de toutes espèces »[87] sont exclus de la brevetabilité. Toutefois, Pasteur exerça un contrôle étroit sur l'invention du vaccin charbonneux en recourant au secret sur le savoir-faire

---

[86] *Œuvres Complètes*, tome 6, p. 323-330.
[87] Loi sur les brevets du 5 juillet 1844.

de fabrication du vaccin, à la centralisation dans son laboratoire de la préparation des semences des vaccins qui étaient expédiées à l'étranger pour y être cultivées dans des laboratoires locaux, à un contrat exclusif accordé pour trente années à une société privée chargée de la commercialisation du vaccin à l'étranger, et enfin à l'exploitation de son nom commercial puis d'une marque déposée. Il faut noter que les licences conclues pour l'exploitation du vaccin charbonneux à l'étranger protègent à la fois le nom commercial et la marque du vaccin, le produit en tant que tel – le liquide vaccinal – et son procédé de fabrication. Leur couverture est donc singulièrement large. Ajoutons que tous les contrats passés pour le vaccin contre le charbon sont exclusifs pour une zone géographique donnée. Ces contrats permettent de créer des droits équivalents à ceux d'un quasi-brevet, à ceci près que leur pouvoir est limité aux seuls partenaires de l'accord. Malgré le contrôle étroit exercé sur cette invention, un éleveur et un biologiste australiens, nourris par les publications pastoriennes et par des échanges avec les délégués de l'Institut Pasteur en Australie, parvinrent à la fin du 19e siècle à développer un nouveau vaccin charbonneux qui évinça le vaccin pastorien[88].

BIBLIOGRAPHIE ET SOURCES IMPRIMÉES

Pasteur, La rage et le vaccin charbonneux, Paris, Bernard Tignol Éditeur, 1886.

Cadeddu, A., « Pasteur et la vaccination contre le charbon : une analyse historique et critique », *History and. Philosophy of. life. sciences*, 1987, 9, pp. 255-276.

Cassier, M., « Appropriation and Commercialization of the Pasteur Anthrax Vaccine », *Studies in History and Philosophy of Biological and Biomedical Sciences*, 2005, 36, pp. 722-742.

Chamberland, C., *Le charbon et la vaccination charbonneuse*, Paris, Bernard Tignol Éditeur, 1883.

Geison, G. L., *The Private Science of Louis Pasteur*, Princeton, New Jersey, Princeton University Press, 1995.

Grmek, M. D., « L'âge héroïque : les vaccins de Pasteur », in *L'aventure de la vaccination,* in Moulin, A.M. (éd.), Paris, Fayard, 1996, pp. 143-159.

Frank, R. M. et Wrotnowska D. (eds.), *Correspondance of Pasteur and Thuillier concerning anthrax and swine fever vaccinations*, with a preface by Pasteur Vallery Radot, Tuscaloosa, Alabama, University of Alabama Press, 1969.

---

[88] Todd, *Colonial Technology*, pp. 86-107.

Koch, R., « Réponse de M. Koch à M. Pasteur », *La Semaine Médicale*, 28 Décembre 1882.

Latour, B., *Les microbes : guerre et paix*, Paris, Éditions A. M. Métaillé, 1984.

Liebenau, J. et Robson, M., « L'institut Pasteur et l'industrie pharmaceutique », in M. Morange (éd.), *L'Institut Pasteur, contributions à son histoire*, Paris, La Découverte, 1991, pp 52-61.

Löwy, I., « On Hybrizations, networks, and new disciplines : Pasteur Institute and the development of microbiology in France », *Studies in History and Philosophy of Science*, 1994, vol 25, n°5, pp. 655-688.

Moulin, A.-M., « Une maison de commerce scientifique. Naissance de l'industrie de la santé », in *Colloque international sur « les Biologistes entre l'Etat et l'industrie : des usages à la production du vivant »*, Paris, Centre de recherche en Histoire des Sciences et des Techniques, 1993, Paris, pp. 1-31.

Nelson, R., Romer, P., « Science, Economic Growth, and Public Policy », in Bruce L. R. Smith and C. E. Barfield (eds.), *Technology, R&D, and The Economy*, The Brookings Institution, 1996, pp. 49-74.

Pasteur, L., *Correspondance Générale*, édité par Pasteur Vallery Radot, tome 3, Paris, Flammarion, 1951.

Pasteur, L, *Œuvres Complètes*, tome 6, édité par Pasteur Vallery Radot, Paris, Masson, 1933.

Todd, J., « The Pasteur Institute in Australia, Success and Failure », in Chaussivert, J. et Blackman, M. (eds.), *Louis Pasteur and The Pasteur Institute in Australia*, Sidney, The University of New South Wales Press, 1990, pp. 25-37.

Todd, J., *Colonial Technology*, Cambridge, Cambridge University Press, 1995.

DE L'INSTITUT DES RECHERCHES AGRONOMIQUES AU PREMIER INSTITUT NATIONAL DE LA RECHERCHE AGRONOMIQUE (1916-1946)

Gilles DENIS[1]

> « L'œuvre persévérante de l'Administration qui, à travers la diversité des régimes politiques, poursuit sa tache d'aménagement, de coordination et de progrès »
>
> Robert Préaud, mars 1944 devant l'Académie d'agriculture de France[2].

Lors du cinquantenaire de l'Institut national de la recherche agronomique (Inra), nous avons écrit que nous identifions deux périodes dans son histoire : le premier Inra, « l'organisme de recherche de l'agriculture » rattaché au ministère de l'Agriculture, de sa création, en 1946, jusqu'à la fin des années 1970 ; le second, « la partie agricole et agro-industrielle d'un réseau de recherche-développement », rattaché au ministère de l'Agriculture et à celui de la Recherche, issu des décrets de 1980 et 1984[3]. Ce texte-ci s'intéresse à l'origine du premier Inra comme produit d'une certaine politique scientifique qui avait déjà obtenu en 1921 la création de l'Institut des recherches agronomiques (Ira).

---

[1] Gilles Denis est maître de conférences en histoire et épistémologie des sciences du vivant à l'Université de Lille, UMR Savoirs Textes Langage, <gilles.denis@univ-lille1.fr>

[2] Préaud, « A propos de l'ouvrage de M. Troté », p. 243.

[3] Denis, *Quelques mots sur l'histoire de l'Inra.*

SCIENCE AGRONOMIQUE, ENTRE DISCOURS AGRARIEN ET AGRICULTURE « PROGRESSIVE »[4]

La politique agricole menée en France jusqu'en 1945 et qualifiée de « maintenance » aurait consisté à préserver la structure sociale de l'agriculture et un certain type de rapport entre agriculture et société. La politique de modernisation depuis les années 1950, en revanche, aurait pour but de gérer au mieux l'articulation entre un secteur économique, celui de l'agriculture, et le développement économique global. Cette politique de modernisation désignée comme « technocratique » ne serait qu'un aspect d'ensemble de politiques publiques mis en cohérence dans le cadre de la planification[5]. Plus récemment, cette manière de voir a été discutée. Elle ne questionnerait pas assez la construction sociale et politique de l'agrarisme sous-jacente à cette affirmation d'une politique dite de maintenance. Les agrariens auraient tenu un discours antiétatique, anti-ville, antimoderniste et anticapitaliste, tout en exprimant une attitude ambiguë envers la puissance publique, la ville et le capital, dans un contexte où l'Etat moderne est de plus en plus présent (agents, fiscalité, lois) et où le monde rural s'ouvre aux échanges. On devrait donc notamment s'interroger sur le rôle de la puissance publique dans la genèse et l'affirmation de l'agrarisme, dans le compromis historique qu'elle construit avec lui. Quelle est la place de la science dans le projet agrarien, dans ce compromis qui se serait mis en place entre puissance publique et agrarisme ? Dans quelle mesure les milieux scientifiques et agronomiques profitent du discours et de la complicité des agrariens pour investir le domaine de l'agriculture. Nous discuterons aussi de la rupture de 1945 et des années 1950 évoquée plus haut ; c'est en effet au moment où l'agrarisme n'est plus qu'un discours dans la Révolution nationale que la coupure semble se faire dans le discours gouvernemental de Vichy.

La science agronomique et les agrariens

Cette politique de maintenance est symbolisé notamment par Méline et Caziot ; Méline, ministre à trois reprises entre 1883 et 1916[6], et Caziot, premier ministre secrétaire d'état de l'Agriculture de Pétain, du 12 juillet 1940 jusqu'au retour de Laval, le 18 avril 1942. Au-delà du protectionnisme,

---

[4] Terme utilisé par Tisserand dans « Considérations générales sur l'agriculture ».

[5] Gervais *et al.* , *Histoire de la France rurale*. Muller, *Le technocrate et le paysan*.

[6] De février 1883 à avril 1885, d'avril 1896 à juin 1898 et de novembre 1915 à décembre 1916.

Méline envisage différentes actions pour améliorer la production et élever les rendements. Il faudrait que notre agriculture « améliore ses méthodes, perfectionne ses procédés », il faudrait qu'elle « devienne scientifique ». Il espère un « exode urbain » succédant à « l'exode rural »[7]. La science devrait permettre d'attacher à la terre les paysans devenant cultivateurs et de rendre autonome l'agriculture considérée comme l'industrie et même comme : « la première de toutes au point de vue scientifique et moral ». Méline engage les agriculteurs vers la modernisation de la « petite culture » et la refondation des pratiques. Les progrès techniques et les réformes législatives financières le permettraient désormais[8]. Dans le projet de Méline, la science joue ainsi un rôle central : « Le retour à la terre ne se fera pas par des moyens empiriques et violents qui n'auraient d'autres résultats que d'éloigner d'elle les capitaux et les intelligences dont elle a tant besoin, il se fera par la science et par la concorde »[9].

Lorsque Caziot, ingénieur agronome, propriétaire d'une exploitation, entre dans le premier gouvernement de Pétain, il est connu pour sa défense de la petite propriété familiale qu'il développe notamment dans un ouvrage publié en 1914, la *Valeur de la terre en France*. Nous n'avons pas trouvé dans ses textes d'allusion précise à la science. L'amélioration y semble uniquement liée à des questions foncières. Son projet de « colonisation intérieure » en 1919, qui prévoyait pour enrayer « l'exode rural » le lotissement en petites à moyennes propriétés, de 8 à 30 hectares, avait été alors soutenu au parlement par Victor Boret, ministre de l'Agriculture et futur président du Conseil supérieur des recherches scientifiques agronomiques, suite à la création de l'Ira en 1921[10]. Boret défend le repeuplement des campagnes dans *Pour et par la terre*, la même année que cette création, et dans *Pour ou contre la terre*, en 1929. Arrivé à la direction du ministère de l'Agriculture, Caziot défend une politique de la « propriété culturale » pour la « famille paysanne » qu'il recommande depuis plus de vingt ans. Devant la résistance des anciens élèves, Il échoue dans sa volonté d'unir, en une Ecole nationale supérieure d'agronomie, l'Institut national agronomique (Ina) et les grandes écoles régionales[11]. En quittant le ministère, il prend la présidence de la Commission corporative paysanne

[7] Méline, *Le retour à la terre*, p. 207 et pp. 95-166. Voir Franques, « L'invention de la sédentarité rurale » ; Barral, *Les agrariens*, pp. 167-172.

[8] Méline, *ibid.*, pp. 113-117.

[9] Méline, *ibid.*, p. 310.

[10] Barral, *Les agrariens*, pp. 199-200. Caziot, « La crise. »

[11] Caziot, *Une solution du problème agraire.* Voir Barral, *Les agrariens*, pp. 199-201 et pp. 258-259.

qu'il a mis en place. A ses côtés au ministère, Robert Préaud, secrétaire général est un haut fonctionnaire du génie rural et Pierre Hallé, directeur du cabinet, est le secrétaire de l'Association générale des producteurs de blé (AGPB) depuis juillet 1924. Le secrétaire d'Etat au Ravitaillement est Jean Achard, président de la Confédération générale des planteurs de betteraves. Ainsi au côté de Caziot, se trouvent en Hallé et Achard, les représentants des grandes exploitations agricoles peu adeptes de ses positions en faveur de la « petite culture »et militant d'une agriculture industrielle et d'une agronomie puissante[12].

La science agronomique : des tenants de l'agriculture « progressive » aux « technocrates »

Les opinions en faveur de la science que l'on trouve chez Méline ne sont pas exceptionnelles chez les agrariens. En 1876, une lettre est lue lors de la session annuelle de la Société des agriculteurs de France, coalition conservatrice de l'élite rurale créée en 1867, aborde la création du laboratoire agronomique que cette société projette d'installer et précise que l'objectif n'est pas de se limiter à des « analyses d'engrais et autres produits » adressés par les membres, mais de développer des recherches scientifiques :

> « Telle que le comprennent et la pratiquent les membres les plus éminents de la société, l'agriculture a pour but de produire beaucoup et à bas prix dans l'intérêt du consommateur, mais en même temps de produire avec bénéfice pour le cultivateur. Aujourd'hui l'agriculture est une industrie et la plus grande des industries françaises. L'agriculture, comme les autres industries, doit donc mettre constamment à profit les progrès des sciences qui se rattachent à ses travaux et ne jamais ignorer les découvertes dont elle peut profiter, quelle que soit leur nature [...] [L'agriculture] doit s'appuyer sans cesse sur les sciences physiologiques appliquées à la connaissance des plantes et des animaux. D'un autre côté, l'agriculture doit faire appel à la géologie pour découvrir les amendements du sol, à la physique pour interpréter les phénomènes atmosphériques, à la mécanique enfin pour calculer la production et l'emploi des forces immenses qu'elle met en jeu afin de bien disposer ses terres, de recueillir et préparer ses récoltes, de transporter ses produits »[13].

---

[12] Barral, *ibid.*, pp. 256-282. Paxton, *La France de Vichy*, pp. 253-262.

[13] Magon, « Le laboratoire agronomique ».

Ce texte est aussi proche de celui de Méline que de celui de son collaborateur « moderniste » au ministère, Eugène Tisserand.

Eugène Tisserand

Ancien élève de la première promotion de 1850 de l'Ina à Versailles Tisserand, après avoir été premier directeur du second Ina de 1876 à 1879, est nommé directeur de l'agriculture au ministère du Commerce et de l'Agriculture et sert, de 1879 à 1896, une trentaine de ministère ou de sous-secrétariat d'Etat[14]. Il soutient notamment dans un texte de 1876, le développement technique et « l'agriculture progressive » qu'il ne faut pas opposer à l'industrie : « Si l'on recherche, en effet, quelles sont les contrées où l'agriculture est la plus florissante, on reconnait que ce sont celles où l'industrie a pris le plus grand essor, non pas [...] là où la terre est de première qualité, le climat favorable ». Il ne condamne pas l'appel vers les usines et les villes et considère la main d'œuvre agricole trop importante. L'agriculture doit suivre l'industrie qui a « centuplé sa puissance productive et sa force d'expansion » ; elle a « plus d'ouvriers qu'il ne lui en faut pour cela, et elle arrivera à la même prospérité ». Il ajoute enthousiaste : « la machine à vapeur gronde déjà dans nos fermes ; elle y fait mouvoir nos machines fixes et la voilà qui prend possession de nos champs pour y faire le travail de labour et de défoncement qu'exige une culture intensive »[15]. La science doit permettre à différents niveaux (analyse chimique des plantes, des sols, physiologie, *etc.*) ce développement de cette « agriculture s'élevant dans les régions éclairées par la science »[16].

Les « technocrates »

Le terme de technocrate apparaît dans années 1930 en référence aux technocrats américains du Technocrat Movement de Howard Scott, né dans les années 1920, et qui se développe lors de la crise de 1929. En français « technocrate » serait utilisé pour la première fois en 1933 par Boret[17]. Dans les années 1930, arrivent à la direction des organisations professionnelles

[14] Boulaine et Legros, *D'Olivier de Serres,* pp. 198-213 ; Denis, « L'Agronomie au sens large » ; Denis, « Du physicien. »

[15] Tisserand, « Considérations générales sur l'agriculture », pp. 7-16.

[16] Tisserand, *ibid.*, pp. 19-27 et p. 57.

[17] Boret, *Le Paradis infernal*, p. 86.

agricoles, des exploitants ayant fait des études supérieures agricoles, tels le comte de Guébriant, président de l'Office central de Landerneau, depuis 1919, Hallé secrétaire de l'AGPB, depuis 1924, sortis tous deux de l'Ina ou Jacques Le Roy Ladurie, président de l'Union nationale des syndicats agricoles, sorti de l'école d'Angers. L'AGPB sera logée à ses débuts dans les locaux de l'Association amicale des anciens élèves de l'Ina, dont Hallé est le secrétaire général et Caziot le président[18]. Ces responsables, avec d'autres personnalités, des administrations,, notamment les directeurs de l'agriculture du ministère, Maurice Lesage de 1918 à 1935 et Charles Brasart de 1935 à 1938, ou des organismes d'enseignement et de recherches, promeuvent le développement des sciences agricoles en faveur d'une agriculture « industrielle », c'est-à-dire exportatrice[19]. Pour l'AGPB d'entre les deux guerres : « ce sont les grands cultivateurs mieux éclairés et mieux armés, qui sont les meilleurs défenseurs des petits et des moyens »[20]. Suite à la création de l'Ira, la communauté des chercheurs en sciences agronomiques s'organise et s'exprime à travers un certain nombre d'organisations et de périodiques que nous présenterons plus loin. Se met peu à peu en place un réseau de « technocrates » agricoles, de la grande exploitation à l'administration, au laboratoire et à l'enseignement. Selon Robert Paxton, les « technocrates » arriveraient au pouvoir sous Vichy avec Laval. Pour l'agriculture, il s'agirait essentiellement des ministres Le Roy Ladurie et Max Bonnafous, ancien de l'Ecole normale supérieure, agrégé de philosophie et qui a été dans les cabinets ministériels avant guerre. Sous Vichy, il est associé puis succède à Jacques LeRoy Ladurie. Tous deux sont opposés à la politique de Caziot, leur prédécesseur et sont présentés à l'époque comme faisant partie de cette équipe de « technocrates », tels Pierre Pucheu et François Lehideux du côté de l'industrie et de l'équipement, qui succéderaient aux « traditionalistes », lors du retour de Pierre Laval au gouvernement. Selon Lehideux, certains à Vichy auraient parlé de coup d'état de la « synarchie »[21].

Le 16 juin 1943, lors d'une séance solennelle de l'Académie d'agriculture, son président, Albert Demolon, son secrétaire perpétuel, agronome et docteur en sciences, Henri Hitier, agronome, professeur à l'Ina, puis le ministre de l'Agriculture, Max Bonafous, y font chacun un discours

---

18 Pesche, « Les céréaliers dans le syndicalisme agricole », p. 7 ; Le Roy Ladurie, *Mémoires*, p. 313.

19 Barral, *Les agrariens*, pp. 232-242. Pesche, *ibid.*, pp. 6-8.

20 Archives départementale de Seine et Marne. AGPB, Brochure de présentation, 1925, Cité par Pesche, *ibid.*, p. 7.

21 Paxton, *La France de Vichy*, pp. 253-262 et pp. 287-332. Le Roy Ladurie, *Mémoires*. Lehideux, *De Renault à Pétain*.

favorable à une vision industrielle, productiviste, de l'agriculture et à une intervention scientifique de haut niveau pour répondre à celle-ci. Caziot est alors membre de la section « économie statistique et législation agricole » de cette académie. Dans ses trois discours les idées qui sont soutenues par Caziot et les agrariens, sont clairement rejetées ; à savoir l'aspect retour à la vie rurale et appui sur la petite propriété familiale de la « révolution nationale ». Demolon parle de « certains esprits [qui] ont pu avec quelque mélancolie évoquer les temps lointains où une agriculture extensive, à la fois stable et conservatrice, poursuivait l'obtention d'une grande variété de produits consommés sur place ». Il affirme que l'agriculture est devenue une industrie « lorsque la culture du sol au lieu de se borner à assurer les besoins propres de l'exploitant a eu pour but de produire un surplus pour les besoins de la population non agricole ». Demolon finit en affirmant que ce fût un tort « de ne pas traiter l'agriculture comme une activité concourant [...] à la prospérité nationale » et en précisant qu'il a voulu insister dans son intervention sur « la nécessité d'un redressement dans le domaine purement technique sans [s'] arrêter à la dangereuse utopie qui voudrait suspendre la marche du progrès scientifique ». La recherche agronomique est, selon lui, en danger de dépérissement essentiellement « par suite de la raréfaction progressive des jeunes chercheurs »[22]. Hitier présente ensuite les dernières avancées des sciences agronomiques, en concluant « les recherches agronomiques sont à la base de tous les progrès agricoles : le développement des recherches scientifiques est d'un intérêt capital pour l'avenir de notre agriculture et du pays »[23]. Bonnafous prend la suite et affirme que « tous les efforts du ministère » tendent à obtenir une « production de qualité capable de s'inscrire dans un plan d'économie internationale »[24]. Ce sont des mots qui font écho aux positions d'alors en faveur d'une Europe où les économies industrielle de l'Allemagne et agricole de la France se compléteraient, tels ceux de Marcel Braibant présentés notamment dans deux ouvrages préfacés l'un par Demolon et l'autre par Boret[25]. Bonnafous précise que « l'ensemble français » pourrait pratiquer une politique d'autarcie. Mais ce n'est pas l'idéal que nous voudrions lui imposer ». Les premiers « mots maîtres qui nous ouvriront les portes de notre destin », dit-il, sont d'abord « recherche et enseignement » car « tout dépend de la science et des moyens d'en faire pénétrer les résultats dans la pratique quotidienne ». Les « agriculteurs ont

---

[22] Demolon, « Le progrès technique en agriculture », pp. 295-300.

[23] Hittier, « Compte rendu des travaux de l'Académie », p. 311.

[24] Bonnafous, « Discours », pp. 311-319.

[25] Braibant, *Notre destinée* ; Braibant, *La France, nation agricole* ; Caziot, *L'agriculture française dans l'économie européenne*. Voir Barral, *Les agrariens*, pp. 267-269.

besoin d'être guidés par la science ». Il annonce aux Académiciens des réformes pour relever la qualité scientifique des écoles supérieures d'agriculture, qui renvoient à des débats et des propositions qui se développent depuis le projet de 1916 que nous présenterons plus loin :

> « Des textes paraîtront prochainement qui placeront le corps enseignant de l'Institut national agronomique, des Ecoles nationales vétérinaires et des Ecoles nationales d'agriculture sur le plan du corps enseignant des facultés mais en même temps leur imposeront des conditions de recrutement très sévères »[26].

Revenons vers le passé pour s'intéresser plus précisément à l'histoire institutionnelle de la recherche agronomique, liée à l'histoire des relations ambiguës entre discours agrarien, discours pro-science et l'objectif d'une agriculture « progressive. », qui aboutit à la création de l'Inra.

DU PROJET DE 1916 À LA CREATION DE L'IRA

Pendant la Première Guerre, un Comité secret de l'Académie des sciences, constitué de huit académiciens dont Tisserand, est chargé d'élaborer un projet d'organisation et de développement des recherches agronomiques françaises. Il aboutit à des propositions présentées par Tisserand le 20 novembre 1916. L'objectif est « d'accroître la production agricole » et « la population de nos campagnes »[27]. Cette contradiction avec d'autres écrits de Tisserand sur l'exode rural peut s'expliquer par le fait qu'il s'agit d'une réflexion collective ou par le fait qu'il faut convaincre des responsables politiques sensibles à ces arguments. Le rapport affirme la nécessité du développement des recherches agronomiques, « relevant des services agricoles, à savoir les stations agronomiques et les laboratoires spéciaux », notamment dans le cadre de la reconstruction qu'il faudra mener après guerre :

> « Il est surabondamment prouvé que les pays qui ont fait le plus de progrès et qui obtiennent de leur sol les plus riches moissons sont ceux qui ont multiplié chez eux les établissements de recherches et d'enseignement de l'ordre le plus élevé et préparé leur population rurale, par une solide instruction préalable, à les apprécier, à les accepter et avoir pleine confiance dans la Science[28]. »

---

[26] Bonnafous, « Discours », pp. 315-316.

[27] Tisserand, « Sur les établissements agricoles de recherche », pp. 622-623.

[28] Tisserand, *ibid.*, pp. 621-634. Voir aussi Tisserand, *Les Moyens d'intensifier la production agricole.*

Cette démarche n'est pas nouvelle. Un Comité d'organisation et de perfectionnement de l'enseignement de l'agriculture, des stations de recherches et laboratoires agricoles avait été institué, une dizaine d'années plus tôt, par décret le 18 mai 1905, par Joseph Ruau, ministre de l'Agriculture, de janvier 1905 à novembre 1910. Dans le rapport expliquant la création de ce comité, Ruau précisait :

> « notre organisation des recherches est totalement insuffisante, surtout si on la compare aux véritables instituts de recherches existant, soi en Allemagne, soit en Autriche, soit aux Etats-Unis. En ce moment, nous avons des stations agronomiques et des laboratoires créés sans plan d'ensemble bien arrêté, il serait nécessaire de les orienter en vue de la coordination de leurs travaux[29]. »

Dans ce comité de 1905, on trouvait douze membres de droit (dont le directeur de l'agriculture F. Vassilière et le directeur général des Eaux et Forêts) et cinquante nommés par décrets, des hommes politiques (dix-huit députés et quatorze sénateurs) dont Méline, quelques agriculteurs et quelques scientifiques, dont Louis Nicolas Grandeau, Léon Lindet, Pierre Viala, Albin Haller et Eugène Tisserand ; ces deux derniers se retrouvent dans le Comité de 1916[30]. En s'appuyant sur quelques exemples, le rapport de 1916 soutient que les grands progrès en agriculture ont tous leur origine dans la science. Il prend le système américain comme modèle qu'il décrit avec son *Office of Experiment Stations*, « service scientifique central » chargé de suivre les travaux des stations de recherches agricoles, de veiller au financement et au bon emploi des ressources, de présider à la création et à l'organisation de toute station nouvelle, de choisir le personnel, de recevoir et diffuser les rapports de chaque station, de donner un avis sur leurs procédés d'analyses ou d'expérimentation, de publier un bulletin mensuel, *Journal of Agricultural Research*, informant les stations des avancées scientifiques en rapport avec l'agriculture ; un *Annuaire* présentant les travaux effectués par les stations étant diffusé chaque année par le ministère. Les stations agronomiques et les laboratoires agricoles seraient en France mal répartis sur le territoire. Ils rencontreraient des problèmes de financement des recherches, de rémunération et de mode de recrutement des personnels »[31]. Le projet défend une séparation franche (personnel, bâtiment, financement) entre les recherches scientifiques et l'assistance technique aux

---

[29] Ruau, « Rapport au Président de la République », pp. 3482-3483.

[30] Almanach national, 1905, pp. 338-339.

[31] Tisserand, « Sur les établissements » pp. 624-628.

agriculteurs[32]. L'accent est mis sur la compétence scientifique du personnel recruté qu'il faut, pour cela, « rémunérer à sa valeur ». Il est proposé que le muséum, les facultés des sciences, les « institutions de haut enseignement d'agriculture » et une station agronomique centrale dont les laboratoires « seraient chargés des études d'un caractère *strictement scientifiques* [en italique dans le texte] », deviennent la pépinière du personnel scientifique des stations ». A côté de leur aspect appliqué, la part hautement scientifique des stations et laboratoires est clairement revendiquée. Le renforcement des liens entre recherche et enseignement est fortement préconisé. Enfin les laboratoires, les champs d'expériences, les étables d'expérimentation, etc. devraient être accessibles à tous chercheurs. On envisage que des agriculteurs mettent tout ou partie de leur exploitation au service des établissements scientifiques. Le rapport propose aussi la mise en place de « stations centrales » et de « stations régionales », et que les stations et laboratoires soient autonomes en étant des personnalités civiles. Il regrette l'absence de « station de recherches pour la physiologie animale et la zootechnie qui soulèvent tant de problèmes de haute importance sur l'alimentation »[33]. En conclusion le modèle proposé par le rapport reprend logiquement les caractéristiques de l'américain. Est notamment envisagé un conseil supérieur des stations agronomiques et des laboratoires spéciaux qui reprendrait les taches de l'*Office of Experiment Stations* et dont la composition est précisée lors d'une autre séance de l'Académie des sciences[34]. Ce conseil, avec les mêmes fonctions bien qu'avec quelques modifications dans sa composition, sera créé par un arrêté du 12 août 1918 du ministre de l'Agriculture Boret, qui fait référence au rapport de 1916 et nomme Tisserand président. Selon ce rapport, seules les stations d'entomologie et de pathologie végétale du service des épiphyties dirigé par Eugène Roux ainsi que la station d'essais de semences dirigée par Emile Schribaux et celle d'essais des machines agricoles dirigée par Maximilien Ringelmann arriveraient à faire des travaux d'un très réel intérêt ». Le service des épiphyties, créé le 11 mai 1915, cherchait aussi à répondre aux besoins d'organisation de la recherche, mais uniquement pour les stations et laboratoires travaillant sur les « insectes, cryptogames et autres parasites nuisibles à l'agriculture »[35]. Son directeur Roux, qui est aussi celui du service de la répression des fraudes, deviendra celui de l'Ira créé le 26

---

[32] Voir la présentation des diverses taches (recherches scientifiques et aides aux agriculteurs) des stations agronomiques et laboratoires agricoles dans *Almanach national*, 1897 ; p. 329.

[33] Tisserand, « Sur les établissements agricoles de recherche », pp. 628-633.

[34] Tisserand, *ibid.*, p. 631 et pp. 722-723.

[35] Décret du 11 mai 1915.

décembre 1921. Deux mois plus tôt, le 18 mars 1915, avait été créé le service des laboratoires regroupant le laboratoire central de recherches et d'analyse, les stations agronomiques et œnologiques et les laboratoires agricoles, « chargés de l'étude des questions scientifiques intéressant l'agriculture, dans l'ordre des sciences physiques et chimiques[36]. »

C'est à la suite de la première guerre mondiale, que la loi du 30 avril 1921 (article 79) propose l'Ira, « chargé de développer les recherches scientifiques appliquées à l'agriculture, en vue de relever et d'intensifier la production agricole ». L'Institut est doté de la personnalité civile et de l'autonomie financière. Les 88 laboratoires agricoles et les stations agronomiques soit dépendant de la direction des services sanitaires et scientifiques et de la répression des fraudes du ministère de l'Agriculture, soit subventionnés par celui-ci (30 d'entre eux), sont placés sous sa direction. L'ensemble correspond à 236 personnes, 134 titulaires et 102 auxiliaires ; le personnel technique étant constitué de 150 directeurs, chefs de travaux et préparateurs, dont 93 titulaires et 57 auxiliaires. Le fonctionnement de l'Ira est assuré, sous l'autorité du ministre, par un conseil d'administration et un directeur[37]. Le président du conseil d'administration est Tisserand. Le directeur de l'Ira est Roux, docteur ès-sciences, conseiller d'état et donc le directeur des services sanitaires et scientifiques et de la répression des fraudes[38]. Un comité consultatif est prévu. Il prend le nom de conseil supérieur des recherches scientifiques agronomiques avec comme président Boret, l'ancien ministre de l'Agriculture et du Ravitaillement de 1917 à 1919, puis à nouveau quelques semaines fin 1930-début 1931, député, mais aussi responsable d'une entreprise de semences. Boret se présente comme le président de l'Ira[39]. Ce conseil supérieur prend la suite de celui des stations agronomiques et des laboratoires agricoles créé quelques années plus tôt, sous la présidence de Tisserand, conseil qui était lui-même précédé du comité consultatif des stations agronomiques et des laboratoires agricoles créé en 1885, lui-aussi sous la présidence de Tisserand. Il est prévu que l'Ira puisse créer de nouveaux établissements de recherche. Le rapport au président de la République qui présente les objectifs, liste les problèmes à résoudre, par « des chimistes, des physiciens, des physiologistes et des naturalistes » : « Recherche de variétés végétales et animales plus

---

[36] Décret du 18 mars 1915.

[37] Décret du 26 décembre 1921 ; Ministère de l'agriculture, *Institut des recherches agronomiques*.

[38] Décret du 11 janvier 1922 ; Arrêté du 31 janvier 1922 ; « Rapport sur le fonctionnement de l'Institut des recherches agronomiques en 1922 », *JO* du 29 novembre 1923, p. 11126.

[39] Boret, *Le Paradis infernal*, p. 296

productives », « des moyens d'accroître la fertilité des sols par l'étude microbiologique, chimique et physique des terres et par une étude plus complète des engrais », « des procédés de lutte à employer contre les maladies parasitaires » des cultures et du cheptel, « des principes d'une alimentation rationnelle de l'homme et des animaux en vue d'une meilleure utilisation des produits agricoles »[40].

DE L'IRA À L'INRA
POUR UNE ORGANISATION ENTRE RECHERCHE ET APPLICATION

Lors de la première réunion le 16 janvier 1929 du conseil supérieur des recherches scientifiques agronomiques présidé par Boret, on trouve Hitier, au titre de secrétaire perpétuel de l'Académie d'agriculture et Demolon en tant qu'inspecteur général des stations et laboratoires ; ainsi que Gabriel Bertrand, Pierre Viala, Maximilien Ringelmann et Jean Lefèvre, directeur de l'Ina depuis 1938[41]. Après la Libération, Demolon sera président du conseil supérieur des recherches scientifiques agronomiques ; Hitier y sera en tant que secrétaire perpétuel de l'Académie d'agriculture. Roux est membre à partir de 1924 de l'Académie d'agriculture, et Boret, depuis 1928. On retrouve Roux, lors de la première séance du conseil d'administration de l'Inra, au côté de son directeur Charles Crépin, lui-même membre de cette Académie depuis 1944[42]. Ces diverses personnalités, ainsi que d'autres, constituent un réseau en faveur de l'organisation et du développement des recherches agronomiques. Elles s'expriment dans diverses mouvements et revues, sur la question agraire ou la question agronomique, le *Musée social* auquel appartient Tisserand[43], la *Chronique social de France* et les *Semaines sociales de France* dont le thème de la rencontre de l'année 1924, à Rennes, étant « Le problème de la terre dans l'économie nationale », voit se succéder notamment comme orateurs Caziot et Hitier[44], la *Revue d'économie rurale*, la *Revue d'économie politique*, la *Nouvelle revue*, la *Revue des agriculteurs de France*, le *Bulletin de l'Association amicale des anciens élèves de l'Institut national agronomique*, etc. Il y a aussi les conférences organisées par l'Institut national agronomique et l'Association amicale de ses anciens élèves, éditées en 1932, qui rassemblent notamment Charles Brasart,

---

40 Lefebvre du Prey, « Organisation de l'Ira », pp. 5-6.

41 Archives nationales F/10/2684.

42 Inra, Procès verbal du conseil d'administration du 13 août 1946.

43 Tisserant, *Les Moyens d'intensifier la production agricole.*

44 Caziot, « La crise agraire » et Hitier, « Le problème des modes d'exploitation ».

directeur de l'agriculture au ministère, Jules Alquier, directeur de l'Ina, Pierre de Monicault, député de l'Ain, ingénieur agronome et propriétaire rural, et Caziot[45]. Au-delà de ces différentes personnalités et du conseil supérieur des recherches agronomiques et de l'Académie d'agriculture, on distingue plusieurs autres communautés : le Syndicat du personnel scientifique de l'Ira, l'Association du personnel des laboratoires de recherche et d'enseignement du ministère de l'Agriculture, l'Association amicale des anciens élèves de l'Ina, l'Association des ingénieurs agronomes, l'Association pour l'avancement des recherches agronomiques[46].

Les projets des années 1920 et 1930

Entre la création de l'Ira et celle de l'Inra, divers débats et projets mobilisent ces communautés autour de l'organisation de la recherche agronomique, de ses liens avec l'enseignement supérieur de l'agriculture, et de ses liens avec d'autres institutions scientifiques (faculté, muséum, *etc.*) mais aussi de ses liens, notamment après la suppression de l'Ira, avec le service de la protection des végétaux ou surtout celui de la répression des fraudes. Suite à la création de l'Ira, certaines personnes reprochent la cloison étanche que ce choix entrainerait entre recherche et enseignement, et envisagent un projet alternatif plus centré sur l'Ina et les écoles régionales qui deviendraient des lieux du développement de la recherche auquel seraient associés des laboratoires. Se pose dans cette discussion la formation scientifique des futurs chercheurs des laboratoires[47]. Le rapport du ministre de l'Agriculture Lefebvre du Prey, du 26 décembre 1921, au président de la République qui accompagne les textes constitutifs de l'Ira, insistait sur l'appellation « recherches scientifiques appliquées à l'agriculture ». Le nouvel institut serait chargé d'apporter des subventions à d'autres administrations où se poursuivent des recherches intéressant l'agriculture et d'accorder des missions à des savants qui, à titre personnel, se livrent à des recherches du même ordre. Pour ses propres stations et laboratoires, l'institut a pour mission essentielle « d'orienter le personnel des laboratoires vers les problèmes dont la solution paraît susceptible d'utilisation pratique immédiate et non vers la science spéculative »[48]. Il y a donc un décalage avec le rapport de 1916 qui insistait sur les recherches scientifiques de haut

---

[45] Institut national agronomique et Association amicale de ses anciens élèves, *Conférences*.

[46] Archives nationales, F/10/2684 et AJ/76/4.

[47] Archives nationales, F/10/2684.

[48] Lefebvre du Prey, « Organisation de l'Ira », p. 5-7.

niveau. La mise en place de l'Ira n'est ainsi perçue par certains que comme un premier maillon d'un projet plus vaste et mieux soutenu financièrement encore à mettre en place pour organiser et développer la recherche et l'enseignement agronomique de haut niveau scientifique, en la séparant encore plus nettement des taches d'analyses quotidiennes. Ainsi en 1926, Fernand Willaume, président de deux sociétés : l'Association du personnel des laboratoires de recherche et d'enseignement du ministère de l'Agriculture, et de l'Association pour l'avancement des recherches agronomiques, présente un projet de création d'un doctorat ès-sciences agronomiques. Willaume est ingénieur agronome, membre des services scientifiques de l'Ira. Il a écrit, avec Bernard Trouvelet, un ouvrage sur les pesticides préfacé par Boret[49]. Il défend son idée de doctorat comme un moyen de « juguler l'hémorragie de nos laboratoires ». Il suggère un projet de loi et d'un projet de décret détaillés, autorisant l'Ina à délivrer des diplômes de docteur ès-sciences agronomiques, d'ingénieurs agronomes, d'ingénieur agricole ou de licencié ès sciences[50]. L'objectif est d' « intensifier les recherches en collaboration avec l'enseignement supérieur agricole ». Willaume envisage deux projets alternatifs : donner plus de cohérence et de liaisons entre les organismes de recherche et d'enseignement agronomiques qui gardent néanmoins leur spécificité ou bien tout reconstruire dans le cadre d'un grand ministère de l'éducation nationale. L'analogie de l'agronomie avec la médecine est développée pour justifier la nécessité d'un enseignement et d'une recherche spécifiques de haut niveau »[51]. L'objectif est de distinguer les filières menant à la vulgarisation de celles menant à la recherche scientifique et à l'enseignement supérieur, « comme le demandait Tisserand, renforcer le caractère de haut enseignement scientifique de l'Institut agronomique ». Le rôle de l'Ina doit être le même que celui des facultés pour la formation des cadres supérieurs de l'enseignement et de la recherche agricoles et celui de l'Ira doit être celui, appliqué à l'agriculture, du collège de France et du muséum national d'histoire naturelle. Willaume précise aussi que la recherche est essentiellement chargé de relever et d'améliorer la production agricole, de permettre de produire plus, mieux et moins cher, alors que le décret de création de l'Ira ne parle que de relever et d'intensifier la production agricole. En mars 1927, est proposé au ministère un autre projet de perfectionnement de l'enseignement supérieur et de la recherche agronomique signé par un « ingénieur agronome attaché à l'Institut des

---

[49] Trouvelet et Willaume, *Manuel-guide des traitements insecticides,* 1926 et *1*927.

[50] Willaume, *Contribution à l'étude d'un programme.*

[51] Willaume, *ibid*, p. 4.

recherches agronomiques du ministère de l'Agriculture ». Ce projet déplore que :

> « On forme dans nos Écoles des Ingénieurs et des Vulgarisateurs, mais nulle part on a organisé l'enseignement méthodique de Professeurs et de Chercheurs pour les Sciences agricoles. On se contente de faire appel à l'enseignement des sciences générales donné dans les Universités »[52].

Après avoir cité les écrits de Tisserand sur la formation des agronomes appelés à faire de la recherche, le projet propose de s'appuyer sur l'enseignement supérieur agronomique qui deviendrait l'équivalent, pour l'agriculture, à la fois des écoles polytechnique et centrale et des facultés des « sciences générales ». Il envisage une section spéciale à l'Ina qui aboutirait à un diplôme de doctorat ès-sciences agronomiques. L'objectif est « au moment où l'enseignement technique supérieur et l'enseignement supérieur agronomique proprement dit doivent diverger pour ne pas se nuire, de les maintenir côte à côte aussi voisin que possible », de manière que les élèves respectifs aient la possibilité « de se connaître, de se comprendre ». Le 8 avril 1927, une réunion de l'Association des ingénieurs agricoles a lieu pour participer à l'élaboration de ce projet. Alquier, directeur de l'Ina, vice-président de l'association y invite Maurice Lesage, directeur de l'agriculture[53]. Pour renforcer les relations de l'Ira avec l'Ina, ainsi qu'avec la faculté des sciences, une « Section d'Application » à l'Ira, à la fin des années 1920, est « établie de manière à procurer aux élèves un enseignement scientifique complémentaire jugé nécessaire pour leur carrière » ; élèves qu'on invite à préparer des certificats de licence à la faculté des sciences et à suivre deux ans à l'Ina, « un stage continu dans le même laboratoire ». Un contentieux se développera, en 1932, entre l'Ina et l'Ira. Alquier, le directeur du premier reproche à Roux, celui du second de vouloir réduire les relations envisagées[54]. Le 10 juillet 1931, dans une lettre avec en tête de la commission des finances de la chambre des députés, Pierre de Monicault intervient auprès du ministre de l'Agriculture en faveur d'une modification de la loi pour permettre un rapprochement étroit entre l'Ina et l'Ira, car « le personnel enseignant de nos grandes écoles a besoin d'avoir un laboratoire pour se tenir au courant des progrès de la science et aider lui-même à la faire progresser ». De plus cela entrainerait un « supplément de traitement indirect

---

[52] Archives nationales. F/10/2684.

[53] Archives nationales. F/10/2684. J. Alquier, Billet à M. Lesage, 4 avril 1927.

[54] Archives nationales. F/10/2684. J. Alquier à E. Roux, 17 mars 1932, J. Alquier à C. Brasart, 17 mars 1932, E. Roux à M. Lesage, 24 mai 1932, F.Willaume à M. Lesage, directeur de l'agriculture, 25 mai 1932.

accordé au titre de chef ou de directeur de laboratoire à un professeur », ce qui aiderait aux recrutements[55].

La crise et la suppression de l'Ira

Fin 1931, une délégation composée notamment de Lucien Sémichon, directeur de la station œnologique de Narbonne, et de Roux se rend chez André Tardieu, alors ministre de l'agriculture, pour présenter les doléances des chercheurs de l'Ira « relégués au dernier rang ». Suite à cette entrevue, Tardieu écrit au directeur du budget, qui aurait répondu par une fin de non-recevoir. En 1933, de retour de Russie, Boret se plaint dans *Le Paradis infernal* des manques de moyens de l'Ira entraînant une baisse de son efficacité, comparés à ceux des instituts soviétiques qu'il vient de visiter[56]. Lors de la réunion des directeurs de stations, en juin 1933, Sémichon s'exprime devant l'inspecteur général Pierre Rey, dans le cadre du rattachement de l'Ira, depuis le 8 octobre 1930, à la Direction de l'agriculture[57], pour l'amélioration de la situation des chercheurs et pour la séparation des recherches agronomiques de la répression des fraudes et des analyses pratiques quotidiennes. Il reprend le rapport de 1916 en revendiquant que le « service de recherches » ait « son personnel, son matériel et ses crédits » distincts de ceux destinés à assurer « la détection des fraudes ou le contrôle analytique des transactions » :

> « Je sais bien que ces derniers sont plus estimés du public et des parlementaires parce qu'ils rendent des services immédiats. Il n'en demeure pas moins que c'est surtout par le progrès que nos recherches, de longue haleine sans doute, peuvent assurer que l'Institut des recherches agronomiques se distingue d'une façon plus noble et plus sûre de tous les autres services administratifs[58]. »

De cette réunion émerge une mobilisation qui aboutit à la création, le 21 décembre, d'un syndicat du personnel scientifique de l'Ira, avec 137 adhérents, dont la présidence revient à Sémichon ; les vice-présidences revenant à Léon Guittoneau, directeur du laboratoire national des fermentations et à Robert Regnier, directeur de la station de zoologie

---

[55] Archives nationales, F/10/2684.

[56] Boret, *Le Paradis infernal*, pp. 296-297.

[57] Décret du 16 janvier 1934.

[58] Sémichon, *Allocution du doyen*. Voir aussi Flanzy, *La Station œnologique de Narbonne*, pp. 3-4.

agricole de Rouen et le secrétariat à Luc Alabouvette, directeur de la station centrale d'amélioration des plantes de grande culture. Certains rappellent qu'il ne s'agit que d'une réactivation d'une « ancienne association » (s'agit-il de l'Association du personnel des laboratoires de recherche et d'enseignement du ministère de l'Agriculture dirigée par Willaume ?) qu'ils avaient eux-mêmes tentée de relancer un an plus tôt[59] Roux approuve cette création :

> « Evidemment vous n'avez pas la puissance électorale du nombre mais on vous connaîtra et la bonne cause que vous défendez en faisant valoir les services que rend constamment au pays un personnel d'élite comme celui de l'Ira, nous vaudra des avis et des appuis pour réagir contre l'indifférence - née de l'ignorance – qui nous a été si préjudiciable jusqu'ici ![60] »

Le siège social est fixé boulevard Saint-Germain (auprès donc de la Société nationale d'encouragement à l'agriculture, syndicat rural républicain créé en 1880 par Léon Gambetta en opposition à la Société des agriculteurs de France), et les réunions du Conseil d'administration ont lieu au 5 quai Voltaire. Le lendemain le conseil d'administration charge le bureau de « rédiger un manifeste qui devra être présenté aux pouvoirs publics et aux commissions du parlement », de prendre rendez-vous avec Roux et Lesage et de demander une audience au ministre préparée par « l'intervention des hommes politiques influents favorables à notre cause ». Six jours plus tard, Sémichon, après avoir rencontré Roux et Lesage, écrira brièvement à Michel Flanzy, son successeur à Narbonne : « rien à faire avec eux ». Le ministre est rencontré le 26 janvier[61]. A compter du 1er mai 1934, par décret du 4 avril, l'Ira est supprimé en tant qu'établissement doté de la personnalité civile et de l'autonomie financière. Cette décision s'inscrit dans les mesures d'économie décidées par le gouvernement pour rééquilibrer le budget. L'Ira est responsable de la création du Centre national de la recherche agronomique de Versailles et des centres de recherches agronomiques de Provence (Antibes), du Sud-Ouest (Pont-de-la-Maye), du Massif central

---

59 Archives personnelles de Claude Flanzy. R. Diehl et L. Friedberg à Lucien Sémichon, 13 septembre 1933;

60 Archives C. Flanzy. E. Roux à Lucien Sémichon, 21 octobre 1933, L. Sémichon au directeur de l'Ira, 20 septembre 1933 et 26 octobre 1933.

61 Archives C. Flanzy.. *Bordas à Lucien Sémichon. Cf. aussi dans ces mêmes archives :*Syndicat du personnel scientifique de l'Ira, *Procès-verbal AG constitutive 21 décembre 1933*, *Procès-verbal CA 21 décembre 1933* et *Procès-verbal CA 22 décembre 1933.*

(Clermont-Ferrand), et d'Alsace (Colmar)[62]. Selon leurs caractéristiques, les stations et laboratoires sont répartis entre la direction de l'agriculture, le service de la répression des fraudes, le service vétérinaire, la direction des eaux et du génie rural[63]. Pour Demolon, la suppression de l'Ira est d'abord due à un désintéressement des pouvoirs politiques provoqué par la crise de la surproduction qui, dans les années 1930, suit les années de sous-production d'après-guerre[64]. Plusieurs formules de coordination suivront pour remplir les taches de l'ancien Ira. Le syndicat du personnel scientifique de l'Ira en gestation décide « devant la carence des services administratifs » d'élaborer un projet d'organisation de la recherche agronomique et d'en proposer à l'administration le résultat[65]. En novembre 1934, Sémichon prend contact avec Brasart pour lui proposer ce projet « d'organisation du Service des laboratoires et stations d'études et de recherches agronomiques » rattaché à sa direction. Il précise :

> « L'esprit qui nous a dirigé est inspiré par une double préoccupation :
> 1 – l'indépendance des travaux de recherches
> 2 – la coordination des expérimentations, en liaison étroite avec les organismes d'application pratique dont les émanations les plus caractérisées sont les chambres d'agriculture et les offices agricoles »[66].

Il propose que les stations régionales, « organismes de recherches et d'expérimentations », soient rattachées à trois sections (production végétale, défense des végétaux et transformation des produits agricoles) et que des laboratoires nationaux pour les trois sections soient groupés « soit au centre de Versailles, soit à l'Ina soit ailleurs », avec en province des « laboratoires annexes spécialisés ». Il prévoit un comité directeur « à la fois technique et administratif » et un comité consultatif « strictement technique.[67] » Le directeur de l'agriculture répond en exprimant sa volonté de collaborer avec le syndicat et d'appeler des représentants qualifiés du personnel scientifique des stations et laboratoires pour siéger dans les « organismes consultatifs » qui seront appelés à l'assister dans « la préparation des programmes des

---

[62] Décret du 4 avril 1934. Décret du 30 juin 1934. Décret du 30 juin.

[63] Loi du 28 février 1933, pp. 1194-2001. Loi du 28 février 1934. Décret du 30 juin 1934. Archives nationales, F/10/2684

[64] Demolon, « La science expérimentale au service de l'agriculture », p. 13.

[65] Archives C. Flanzy. Syndicat du personnel scientifique de l'Ira, *Rapport du président*, mai 1935, p. 1.

[66] Archives nationales. F/10/2684. L. Sémichon *à C. Brasart*, 15 novembre 1934.

[67] Archives nationales, F/10/2684. L. Sémichon, *Avant-projet d'organisation du service des recherches agronomiques*, 15 novembre 1934.

travaux et dans l'élaboration des voies et moyens à mettre en œuvre pour en assurer l'exécution »[68]. En mai 1935, dans une circulaire, Sémichon présente le projet aux adhérents en se plaignant de l'absence de suite. Il ajoute qu'aux trois grandes sections, « il est évident [...] doivent s'en ajouter d'autres : productions animales, répressions des fraudes, stations d'essais de machines »[69]. Diverses décisions sont néanmoins prises dans les années qui suivent. Après avoir reçu quelque temps le nom de conseil supérieur des stations et laboratoires de recherches agronomiques, le conseil supérieur des recherches scientifiques agronomiques devient le 25 février 1937 un comité consultatif auprès du ministère de l'Agriculture[70]. Les stations qui se trouvent à l'Ina ou dans les écoles nationales d'agriculture et vétérinaires sont rattachées administrativement et financièrement à ces établissements qui sont dotés des crédits nécessaires. Pour les stations et laboratoires qui étaient directement administrés par l'Ira, le ministre propose de les rattacher administrativement soit au Centre national de recherches agronomiques de Versailles, qui jouait déjà le rôle de centre de l'Ira, soit à plusieurs organismes répartis par régions (Paris, Provence, Sud-ouest, Massif central, Alsace). Selon le choix, cet organisme central ou ces organismes régionaux seraient dotés de la personnalité civile et de l'autonomie financière les assimilant à des établissements d'enseignement au point de vue des ressources financières. Le choix de Versailles comme centre national qui gérerait toutes les stations et laboratoires est alors privilégié. Le syndicat du personnel scientifique de l'Ira devenu des stations et laboratoires de recherches agronomiques se divise en deux en voulant, le 18 février 1938, s'affilier à une centrale syndicale de fonctionnaires, la majorité rejoignant la Confédération générale du travail et la minorité la Fédération des syndicats chrétiens. Néanmoins un comité d'entente émanant des deux groupes est constitué le 23 novembre 1938, composé d'un président, Guittonneau qui a remplacé Semichon, depuis juin 1934, et de six membres, Aubert, Bertin, Boischot, Crépin, Chevalier et Raucourt. Ce comité remet le 6 juillet 1939 à nouveau au cabinet du directeur un « Projet de réorganisation des Stations et Laboratoires de recherches agronomiques »[71].

---

[68] Archives nationales, F/10/2684. C. Brasart à L. Sémichon, 29 novembre 1934 et L. Sémichon à C. Brasart, 14 décembre 1934.

[69] Archives C. Flanzy. Syndicat du personnel scientifique de l'Ira, *Rapport du président*, mai 1935, p. 3.

[70] Décret du 25 février 1937 ; Décret du 27 mars 1935 ; Arrêté du 10 avril 1935.

[71] Michel Flanzy, *La Station œnologique de Narbonne*, pp. 213-219.

Les réalisations sous Vichy

Fin 1940 sont mis en place les stations centrales pour sept disciplines : agronomie générale et biochimie végétale, amélioration des plantes et phytotechnie, zoologie agricole, pathologie végétale, climatologie agricole, zootechnie et alimentation du bétail et microbiologie appliquée aux industries agricoles ; en 1942, sera ajoutée une station centrale pour les recherches vétérinaires[72]. Le 8 décembre 1940 est créé un comité scientifique des recherches scientifiques dans le but « d'assurer une meilleure coordination des recherches agronomiques et d'améliorer les conditions de travail »[73]. Le comité est chargé d'examiner les « questions scientifiques ou connexes qui lui sont soumises » ; de proposer au ministre, chaque année, « le programme technique et financier des recherches à entreprendre ou poursuivre au cours de l'année suivante » et de considérer les « résultats obtenus ». Il est constitué de six membres : deux directeurs, celui de l'enseignement agricole et vétérinaire, des recherches, des services sanitaires et de la répression des fraudes qui devient le président, celui de la production agricole et des échanges, les deux inspecteurs généraux de l'agriculture, dont Demolon, trois personnalités scientifiques ou agricoles désignées par le ministre, en 1941, Lemoigne et Bœuf, professeurs à l'Ina et Bataille, président du syndicat de la distillerie agricole et agriculteur. Rey, l'autre inspecteur général, venait, selon Michel Flanzy, d'être suspendu de ses fonctions par Vichy[74]. Le 16 octobre 1941, est créé un comité national de liaison entre les recherches agronomique et l'expérimentation agricole chargé « de proposer, chaque année, un programme des travaux à effectuer dans l'ensemble des centres nationaux d'expérimentation et d'indiquer les questions dont il y a intérêt à poursuivre l'étude dans les stations de recherches ». Le service des recherches agronomiques est réorganisé le 5 novembre 1942. Il est chargé d'assurer « la direction scientifique de tous les travaux d'expérimentation agricole ». et a pour objet « l'organisation, l'exécution et la diffusion de tous les travaux de recherche appliquée portant sur l'amélioration et le développement de la production végétale, de la production animale et de la transformation des produits agricoles ». En 1943, est mis en place le service de la recherche et de l'expérimentation, qui supervisent les stations, laboratoires et domaines de l'ancien Ira, et qui a pour but de renforcer les liens entre recherches et expérimentations ;

---

[72] Acte dit « Décret du 8 décembre 1940 », Acte dit « Loi du 5 novembre 1942. »

[73] Acte dit « Décret du 8 décembre 1940 ».

[74] Arrêtés 8 octobre 1940 et 9 février 1941 selon Michel Flanzy, *La Station,* pp. 8-11, repris par Claude Flanzy, « Pierre Rey », pp. 34-35.

préoccupation que l'on retrouvera dans les textes créant l'Inra[75]. Crépin, directeur de la station d'amélioration des plantes et de phytotechnie à Versailles, est nommé chef de ce service. Selon Stéphane Hénin, il est un proche de la Corporation paysanne[76]. C'est lui qui aurait obtenu la création, en 1942, du service des recherches agronomiques, devenu en 1943, le service de la recherche et de l'expérimentation. Le décret du 23 juin 1943, attribue la personnalité civile au Centre national de la recherche agronomique de Versailles et aux centres de recherches agronomiques du Massif central et du Sud-Ouest ; attribution prévue par la loi du 5 novembre 1942[77].

Libération, mise en place de l'Inra

À la libération, on retrouve les mêmes hommes agissant pour le développement et l'organisation des sciences agronomiques, Bœuf, Lemoigne, Demolon, Hitier, Crépin, Lefèvre, etc. A leur côté, une nouvelle génération apparaît tels Keilling, Bustarret, Braconnier. Les débats initiés depuis les années 1920 sur l'organisation de la recherche agronomique de qualité scientifique, sur les relations entre recherches et application, entre recherche et enseignement persistent. Une dispute se développe alors sur la nature de l'organisation de recherche à instituer. Un premier groupe, autour de Crépin et Bustarret défend une recherche liée l'application, tandis qu'un autre groupe autour de Lefèvre, Demolon et Lemoigne militent en faveur d'une recherche agronomique de haute qualité scientifique libérée de l'expérimentation. Lefèvre insiste, en 1945, sur le retour de la recherche dans les laboratoires de l'Ina qui ont dû pendant la guerre répondre à des « besoins de contrôle industriel de certains produits (blés et dérivés, laits et dérivés, aliments du bétail, jus de fruit, etc.) » :

> « C'est là une position infiniment dangereuse et inadmissible. Les laboratoires de l'Institut national agronomique doivent servir avant tout aux professeurs qui les dirigent à opérer librement des recherches personnelles. Ils doivent donc être dotés de moyens suffisants en personnel et en crédits dans le cadre de l'établissement »[78].

---

[75] Acte dit « Loi du 5 novembre 1942 ». Acte dit « Décret du 15 novembre 1943 ».

[76] Hénin, Entretien par Denis Poupardin, Archorales-Inra – Cassettes DAT n° 25-1 ET 25-2.

[77] Acte dit « Décret du 23 juin 1943 ».

[78] Lefèvre, « L'Institut national agronomique pendant la guerre», pp. 7-8.

Lefèvre défend le rapprochement avec la « recherche scientifique » et avec l'université. Il reparle notamment de la création d'un « doctorat agronomique ». Plus tôt, en décembre 1944, un projet de loi vient de proposer l'organisation de la recherche agronomique et la création d'un Institut national de la recherche agronomique qui aboutit à une loi promulguée, le 18 mai 1946, par Félix Gouin, Président du Gouvernement provisoire de la République. L'ambition de la recherche agronomie est précisée :

> « L'objet de la recherche agronomique est essentiellement l'étude de tous les facteurs techniques de la production, de la conservation et de la transformation des produits agricoles d'origine végétale ou animale, poursuivie en vue d'aboutir à toutes les améliorations quantitatives et qualitatives techniquement possibles »[79].

Les recherches relatives aux maladies des animaux, d'une part, aux eaux douces en tant qu'habitat des poissons, aux arbres et aux forêts, d'autre part, demeurent dans les attributions respectives des services vétérinaires et de la direction générale des eaux et forêts. Il en est de même de tout ce qui touche le génie rural qui est du ressort de la direction générale du génie rurale et de l'hydraulique agricole. Le projet insiste sur l'urgence du « progrès technique » en agriculture, « condition de l'abaissement des prix de revient et de l'amélioration de la qualité des produits agricoles », pour « l'agriculture elle-même et pour l'industrie dont elle alimente la main-d'œuvre »[80]. Le compromis qui se dessine entre recherche et expérimentation penche plutôt vers les positions du groupe de Crépin[81]. Le rapport de 1944 présentant le projet de création de l'Inra insiste sur le fait de prendre en considération aussi bien les recherches biologiques fondamentales que la mise en pratique des résultats de celle-ci, avec une part respective variable selon les questions étudiées :

> « En agronomie, recherche et expérimentation sont nécessairement liées : la recherche ne peut aboutir à des résultats pratiques et certains sans être prolongée et aidée par l'expérimentation ; l'expérimentation, si elle n'est pas conduite avec l'esprit d'observation et l'esprit critique du chercheur, ne mène à rien, sinon souvent à des conclusions fausses »[82].

---

79 *Rapport accompagnant projet loi*, p. 12.

80 *Ibid.*, p. 4

81 Voir aussi Bonneuil et Thomas, « L'Inra dans les transformations »

82 *Rapport accompagnant le projet de loi*, pp. 13-14.

Crépin devient pour deux ans le premier directeur de l'Inra et Demololon président du conseil supérieur des recherches scientifiques agronomiques. La loi précise les attributs des directeurs de l'Inra et du conseil, le premier assure « la direction des travaux de recherches » selon le « programme arrêté par le conseil et approuvé par le ministre »[83]. La question des relations entre recherches et expérimentation au sein de l'Inra continuera à se poser avant que la séparation ait finalement lieu. Le développement se caractérise d'abord par la volonté d'obéir à toutes les missions définies en 1946 puis par l'élargissement des compétences de l'Institut à l'ensemble des domaines intéressant l'agriculture au sens large. Il accompagne la monté en puissance du productivisme dans le cadre de la politique agricole globale. Lorsqu'à la fin des années 1960, il apparaît clairement que les objectifs de 1946 sont durablement atteints (l'appareil de production est restauré et développé jusqu'à atteindre les besoins et les dépasser), l'Inra connaît une période transitoire difficile qui va durer une dizaine d'années pendant lesquelles la suppression est envisagée[84]. Cette période d'interrogation aboutit, en 1978, à la mise en place, par le gouvernement, d'une commission de réflexion qui aboutit aux décrets de 1980 et 1984 qui donneront naissance à un nouvel Inra qui accentue encore l'aspect recherche scientifique de haut niveau et recherche fondamentale[85].

Avec les créations du premier et du second Inra se réalise le rêve né au 19e siècle d'un domaine puissant de recherches scientifiques agronomiques. C'est une histoire longue qui va du rapport de 1916 de l'Académie des sciences à la loi de 1946 et des décrets de 1980 et 1984. Nous y avons vu l'hétérogénéité des objectifs qui se mêlent entre tenant du retour à la terre et tenant de l'agriculture « progressive » dans l'entre-deux-guerres, entre « traditionalistes » et « technocrates » à Vichy, entre part respective variable de la recherche fondamentale et recherche appliquée qui identifient les différents projets, celui de 1916, celui de 1921, les alternatifs des années 1920 et 1930 et celui de 1946. Nous y avons vu ces projets se positionner sur la question des relations, notamment pour former ses cadres, de la recherche agronomique avec l'enseignement supérieur et avec les autres établissements scientifiques de recherche et d'enseignement. Malgré l'apparence continuité des ambitions, exprimée par Préaud dans la citation du début de notre article, le discours agrarien au niveau gouvernemental devenu qu'un simple slogan de la Révolution national de Vichy laisse la place avec l'arrivée de Jacques Leroy Ladurie et Max Bonnafous au ministère de l'Agriculture à un discours

---

[83] Assemblée nationale constituante, *Documents*, *1ère séance du 25 avril 1946*, p. 2236.

[84] Denis, *Quelques mots sur l'histoire de l'Inra*.

[85] Denis, *Quelques mots sur l'histoire de l'Inra*, pp. 12-13 et pp. 30-37.

favorable à une politique agricole moderniste, scientifique, industrielle, exportatrice, que Tisserand appelait de ses vœux en 1876. Ainsi l'agronomie et les agronomes ont accompagné le discours agrarien avant de s'en détacher pour nourrir les politiques résolument « modernistes ». Les conditions politiques et socioéconomiques scandent le rythme des projets et des créations, entre le comité de l'Académie des sciences lors de la Première Guerre mondiale et les créations lors de la Seconde, de Vichy à la Libération, périodes où l'enjeu du ravitaillement est crucial, entre les périodes de surproduction des années 1930 et 1970, qui ont vu la fin de l'Ira et presque celle du premier Inra.

BIBLIOGRAPHIE ET SOURCES

Textes législatifs et administratifs

Arrêté du 12 août 1918, *JO* du 13 août 1918, p. 7280.
Arrêté du 21 janvier 1922, *JO*, année 1922, p. 1032.
Arrêté du 10 avril 1935, *JO* du 19 avril 1935, pp. 4363-4364.
Assemblée nationale constituante, *Documents*, *2ème séance du 19 avril 1946*, p. 1111-1114 et *1ère séance du 25 avril 1946*, p. 2236.
Acte dit Décret du 8 décembre 1940, *JO* du 18 décembre 1940, p. 6163.
Acte dit Loi du 5 novembre 1942, *Journal officiel de l'Etat français* du 8 novembre 1942, pp. 3722-3723.
Acte dit Décret du 23 juin 1943, *Journal officiel de l'Etat français* du 3 juillet 1943, p. 1797.
Acte dit Décret du 15 novembre 1943, *Journal officiel de l'Etat français*, année 1943.
Décret du 11 mai 1915, *JO* du 20 mai 1915, p. 3200-3201.
Décret du 16 janvier 1934, *JO* du 21 janvier 1934, p. 603.
Décret du 18 mars 1915, *JO* du 24 mars 1915, p. 1586-1587.
Décret du 26 décembre 1921, *JO* du 28 décembre 1921, pp. 14147-14151.
Décret du 27 février 1937, *JO* du 3 mars 1937, p. 2645.
Décret du 27 mars 1935, *JO* du 28 mars 1935, pp. 3514-3515.
Décret du 30 juin 1934, *JO* du 1er juillet 1934, pp. 6589-6590.
Décret du 4 avril 1934, *JO* du 5 avril 1934, pp. 3493-3499.
Loi du 28 février 1933, article 78, *JO* du 1er mars 1933, pp. 1194-2001.
Loi du 28 février 1934, article 36, *JO* du 1er mars 1934, pp. 2021-2024.
Loi du 30 avril 1921, article 79, *JO* du 1er mai 1921, p. 5219.
Rapport accompagnant le projet de loi portant organisation de la recherche agronomique et création d'un institut national de la recherche agronomique, Décembre 1944, Paris, La Gutenberg, 1948.

Fonds d'archives

Nous avons particulièrement utilisé ici les fonds des Archives Nationales (séries F^{10}, AJ^{76}) et les archives privées de Claude Flanzy (fils de Michel Flanzy) que je tiens particulièrement ici à remercier.

Ouvrages et articles

Aldenhoff-Hübinger, R., « La politisation des campagnes à travers agrarisme et protectionisme » in Mayaud J.-L. et Raphael L., *Histoire de l'Europe rurale contemporaine, Du village à l'État*, Paris, Armand Colin, 2006.

Almanach national, Paris, Berger-Levrault et Cie, 1897.

Almanach national, Paris, Berger-Levrault et Cie, 1905.

Barral, P., *Les agrariens français, de Méline à Pisani*, Paris, Armand Colin, 1968.

Bonnafous, M., « Discours » in *Comptes rendus des séances de l'Académie d'agriculture*, 1943, Séance solennelle du 16 juin 1943, pp. 311-319.

Bonneuil, C. et Thomas, F., « L'Inra dans les transformations des régimes de production des savoirs en génétique végétale » in Bonneuil C., Denis G., Mayaud J.-L., *Sciences, chercheurs et agriculture : pour une histoire de la recherche agronomique*, Paris, Ed. Quae et L'Harmattan, 2008.

Boret, V., *Le Paradis infernal (U.R.S.S. 1933)*, Paris, Aristide Quillet, 1933.

Boulaine, J. et Legros, J.P., *D'Olivier de Serres à René Dumont, Portraits d'agronomes*, Paris, Tec & Doc, 1998.

Braibant, M., *La France, nation agricole* (Préface d'A. Demolon), Paris, Documents contemporains, 1943.

—, *Notre destinée : la France paysanne et l'Europe* (Préface de V. Boret), Paris, Sorlot, 1941.

Caziot, P., « La crise agraire et le problème de la colonisation intérieure », *Conférences des semaines sociales, Rennes, 1924*, Lyon, Chronique Sociale de France, s. d.

—, *L'agriculture française dans l'économie européenne, 9 juillet 1941*, (Fonds Augé-Laribé 32).

—, *Une solution du problème agraire. La terre à la famille paysanne*, Paris, Payot, 1919.

—, *La valeur de la terre en France*, Paris, Baillière, 1914.

Cornu, P., et Mayaud, J.-L., « L'agrarisme, question d'histoire urbaine ? Approche comparée de la construction des campagnes dans la France et l'Allemagne de l'ère industrielle », in Chauvaud, F. et Caron, J.-C. (eds.), *Les campagnes dans les sociétés européennes. France, Allemagne, Italie (1830-1930),* Rennes, Presses universitaires de Rennes, 2005, pp. 33-54.

Demolon, A., « La science expérimentale au service de l'agriculture et l'œuvre des stations agronomiques » in *Centenaire des stations agronomiques françaises – Station agronomique de Nantes (1852-1952),* Annexe des Annales agronomiques, 1952, Dunod, Paris ? pp. 7-16

—, « Le progrès technique en agriculture », *Comptes rendus des séances de l'Académie d'agriculture*, Séance solennelle du 16 juin 1943, pp. 295-300.

Denis, G., « Du physicien agriculteur du dix-huitième à l'agronome des dix-neuvième et vingtième siècles : mise en place d'un champ de recherche et d'enseignement », *C.R. Acad. Agric. Fr.*, 2001, 87, n° 4, pp. 81-103.

—, « L'Agronomie au sens large. Une histoire de son champ, de ses définitions et des mots pour l'identifier » in Robin, P., Aeschlimann, J.P. et Feller, C. (eds.), *Histoire et agronomie, entre ruptures et durée*, Paris, IRD Editions, 2007, pp. 61-90.

—, *Quelques mots sur l'histoire de l'Institut national de la recherche agronomique*, 37 p., Document interne à l'Inra, Paris, 1995.

Flanzy, C., « Pierre Rey (1876-1946) inspecteur général », *Progrès agricole et viticole*, 2007, 124, n° 2, pp. 34-35.

Flanzy, M., *La Station œnologique de Narbonne pendant trois quart de siècle – 1895-1970*, Inra, 1976. [ce document se trouve à la bibliothèque du centre des archives contemporaines de Rambouillet, côte 9676]

Franques, B., « L'invention de la sédentarité rurale. Les fondements idéologiques du mythe de l'exode rural en France », *EspacesTemps.net,* 5 avril 2004, <http://www.espacestemps.net/document566.html>.

Gervais, M., Jollivet, M. et Tavernier, Y., *Histoire de la France rurale*, tome IV, Paris, Seuil, 1976.

Hénin, S., *Interview*, par Denis Poupardin, Archorales-Inra – CASSETTES DAT N° 25-1 ET 25-2.

Hittier, H., « Compte rendu des travaux de l'Académie (1939-1943) », *Comptes rendus des séances de l'Académie d'agriculture*, 1943, Séance solennelle du 16 juin 1943, p. 311.

—, « Le problème des modes d'exploitation » *Conférences des semaines sociales, Rennes, 1924*, Lyon, Chronique Sociale de France, s. d.

Institut national agronomique et Association amicale de ses anciens élèves, *Conférences*, Paris, Librairie de l'Ina, 1936.

Lafuente, G. S., « Une relecture des grandes organisations de propriétaires terriens en Europe. Entre l'entreprise coopérative, la transformation agraire et la politisation des campagnes, 1880-1939 » in Mayaud J.-L. et

Raphael L., *Histoire de l'Europe rurale contemporaine, Du village à l'État*, Paris, Armand Colin, 2006, pp. 117-137.

Le Roy Ladurie, J., *Mémoires 1902-1945*, Paris, Flammarion, Plon, 1997.

Lefebvre du Prey, E., « Organisation de l'Institut des recherches agronomiques – Rapport au Président de la république », in Ministère de l'agriculture, *Institut des recherches agronomiques*, Paris, Imprimerie nationale, 1931, pp. 5-7.

Lefèvre, J., « L'Institut national agronomique pendant la guerre », *Cahiers des ingénieurs agronomes*, Juill.-août 1945, n° 1-2, pp. 7-8.

Lehideux, F., *De Renault à Pétain : mémoires*, Paris, Pygmalion, 2001.

Magon, H., « Le laboratoire agronomique de la société des agriculteurs de France à Mettray », *La Nature*, 1876, Paris, Masson, pp. 31-32.

Mayaud, J.-L., « Du village à l'État dans l'Europe contemporaine, 19e siècle - première moitié du 20e siècle. Introduction » in J.-L. Mayaud et Lutz Raphael, *Histoire de l'Europe rurale contemporaine, Du village à l'Etat*, Paris, Armand Colin, 2006, pp. 5-16..

Méline, J., *Le retour à la terre et la Surproduction industrielle*, Paris, Hachette, 1905, 3ème édition.

Ministère de l'agriculture, *Institut des recherches agronomiques, Textes constitutifs*, Paris, Imprimerie nationale, 1931.

Muller, P., *Le technocrate et le paysan*, Editions économie et humanisme, Paris, Les éditions ouvrières, 1984.

Paxton, R. O., *La France de Vichy 1940-1944*, Paris, Seuil, 1973.

Pesche, D., « Les céréaliers dans le syndicalisme agricole en France : Pour une histoire longue des mécanismes de l'influence », in *Le syndicalisme agricole : histoire, rôle, représentativité et avenir du syndicalisme agricole en France, Bordeaux,* colloque SFER/IEP Bordeaux, 26 et 27 avril 2007.

Préaud, R., « A propos de l'ouvrage de M. Troté sur les associations syndicales », *Comptes rendus des séances Académie agriculture*, mars 1944, pp. 240-243

Ruau, J., « Rapport au Président de la République française », *JO* du 3 juin 1905, pp. 3482-3483.

Sémichon, L., *Allocution du doyen des directeurs des stations œnologiques – Le 29 juin 1933 à l'occasion de leur réunion en Avignon*, Carcassonne, Carcassonne, Les imprimeries Gabelle, s.d..

Tisserand, E., « Considérations générales sur l'agriculture, sur ses progrès et ses besoins » in Chevalier M., *Rapports du Jury international*, Tome 12, Groupe 8, Classe 74, Section I, Paris, Paul Dupont, 1868.

—, Rapport « Sur les établissements agricoles de recherche scientifique ; ce qu'ils sont, ce qu'ils devraient être.», *Comptes rendus des séances de l'Académie des sciences*, 1916, t. 163, séance du 20 novembre 1916, pp. 621-634 et séance du 4 décembre 1916, pp. 722-723.

—, *Les Moyens d'intensifier la production agricole, Rapport présenté au Musée Social, 1er juillet-1er août 1919*, Paris, Musée social, 1919.

Trouvelet, B. et Willaume, F., *Manuel-guide des traitements insecticides et fongicides des arbres fruitiers*, Paris, Office agricole de la région du Nord, 1926 et Paris, P. Lechevalier, 1927

Willaume, F., *Contribution à l'étude d'un programme de perfectionnement de la Recherche et de l'Enseignement supérieur agricole – Projet de Doctorat ès-sciences agronomiques*, Paris, 1926.

L'INRA DANS LES TRANSFORMATIONS DES RÉGIMES DE PRODUCTION DES SAVOIRS EN GÉNÉTIQUE VÉGÉTALE

Christophe BONNEUIL[1] et Frédéric THOMAS[2]

Alors que le modèle de la grande agence nationale de recherche agronomique, bras de recherche « in-house » d'un ministère de l'Agriculture[3], semble en reflux dans de nombreux autres pays industrialisés, l'Institut National de la Recherche Agronomique s'affirme aujourd'hui comme la plus importante institution de recherche agronomique publique en Europe. Créé en France en 1946, mais faisant suite à un premier Institut des Recherches Agronomiques (Ira), fondé en 1921 puis supprimé en 1934, et à plusieurs stations créées à partir de la fin du 19e siècle, cet Institut a connu une genèse et des débuts intimement liés à la constitution de la semence simultanément comme objet de commerce, comme objet d'intervention publique, et comme objet de science. C'est pourquoi nous nous intéresserons à la trajectoire de longue durée de la recherche publique en génétique et amélioration des plantes depuis la fin du 19e siècle pour analyser la dynamique d'une institution de recherche publique comme l'Inra[4]. On s'efforcera pour cela de suivre les dynamiques et les transformations se jouant conjointement dans différents univers : l'évolution des pratiques, objets et savoirs scientifiques et techniques ; les évolutions du monde agricole et des politiques agricoles ; les transformations économiques des marchés agro-alimentaires et notamment du secteur semencier ; et enfin, plus généralement, la place de l'agriculture et de la recherche en génétique

[1] Chargé de recherche au CNRS, Centre Alexandre Koyré de Recherche en Histoire des Sciences et des Techniques et Inra-SenS. <bonneuil@damesme.cnrs.fr>

[2] Chargé de recherche à l'IRD, UR 105 Savoirs et développement. <thomas@bondy.ird.fr>

[3] Initié notamment aux États-Unis à la fin du 19e siècle (Office of Experiment Stations, 1888)

[4] Pour de plus amples développements et pour le détail des sources, on se reportera à notre livre : Bonneuil et Thomas, *Gènes, pouvoirs et profits*.

végétale dans la société française et dans l'espace public. Certes, chacun de ces univers présente une certaine autonomie et une temporalité propre. Le temps des systèmes expérimentaux n'est pas le temps des cabinets ministériels, ni celui des stratégies industrielles ou du débat public ! Mais l'enjeu pour l'historien est de saisir les points d'articulation entre ces différents univers et d'analyser les mouvements réciproques qu'ils peuvent s'imprimer à travers certains objets, traductions et jeux d'acteurs qui sont historiquement situés. Nous documenterons alors comment la dynamique de la recherche en génétique et amélioration des plantes à l'Inra (et ses institutions précurseurs) a été façonnée par de multiples *modes de polarisation de la recherche*, correspondant à autant de formes de couplages (ou co-productions) entre les objets de recherche et les ordres socio-économiques[5], et comment elle a traversé, depuis 150 ans, trois *régimes de production des savoirs* et des innovations sur les semences[6].

LA GENÈSE DE L'INRA ET D'UN RÉGIME DE « PROGRÈS GÉNÉTIQUE PLANIFIÉ »

En 1944-46, deux groupes et deux projets sont en concurrence pour diriger l'Inra[7]. D'un côté, Albert Demolon (pédologue et ancien directeur de la station de Recherche Agronomique de Versailles) et le microbiologiste Maurice Lemoigne souhaitent émanciper la recherche agronomique du ministère de l'Agriculture au nom de l'excellence scientifique. Inversement, et au nom de l'urgence à relever la production agricole, des ingénieurs-phytogénéticiens comme Charles Crépin et Jean Bustarret, soutenus par L. Mesnil (directeur de la station centrale de zoologie agricole de Versailles), défendent le modèle d'une recherche finalisée rattachée au ministère de l'Agriculture. La création de l'Inra le 25 avril 1946 marque la victoire de ces derniers. Un certain projet politique d'intervention de l'État sur l'agriculture (la « modernisation ») a donc rencontré un certain type d'expertise proposé par le groupe particulier des phytogénéticiens.

---

[5] Sur la notion de « mode de polarisation » et d'« ordres socio-économiques » voir Aggeri, et Hatchuel, « Ordres socio-économiques et polarisation de la recherche ».

[6] La notion de « régime de production des savoirs » a été proposée par Pestre, *Science argent et politique*.

[7] Sur cet affrontement, voir Archives nationales CAC 800 284 liasse 211. Sur la genèse de l'Inra voir Cranney, *Inra 50 ans d'un organisme*, pp. 78-85.

Semences et variétés : la co-constitution d'objets de recherche et d'objets de politiques publiques

Comment ces phytogénéticiens sont-ils devenus incontournables, alors qu'à la fin du 19e siècle la recherche agronomique était dominée par la chimie agricole et que jusque 1945, les institutions publiques ne tenaient qu'une place minime dans la création variétale dominée par des sociétés privées ?

Ingénieur agronome, Crépin commence sa carrière à l'Ira auprès d'Émile Schribaux, professeur à l'Institut National Agronomique. Schribaux est un des éléments d'une nouvelle génération d'agronomes qui font au tournant du 19e et du 20e siècle de la protection des cultures, du contrôle et de l'amélioration des vins, des fromages et des bières, de la génétique et de la police du marché des semences leurs chevaux de bataille pour faire une place aux approches biologiques dans une agronomie autrefois dominées par la chimie[8]. Schribaux fonde la Station d'essais des semences en 1884, qu'il dirige pendant près d'un demi-siècle. Il multiplie les analyses et rapport sur le commerce des semences et la présence d'impuretés dans les lots commercialisés. Il obtient des mesures de police telle l'obligation de destruction de la cuscute dans les champs de cultures fourragères (loi du 24 déc. 1888) et le rejet des lots de semences contaminés par les services des douanes (décret du 21 fév. 1908). La station d'essais de semences utilise et met au point de nombreux appareils et méthodes d'analyse rapide de la qualité des semences. Après la loi de 1905, sur la répression des fraudes alimentaires, la station se voit dotée d'un Service spécial sanitaire et scientifique pour analyser les échantillons prélevés dans toute la France. Ses effectifs augmentent et le nombre d'analyses de semences passe de 745 en 1889 à plus de 16 000 en 1927.

À partir d'une fonction essentiellement réglementaire et de police des marchés, Schribaux construit peu à peu un espace pour la recherche publique en génétique végétale et amélioration des plantes. La création de l'ancêtre de l'Inra en 1921[9], l'Institut des Recherches Agronomiques (Ira) est l'occasion de la création d'un nouveau service de recherche en phytogénétique dirigé par Schribaux, auquel est rattachée la Station d'essais des semences. Ce service devient la colonne vertébrale de tout un réseau de stations d'amélioration des plantes en province et le foyer d'un groupe de phytogénéticiens. Son dynamisme survit à la suppression de l'IRA en 1934 pour des raisons financières (les stations de recherche étant alors directement

---

[8] Jas, *Au carrefour de la chimie et de l'agriculture.*

[9] Sur la création de l'Ira, voir Castonguay, « The Transformation of Agricultural Research », ainsi que G. Denis, article dans cet ouvrage.

rattachées au Ministère). Alors que les sociétés privées visent essentiellement les régions riches du Nord et du Bassin Parisien et sélectionnent sur le rendement, les équipes de Schribaux et Crépin vont chercher à mettre au point des céréales résistantes aux maladies ou au froid (régions de l'Est) et importer du germplasme étranger pour obtenir des variétés précoces pour le Sud de la France (mise au point de *Florence-Aurore* dans les années 1920 puis *Etoile de Choisy* en 1950).

Sélectionneurs publics et sélectionneurs privés se retrouvent dans l'Association Internationale des Sélectionneurs de Plantes de Grandes Cultures créée en 1927 et présidée par Schribaux qui promeut notamment le brevetage des créations variétales. Bien que ces efforts en faveur d'une propriété industrielle sur les obtentions végétales n'aboutissent pas encore, d'autres voies, réglementaires, vont contribuer à professionnaliser la sélection et policer le marché des semences. Pour le blé, le décret du 5 décembre 1922 prévoit ainsi la mise en place d'un « registre des plantes sélectionnées ». Pour inscrire une variété nouvelle dans ce « registre » et bénéficier alors pendant douze ans de l'usage exclusif d'une dénomination officielle de la variété (sorte de marque déposée), le sélectionneur doit fournir une description détaillée de la plante et de ses caractéristiques agricoles, des indications sur l'origine de la nouvelle forme et sur le mode d'obtention, et un échantillon pour des essais de vérification d'identité et de stabilité confiés au service de Schribaux. Après la semence, c'est ici la variété qui devient un objet réglementaire.

Le décret du 26 mars 1925 impose un étiquetage – portant mention de la variété, sa pureté, sa provenance et sa faculté germinative – sur les graines vendues comme « blés de semences ». Il s'agit d'empêcher que des commerçants peu scrupuleux ne vendent des semences ordinaires sous le nom de variétés réputées. Il s'agit aussi de réserver la mention de « semences sélectionnées », ou « semences de sélection » aux seules lignées pures issues de sélection généalogique, considérée comme la seule à garantir une qualité constante, avec une pureté variétale d'au moins 99%. Cette mesure inspirée par Schribaux favorise les entreprises de sélection et les coopératives capables de garantir des taux de pureté variétale élevés et met hors jeu la sélection massale jugée non scientifique. C'est un pas vers la clôture du marché des semences au profit d'un club de sélectionneurs et multiplicateurs mieux équipés.

Peu après, le décret du 16 novembre 1932 précise que ne peuvent être inscrites au registre que des variétés nouvelles « réalisant un progrès nettement marqué » sur les variétés existantes[10]. Les chercheurs de l'IRA ont donc pour nouvelle mission d'expérimenter les variétés pour établir non

---

[10] Décret du 16 novembre 1932 (*J.O.R.F.* du 19 novembre 1932, 1266.).

seulement leur pureté et identité mais aussi leur valeur agronomique. Mais ce registre ne fonctionnera cependant pas dans les faits (moins de cinq variétés admises). Le décret crée aussi un « Catalogue des Espèces et Variétés cultivées en France » au départ plus ouvert que le registre – seuls le critère d'identité et une description sont exigés. Le catalogue se cantonne donc dans un premier temps à inventorier toutes les variétés du pays et mettre en synonymie les appellations différentes de mêmes variétés. Le travail d'inventaire des variétés, confié aux phytogénéticiens des stations, débouche sur la publication pour les principales cultures de Catalogues.

Ces nouvelles réglementations placent les phytogénéticiens dans une nouvelle position d'expertise et leur donnent accès à des informations et lots de graines de toutes les variétés du commerce qui sont centralisés à la station de Versailles. Par ce rassemblement, des semences en provenance de tous les terroirs de France étaient donc extraites des cycles de semis-récolte-conservation-semis à la ferme pour acquérir une nouvelle forme de vie expérimentale dans le laboratoire et la station : être pesées, regroupées en types et « variétés », semées les unes à côté des autres, soumis à une sélection généalogique, mises en fiches dans des inventaires, croisées en elles, etc. La catégorie de « variété » était absente de la plupart des textes agronomiques relatifs aux céréales de la première moitié du 19e siècle. La description de différentes « variétés » n'émerge, à travers des monographies botaniques et des catalogues de sélectionneurs privés, qu'au fur et à mesure que la semence de blé devient en enjeu économique, avec l'arrivée de variétés russes et anglaises en France puis la naissance d'un marché pour les premières lignées pures issues de croisements artificiels à la fin du 19e siècle. La société semencière Vilmorin, leader en Europe, est la plus avancée dans ce travail de description et classification et possède une collection de 1200 variétés de blés dès 1911.

Peu à peu entre 1884 et les suites du décret de 1932, la réglementation sur les semences permet d'ériger la station de Versailles comme un centre d'étude et de comparaison des variétés qui surpasse vers 1945 les collections des sélectionneurs privés aussi bien en richesse qu'en capacité d'expérimentation. C'est par ce long processus de plus d'un siècle, dans ces espaces de centralisation des semences d'abord privés puis publics, que la catégorie de « variété » émerge comme unité de comportement des semences et comme unité d'analyse. Des variétés qui appartenaient à des mondes incommensurables, sont rendues comparables et ordonnables dans un nouvel espace épistémique. En même temps qu'il ramène les mouvements complexes de semences à un espace réglementaire national, ce dispositif constitue peu à peu les semences et les variétés comme objets de recherche.

Les problèmes de ravitaillement et les politiques d'intervention agricole plus dirigistes de la guerre vont encore renforcer la position des phytogénéticiens. Bien des historiens ont souligné une continuité dans l'affirmation de politiques économiques dirigistes, de la Grande Crise de 1929 à la Libération, en passant par le Front Populaire et Vichy[11]. La politique agricole n'échappe pas à ce schéma. L'ONIB (l'Office National Interprofessionnel du Blé), créé par le Front Populaire, et alors honni par la droite agrarienne, est finalement maintenu et renforcé par le Gouvernement de Vichy. De même, la structuration des agriculteurs dans une « Corporation Paysanne » par Vichy, s'accompagne, surtout après 1942, d'une emprise accrue de l'État sur le monde agricole.

Ce couple de force entre corporatisme et dirigisme se retrouve dans le secteur semences. L'interprofession semencière est organisée et reconnue avec la création du Groupement National Interprofessionnel des Semences (GNIS) en octobre 1941, dirigé par les grandes Firmes comme Desprez ou Vilmorin. En février 1942 est créé le Comité Technique Permanent de la Sélection des plantes cultivées (CTPS). Ce comité, composé de sélectionneurs privés, de représentants de coopératives agricoles, de généticiens des stations gouvernementales et de représentants de l'État, est jusqu'à aujourd'hui chargé de donner son avis sur l'inscription au Catalogue de nouvelles variétés.

Les difficultés de ravitaillement vont faire des semences un objet privilégié de dirigisme. En 1942 est créé un Bureau des semences au sein du Secrétariat d'État à l'agriculture. En 1943, Charles Crépin est préféré à Demolon comme directeur du nouveau Service de la Recherche et de l'Expérimentation qui rassemble les laboratoires et stations agronomiques du Secrétariat d'État. Avec Bustarret, Crépin prend les rennes d'une recherche agronomique française sommée de produire pour le régime et pour le Reich. La loi du 9 février 1941 ordonne en effet le contingentement de certaines denrées, telles la pomme de terre et les haricots secs (puis la betterave et colza). Les cultivateurs, encadrés par la Corporation Paysanne, sont sommés de passer des « contrats de culture » avec l'administration qui les engage à lui livrer toute leur récolte en échange d'une prime. Dès 1941, 132 000 ha de pommes de terre sont concernés. Mais les plants sont livrés aux agriculteurs trop tard ou sont de mauvaise qualité ou issus de variétés inadaptées à leur région… Le Service de la Recherche et de l'Expérimentation de Crépin est alors mobilisé pour travailler avec la Corporation Paysanne. Il met en place un dispositif interrégional d'expérimentation variétale, de production et de multiplication de plants de pommes de terre. Jean Bustarret se trouve ainsi en 1943 à la tête de 98 champs d'essais de la Corporation Paysanne. Les résultats des essais conduisent à la circulaire du 5 juillet 1943 qui régit les flux variétaux et semenciers à l'échelle du pays. Elle dresse notamment la

[11] Voir notamment Kuysel, *Le capitalisme et l'État en France.*

liste des départements autorisés à produire des pommes de terre de semence ainsi que la liste limitative des variétés autorisées comme semences (une quinzaine), les autres (dont la célèbre *Rosa*) étant éliminées pour des raisons de rendement ou de sensibilité aux viroses. Pour ces variétés autorisées, en échange d'une prime de 20 à 25 F par quintal, ces agriculteurs doivent se soumettre aux consignes de contrôleurs supervisant la multiplication. Les surfaces en multiplication contrôlée ne couvrent pas moins de 265 000 ha en 1943, sillonnées par un millier de contrôleurs[12].

À cette échelle d'intervention, on sort des contrôles sporadiques des semences pour entrer dans un régime de supervision continue des agriculteurs multiplicateurs et de pilotage étatico-professionnel étroit des flux variétaux vers les agriculteurs-usagers. Un dispositif similaire s'ébauche pour les céréales à paille, avec des listes de variétés recommandées par régions, mais on n'ose pas encore interdire la commercialisation des autres variétés. Prend peu à peu corps le rêve d'un pilotage central du progrès génétique, permettant de nettoyer la France d'une foule de variétés jugées inintéressantes pour les remplacer par des variétés plus saines et plus productives.

Un régime de progrès génétique planifié

Ce rêve devient réalité dans l'après guerre. L'agriculture devient un secteur économique planifié devant s'insérer dans l'économie nationale, s'industrialiser, produire plus avec moins d'actifs pour libérer la main d'œuvre requise par les secteurs secondaires et tertiaires, et consommer des biens et services (machinisme, engrais, produits phytosanitaires, technostructure d'encadrement technique et économique)[13].

Dans ce contexte, la semence est un « facteur de production » clé qui, pour une efficacité accrue, doit être produit hors de la ferme et optimisé par la science. Outre qu'elle semble l'input le plus rapidement optimisable du système productif agricole, la semence est aussi le cheval de Troie d'une transformation globale des techniques agricoles. Les nouvelles variétés végétales sont en effet sélectionnées pour valoriser les intrants chimiques (comme la valorisation de l'azote par la rigidité des pailles et le nanisme) et mécaniques (l'homogénéité variétale favorise la mécanisation).

---

[12] Archives Nationales F10 5136, Corporation Paysanne 1940-44, « Activité du groupe spécialisé de la pomme de terre au cours de l'année écoulée », mai 1944 ; ainsi que AN F10 5278 Pomme de terre

[13] Gervais *et al.*, *La fin de la France paysanne* ; Muller, *Le technocrate et le paysan*; Allaire « Émergence d'un nouveau système productif ».

Une division du travail est instaurée : aux entreprises de sélection et à l'Inra la création de variétés (rémunérée par des licences et une forme particulière de propriété industrielle, le Certificat d'Obtention Végétale[14]) ; aux coopératives agricoles (plutôt qu'aux négoce privé qui dominait le marché avant 1940) la multiplication et la vente des semences ; aux agriculteurs l'usage de semences au comportement prédictible, et à l'État l'arbitrage sur la répartition de la rente globale induite par le « progrès génétique » : tels sont les termes du compromis fordiste et productiviste qui se noue.

Le décret du 11 juin 1949, interdit toute commercialisation de semences issues d'une variété non inscrite au Catalogue officiel, faisant de ce dernier non plus un simple inventaire, mais la porte d'entrée *sine qua non* sur le marché. Pour obtenir cette inscription au catalogue, une variété doit passer un test de Distinction Homogénéité et Stabilité (DHS) et un test de Valeur Agronomique et Technologique (VAT). Le premier test permet d'écarter du marché toute autre variété que les lignées pures et les hybrides F1 des sélectionneurs (les variétés de pays sont alors radiées du catalogue et disparaissent des paysages), tandis que le second permet de polariser les objectifs de sélection et donc de cadrer les recherches en amélioration des plantes en fonction des besoins du modèle agro-alimentaire du moment : production intensive grâce à l'injection de calories fossiles, marchés de masse avec codification des qualités marchandes minimales, industrialisation des activités de transformation, etc. La filière blé illustre ce processus. Cette filière est un exemple de marché de masse, faiblement segmenté, où existent peu de différences de prix entre les blés destinés à l'alimentation animale et ceux destinés à l'homme, ou entre blé de différentes qualités boulangères. Par conséquent, seule l'intensification paye pour l'agriculteur. C'est aussi l'âge d'or du pain blanc qui a la préférence des consommateurs, et de l'industrialisation de la panification (disparition de la fabrication domestique du pain, panification mécanisée avec un pétrissage plus court et plus intensif). La cohérence entre pratiques de production, de transformation et de consommation est forte. Le goût français du pain blanc permet par exemple, l'élimination du son lors de la transformation, ce qui préserve les assiettes des consommateurs des résidus de pesticides massivement utilisés à partir des années 1950. Les normes de qualité (VAT) minimales fixées par le CTPS pour la mise sur le marché d'une nouvelle variété reflètent ces options : les critères clés en sont le rendement et la « force boulangère » (qualité technologique des glutens permettant la mécanisation intensive). D'autres critères, tels que les propriétés nutritionnelles de l'enveloppe du

[14] La convention internationale établissant le COV date de 1961 (UPOV), un système similaire fonctionnait déjà au niveau national en France comme dans d'autres pays d'Europe.

grain (riche en fibres et oligo-éléments), la digestibilité ou allergénéicité des glutens ou la diversité génétique des céréales, qui sont aujourd'hui des questions importantes de la génétique du blé, sont alors négligés.

La solution du problème alimentaire, la modernisation d'un secteur de la production nationale et la construction d'un Institut de Recherche solide vont de pair sous l'égide d'un État planificateur et entrepreneur de science. On retrouve ici, combiné à un mode corporatiste (plus significatif à mesure que la cogestion de l'agriculture et de la régulation de la filière semences et variétés se poursuit), le mode colbertiste de polarisation des recherches, caractéristique de bien des dynamiques technico-scientifiques françaises des Trente Glorieuses[15]. Dans ce mode, le chercheur public est simultanément à la manœuvre dans plusieurs espaces : dans la recherche, dans la définition des politiques scientifiques, dans l'organisation d'une branche professionnelle, dans l'élaboration des politiques ministérielles, et dans la réglementation des marchés. C'est le cas de Jean Bustarret, chercheur en amélioration des plantes, qui crée la variété de pomme de terre *BF 15* (inscrite au catalogue en 1947) et définit le concept de variété dans un article majeur de 1944. Il est rapporteur de la loi de création de l'Inra en 1946 devant le Conseil d'État et y joue un rôle dirigeant, d'abord comme inspecteur général (1949-1962) puis comme directeur général (1962-72). À l'heure de l'entrée dans la Politique Agricole Commune, Bustarret conseille les ministres successifs de l'agriculture, et joue un rôle moteur dans la réglementation des innovations variétales au Comité Technique Permanent de la Sélection qu'il préside de 1961 à 1976. Il est enfin le père fondateur d'un régime international de propriété intellectuelle des inventions variétales, le « Droit d'Obtention Végétale », adopté à la Conférence de Paris en 1961.

Dans ce contexte, l'Inra connaît un grand rayonnement. Ses premiers succès ne se font pas attendre : le blé *Étoile de Choisy* (principale variété cultivée dans le Sud de la France dans les années 1950), le maïs hybride *Inra 258* (occupant l'essentiel des surfaces au milieu des années 1960), la variété de colza *Sarepta* (trois-quarts des surfaces autour de 1965). Les variétés Inra concurrencent fortement les variétés des sélectionneurs privés et leur ouvrent la voie sur les marchés nouveaux (maïs et colza). La production par la recherche publique non seulement de connaissances, mais aussi d'artefacts technologiques mis sur le marché, est un autre trait du modèle colbertiste. L'Inra n'hésite pas à bousculer commercialement les entreprises privées de sélection qu'elle a scientifiquement dépassé (et vers lesquelles il effectue des transferts de technologie), afin de les pousser à l'innovation et afin d'atteindre l'objectif central qui est de fournir aux agriculteurs les « meilleures » semences pour relever la production agricole

[15] Aggeri et Hatchuel, « Ordres socio-économiques et polarisation de la recherche ».

nationale. En tant qu'input de la production agricole, les innovations variétales sont en somme vues, non pas comme de simples bien privés commercialisés par les entreprises de sélection, mais comme des biens semi-publics, ce qui explique le refus de breveter les variétés en France (contrairement au cas américain), mais de la protéger par régime juridique spécifique, celui établit en 1961 par l'Union internationale pour la protection des obtentions végétales, qui permet une mutualisation entre sélectionneurs des ressources génétiques (libre utilisation des variétés comme géniteurs) afin d'accélérer le « progrès génétique ». C'est la variété, et non ses composants génétiques, qui est l'unité susceptible de protection industrielle. Cette libre circulation des gènes était parfaitement cohérente avec la culture épistémique des phytogénéticiens voyant la variété comme un tout.

VERS UN TROISÈME RÉGIME, LE « RÉGIME DE PROFIT GÉNÉTIQUE MONDIALISÉ »

L'affirmation d'un mode marchand de polarisation des recherches

Les années 1960 et 1970 constitue une période charnière, d'expansion mais aussi de mutations. Dans le monde agricole, la génération des « jeunes agriculteurs » moderniste accède au pouvoir professionnel en prenant la direction de la FNSEA, syndicat majoritaire. Le gaullisme en fait son alliée pour cogérer les transformations de l'agriculture. La profession obtient la direction d'organismes de vulgarisation agricoles et instituts techniques qui se multiplient pour encadrer les exploitants agricoles, rôle autrefois confié aux services agricoles de l'État et à l'Inra, qui perd une partie du contact direct avec les agriculteurs. Certaines coopératives agricoles et certains instituts techniques vont progressivement jouer un rôle dans l'expérimentation des variétés et la prescription des choix variétaux aux agriculteurs, voire dans la création variétale. Peu à peu, les élites de la profession, à la tête de vastes intérêts économiques, vont chercher à orienter et contrôler la recherche agronomique et à déplacer en leur faveur le curseur entre mode de polarisation colbertiste et mode de polarisation corporatiste.

L'aval de l'Inra connaît aussi une autre transformation. Les petites coopératives agricoles des premiers temps deviennent de véritables entreprises (ex. Limagrain, UNCAC). Elles investissent fortement dans le secteur semencier et dans l'amélioration des plantes pour concurrencer les entreprises plus anciennes du Nord et du Bassin Parisien (Vilmorin, Benoist, Desprez ...). Dès sa création, l'Inra a encouragé ces entreprises et ses coopératives en formant leurs cadres, en transférant son savoir-faire et son germplasme, et en ouvrant de nouveaux marchés aux semences sélectionnées (maïs hybride, colza, ...). Dans les années 1960 à 1985, l'Inra ouvre aussi la voie aux variétés « hybrides » pour des dizaines d'espèces (par exemple, l'Inra met au point la première variété hybride de tournesol au monde en 1969). Ces variétés hybrides F1, plus productives, requièrent que l'agriculteur rachète chaque année la semence et sont donc plus profitables aux entreprises semencières. Cette priorité donnée aux hybrides par l'Inra va polariser les recherches les plus fondamentales, notamment en génétique quantitative (question de la prédiction de l'aptitude à la recombinaison), en cytogénétique et en biologie cellulaire (quête de stérilités mâles cytoplasmiques), mais va en contrepartie retarder les recherches en génétique des populations (variétés population ; impact des mélanges variétaux sur le ralentissement des épidémies, gestion dynamique de la diversité cultivée).

L'objectif d'une agriculture exportatrice étant atteint, la France entrant dans la « société de consommation », et l'intégration européenne mettant non seulement les agricultures mais aussi les entreprises d'amont et d'aval en concurrence, les politiques publiques se réorientent vers la compétitivité des agro-industries d'amont (intrants, semences et variétés) et d'aval (industrie alimentaires). Le poids des entreprises et coopératives semencières est renforcé au CTPS et, dès 1962, le ministère abandonne à la profession semencière (GNIS), les missions officielles de certification et du contrôle des semences. Ce poids de la profession sera tel qu'il va empêcher les pouvoirs publics de redéfinir les règles du jeu de la régulation variétale : échec de la création d'un Institut National des Semences et Plants en 1982, expérimentation des variétés préalable à la mise sur le marché retirée à l'Inra pour être confiée à un organisme séparé (le GEVES) cogéré par la profession semencière.

La longue marche des variétés rustiques de blé illustre de façon encore plus concrète la perte par l'État et l'Inra de leur capacité à piloter des flux génétiques vers les agriculteurs. Ces variétés rustiques, telles que Renan mise sur le marché par l'Inra en 1989 et possédant des gènes de résistance aux maladies cryptogamiques issus de céréales sauvages, permettent de dégager une marge équivalente pour l'agriculteur sans fongicide chimique, sans raccourcisseur de paille et avec moins d'engrais. Elles sont très appréciées en Europe en agriculture durable et en agriculture biologique. Mais les coopératives agricoles dégageant leurs revenus proportionnels aux volumes collectés et aux pesticides qu'elles vendent aux agriculteurs, les élites professionnelle agricoles s'opposent depuis vingt ans à la révision des barèmes d'évaluation du CTPS (basées sur le rendement en condition traitées aux fongicides et engrais et non sur le rendement sans fongicides et avec moins d'engrais). Le GNIS dénonce « les diktats irréalistes de ayatollahs de l'environnement »[16] et dit « oui au productivisme ! ». Entre 1988 et 2000, l'Institut Technique des Céréales (autrefois nommé ITCF et aujourd'hui ARVALIS) dirigé par la profession céréalière fait le choix de ne pas parler des variétés rustiques dans sa revue ni dans ses fiches techniques. Par suite de la résistance opposée par ce bloc productiviste, ce n'est que depuis 2000 que ces variétés rustiques ont pu prendre leur essor (16% des surfaces de blé tendre en 2004).

À la demande des semenciers privés, l'Inra perd aussi sa place dans la création variétale. Travaillant à l'amélioration de pas moins de 70 espèces cultivées vers 1970, l'Inra se retire d'abord des marchés rémunérateurs (maïs[17], colza, tomate…) à partir des années 1960, puis abandonne, au cours des quinze dernières années, presque tous ces programmes de création variétale. L'expansion du marché semencier, autrefois subordonné au grand objectif national d'après guerre d'accroître la production (cf. la tolérance à l'usage généralisé des semences de ferme, rôle dominant de l'Inra dans certains marchés), est peu à peu mis au service de la compétitivité de l'industrie semencière nationale, soumise à la concurrence internationale sur le marché mondial des semences avec la dérégulation des marchés agricoles. La valorisation du travail génétique de l'Inra ne se fait plus sous la forme de biens délivrés aux agriculteurs (variétés) mais sous la forme d'articles dans des revues internationales (tournant académique impulsé par la direction de l'Inra dans les années 1980), de brevets, de contrats et de géniteurs pour les entreprises semencières. On passe ainsi d'une polarisation colbertiste-corporatiste à une polarisation marchande-académique de la recherche, tournant qui est bien illustré par la priorité donnée au développement de plantes transgéniques dans les années 1980.

De la variété au gène comme unité d'expérimentation et de valorisation

Dans les années 1970, l'agriculture française en général, et l'Inra en particulier, sont en effet interpellés sur les limites du modèle agricole productiviste des Trente Glorieuses. La crise de l'huile de colza (1970-1975) voit l'affirmation du mouvement consommateur qui oblige l'Inra à mettre au point dans l'urgence une variété à faible teneur en acide érucique. L'essor de l'agriculture biologique (la France était dans les années 1970 au premier rang européen en agriculture biologique) et l'émergence des préoccupations

---

[16] Haquin, « Anticiper ou subir ? », p. 2 ; Cf. aussi Haquin, « Oui au productivisme ! ».

[17] Pour le maïs, les variétés Inra passent de 78% du marché en 1970 à 2,5% en 1980. Cf. Joly et Ducos, *Les artifices du vivant*, p. 189.

environnementales obligent les dirigeants de l'Inra à s'interroger sur les modèles techniques d'intensification promus par l'Inra[18]. La crise économique pose en des termes nouveaux la question de l'emploi rural et de l'endettement paysan. Le choc pétrolier souligne la faible efficience énergétique de l'agriculture intensive : une calorie d'énergie fossile permet de produire 3,7 calories de maïs en 1945, contre seulement 2,82 en 1970 du fait des intrants et de la mécanisation[19]. Différents cercles de biologistes, d'industriels et de politiques, analysent la crise pétrolière comme le signe du déclin d'une économie et d'une société fondées sur les énergies fossiles et la mécanique, et de la nécessaire émergence d'une nouvelle bio-économie basée sur les technologies de l'information, l'énergie solaire et les technologies du vivant (biotechnologies). Prend alors corps l'utopie d'une solution technique, le génie génétique, qui résoudrait l'équation entre croissance agricole et environnement. On rêve alors de produire l'alimentation animale par des bactéries recombinées et d'obtenir par génie génétique des céréales fixatrices d'azote atmosphérique. Jacques Poly, directeur de l'Inra, fait des biotechnologies La priorité des années 1980.

> « Dès 1976, je dînais souvent avec lui, » se souvient l'ancien conseiller scientifique de Poly pour les biotechnologies. « Il avait parfaitement compris que l'ère de la recherche agronomique tournée vers le paysan était terminée (...) Dans l'esprit de Poly les biotechnologies c'était la mode, synonyme de fric, de contrats... Il voulait y aller à fond... ».[20]

Poly soutient la création d'un gros laboratoire de biotechnologie végétale à Versailles en 1980 et à partir de cette date, la biologie moléculaire représente l'essentiel des recrutements de chercheurs du département de génétique et amélioration des plantes de l'Inra. Nous sommes en 1980, c'est-à-dire trois ans avant l'obtention en laboratoire d'une plante transgénique aux États-Unis et quatorze ans avant la première mise sur le marché. Quand aux céréales fixatrices d'azote, cette promesse reste encore irréalisable aujourd'hui ! Le choix de la direction de l'Inra de tout miser sur le génie génétique, avec le soutien du ministère de la recherche, est donc un pari, pari qui est loin d'être partagé par les responsables du Département de Génétique et Amélioration des Plantes de l'Inra. Ces derniers ne voient pas dans le génie génétique une rupture majeure, mais un outil technique de plus, à combiner avec d'autres (cultures in vitro, génétique quantitative et rationalisation des stratégies de sélection, etc.). Ils restent sceptiques sur la

[18] Voir par exemple le rapport du Directeur de l'Inra Poly, *Pour une agriculture plus économe*.

[19] Ramade, « Crise de l'énergie ».

[20] Entretien avec A. Berkaloff, 19 sept. 2002.

durabilité d'innovations variétales monogéniques en protection des cultures (phénomène « reine rouge ») et tiennent pour ridicule la promesse de mettre fin à la faim dans le monde par les biotechnologies[21]. Dans cette confrontation qui soulève quelques points qui ré-émergeront une quinzaine d'années plus tard dans la controverse publique sur les OGM, on peut lire le choc de deux cultures scientifiques. D'un côté les généticiens-sélectionneurs, héritiers du paradigme variétal de Bustarret et des modes d'intervention de l'Inra d'après guerre en appui des filières agricoles végétales. De l'autre de plus jeunes biologistes moléculaires qui pensent plus efficace et plus scientifique de travailler en laboratoire au niveau moléculaire pour breveter et transférer un gène que d'expérimenter en station pour évaluer ou développer des variétés, qui préfèrent un contrat avec une industrie agrochimique à une réunion du CTPS avec les techniciens des firmes semencières et les représentants des agriculteurs, qui estiment qu'il y a plus d'espace de liberté pour le chercheur dans une polarisation mi-industrielle et mi-académique que dans l'ancienne polarisation mi-colbertiste et mi-corporatiste. Le premier groupe, avec son accent sur l'expérimentation multilocale des variétés et ses compétences de sélection a aujourd'hui presque disparu de l'Inra, tandis que le second groupe est majoritaire en génétique végétale et dans tout le secteur végétal de l'Inra, tout en ayant profondément renouvelé ses compétences vers la génomique et la post-génomique, autour de Génoplante®, consortium public-privé de génomique végétale créé en 1999.

Cette montée en puissance des « biotechnologues » à l'Inra, mais aussi partout dans le monde, est en fait concomitante de la possibilité juridique, depuis les années 1980, de breveter les organismes, les gènes et séquences partielles d'ADN, fragments d'ADN que l'on peut isoler en laboratoire et transférer d'une espèce à l'autre. L'unité de manipulation expérimentale comme l'unité de valorisation devient alors le gène et non plus de l'ensemble variétal comme dans la culture épistémique des généticiens sélectionneurs du milieu du 20e siècle. Le régime UPOV inspiré par Jean Bustarret est supplanté par un régime du brevet sur les inventions biotechnologiques et une nouvelle économie globalisée du gène. Ce nouveau régime juridique, devenu dominant et global après l'accord de Marrakech de l'OMC en 1994, tend à faire disparaître le droit de l'agriculteur à ressemer sa récolte, ainsi que la libre utilisation des ressources par les sélectionneurs comme géniteurs, et favorise de fait la cristallisation de monopoles sur les marchés semenciers autour de quelques grandes multinationales possédant les capitaux nécessaires à de telles recherches. La brevetabilité des

---

21 Voir par exemple la réflexion du directeur du département Génétique et Amélioration des Plantes : Rives, « L'amélioration des plantes ».

composants génétiques tend par ailleurs à créer des dépendances de brevet pouvant, selon certains économistes, s'avérer contre-productive pour l'innovation[22].

La génomique marque aussi un tournant dans l'insertion de la recherche agronomique dans son espace géographique. La génomique est en effet un vecteur puissant de mise en commensurabilité de l'ensemble des espèces végétales et des territoires agricoles. *Arabidopsis Thaliana*, l'espèce végétale modèle, n'est pas une plante cultivée mais son génome, le mieux connu des biologistes, sert de mine de gènes pour les généticiens et sélectionneurs de toutes les espèces cultivées : les mêmes gènes de résistance au froid ou à la sécheresse mis en évidence sur *Arabidopsis Thaliana* ont par exemple une utilisation potentielle sur toute une série d'espèces, sous de multiples latitudes. Cette mutation technologique crée donc un « vivant-monde » en même temps qu'une « recherche-monde » : la génomique et ses plates-formes impliquent de nouveaux modes de traitement et de management de l'information, de nouvelle façon d'organiser le travail, et de nouveau modèle d'organisation de la recherche (une mutation comparable à celle de la « Big Science » dans la physique d'après la Deuxième Guerre). Il faut notamment mettre d'énormes moyens sur un seul problème pour rester dans la course internationale, d'où une division mondiale du travail. Dans ce contexte, pour amortir et valoriser ces très gros investissements de recherche, l'espace agricole national ne sera plus suffisant. Il devient trop étroit, ce qui place les grandes firmes multinationales en meilleure position que les institutions publiques nationales pour valoriser les investissements génomiques. D'ailleurs, les investissements génomiques de Monsanto et Syngenta depuis dix ans ont largement supplanté ceux du secteur public. Ces deux firmes détiennent plus de brevets de biotechnologie végétale que toutes les institutions publiques et universitaires au monde réunies. Si l'on peut parler de « mariage » entre l'Inra et la « ferme France » dans les années 1945-80 (la modernisation agricole du pays ayant été étroitement en synergie avec l'essor de la recherche publique agronomique), les évolutions actuelles créent au contraire une déterritorialisation de la recherche sur le vivant, un « divorce » d'avec la « ferme France ». Dans ce nouveau contexte, l'Inra tend à adopter un positionnement plus international (positionnement européen, rapprochement avec le Centre International de recherche Agronomique pour le Développement, etc.).

---

[22] Heller et Eisenberg, « Can patents deter innovation ? ».

La constitution de la recherche en amélioration des plantes en problème public : avènement d'un mode civique de polarisation de la recherche ?

Les mutations techniques et économiques que nous venons d'évoquer constituent une rupture complète par rapport au paradigme scientifique et au contrat social tissé dans l'après-guerre entre recherche publique, monde agricole et société. Devant l'ampleur de ces mutations, et à la faveur des crises alimentaires comme celle de la « vache folle » en 1996, et du débat sur les OGM, l'opinion publique opère un décrochement critique vis-à-vis d'une recherche jugée ralliée au régime de valorisation par brevet, et financièrement dépendante des acteurs privés. Le « progrès génétique » ne va plus de soi et ses différentes voies possibles font l'objet de controverses publiques. À côté des modes colbertiste, corporatif, académique et marchand que nous avons évoqués, une logique « civique » tend donc à s'affirmer comme un nouveau mode de polarisation de la recherche. On peut caractériser ce cinquième mode par trois éléments nouveaux dans la façon dont la recherche et l'innovation variétale sont gouvernées :

- des acteurs nouveaux, autres que ceux qui intervenaient dans les trois premiers modes de régulation (chercheurs, décideurs politiques, représentants de la profession et dirigeants des sociétés semencières), tels des ONG environnementalistes et altermondialistes, les associations de consommateurs, les agriculteurs biologiques, des jardiniers amateurs passionnés de biodiversité cultivée, etc. ;
- des arènes nouvelles de discussion, telles que la grande presse (et non plus seulement la presse professionnelle) ou l'espace judiciaire qui devient, dans le cas des procès de faucheurs d'OGM un espace dans lequel on discute des orientations et des partenariats de la recherche publique ;
- des « justifications » et critères de légitimité renouvelés : outre les performances agronomiques et l'intérêt pour l'agriculteur ou pour l'économie nationale, des critères tels que le « développement durable », la « biodiversité », « l'environnement » ou le territoire d'origine sont de plus en plus mis en avant dans l'évaluation sociale des innovations variétales.

Ainsi, dans le débat sur les OGM extrêmement fort en France, on a eu d'abord une critique des OGM comme objets techniques, puis, surtout à partir de 1999 avec des destructions d'essais d'organismes publics, la critique est remontée vers l'amont, questionnant la pertinence de certains essais d'OGM, voire les choix de recherche d'un organisme comme l'Inra[23]. Sous la pression montante de ces questionnements, l'Inra a été amené à se repositionner dans ce nouvel espace de régulation civique. Jusqu'alors, l'Inra

---

[23] Bonneuil *et al.*, « Disentrenching experiment ? »

se positionnait – dans la lignée de sa mission originelle – comme un obtenteur potentiel et un fer de lance de l'innovation variétale, y compris transgénique, et s'apprêtait vers 1995-1996 à mettre sur le marché un colza génétiquement modifié, tolérant à un herbicide, co-développé avec des sociétés privées. Mais la direction de l'Inra fait volte-face en 1997-98. Elle décide de ne pas aller vers la commercialisation de cette variété transgénique afin de préserver sa légitimité comme pourvoyeur d'expertise publique (sortie d'un « livre bleu » sur les OGM en mai 1998, lancement de recherches pour évaluer les impacts des OGM, etc.). Une des caractéristiques de la polarisation civique de la science est effectivement de renforcer des dynamiques scientifiques tirées par la demande sociale d'expertise et non plus uniquement des dynamiques liées à la génération d'innovations marchandes[24]. Dans le même temps, l'Inra met en place des expériences de débats publics et d'évaluation participative des technologies (projet Vigne). Mi 2003, l'arrestation de José Bové, figure dirigeante des « anti-OGM » ouvre une nouvelle vague de destruction de champs d'essais d'OGM et conduit les chercheurs de l'Inra à prendre publiquement position : une pétition « ouvrons la recherche » demande la grâce de José Bové, souligne les risques potentiels des OGM et demande une participation de la société aux orientations de la recherche, tandis que la pétition « Défendons la recherche » défend les OGM comme un progrès agronomique. Les divergences entre chercheurs sur les OGM, qui recoupent souvent les clivages disciplinaires (avec des postures différentes entre biologistes moléculaires, biologistes des populations, agronomes et généticiens-sélectionneurs héritiers de Jean Bustarret), sont ainsi mises sur la place publique et alimentent la controverse dans les autres arènes (justice, médias, etc.)[25].

Avec la constitution de la recherche et l'innovation variétale en enjeu politique et la montée d'un mode civique de polarisation, l'Inra a accéléré son abandon de la R&D en création variétale et cherché à préserver sa légitimité par une posture d'expertise au service du débat public. L'interpellation sociétale stimule aussi le développement des recherches en génétique des populations – notamment à propos des questions de biodiversité cultivée et d'impacts environnementaux et agronomiques des innovations variétales – qui étaient autrefois marginales dans l'Institut. Mais, en France comme dans le monde, les effets de cette polarisation civique ne se font sentir qu'à la marge d'une dynamique globale de polarisation de la recherche essentiellement marchande et académique.

---

[24] Voir notamment Nowotny *et al.*, *Rethinking Science.*

[25] Bonneuil, « Cultures épistémiques et engagement des chercheurs ».

La segmentation des marchés de l'innovation variétale et ses effets sur la recherche

Le modèle productiviste d'après-guerre alliait production de masse et consommation de masse, standardisation des milieux, économies d'échelle, et convention standard de qualité minimale. Mais dans les marchés alimentaires quantitativement saturés des pays riches, la source de valeur n'est plus aujourd'hui dans l'extension des technologies de masse, mais dans la différenciation des services. On passe d'une économie de l'offre à une économie de la demande, avec un marché des produits alimentaires et agricole de plus en plus segmenté et différencié autour de conventions 'locales' de qualité liées à la diversité des registres de valeurs des différentes couches de consommateurs. Les produits sous labels de qualité (AOC, Inscriptions Géographiques Protégées, label rouge, agriculture biologique) concernent un agriculteur français sur cinq. Autrefois considérés comme archaïques, ils deviennent dans un contexte de segmentation des marchés et de décentralisation de la gouvernance de l'agriculture (encore embryonnaire en France), des atouts majeurs de l'agriculture française et suscitent au milieu des années 1990 de nouveaux types de recherches à l'Inra (programme de recherche sur les produits d'origine depuis les années 1990, et, plus récemment, sur l'agriculture biologique).

Le secteur des semences et de l'innovation variétale devient lui aussi une économie de la demande. La carrière des variétés phares est plus courte qu'il y a quarante ans. Le marché variétal est plus compétitif (134 variétés de maïs ont été mises sur le marché en 2005 contre 28 en 1979), et de plus en plus segmenté pour des besoins différenciés selon

- le type d'utilisation par les transformateurs (ex. variétés riches en bio-carburants, variétés de blé adaptées aux contraintes de la congélation dans les produits préparés, légumes sous contrat exclusifs de transformateurs) ;
- la différenciation fonctionnelle ou « hédonique » des aliments (blés sans gluten, tomate cerise pour l'apéritif, avocat à peau fine comestible, etc.) ;
- les types de conduites culturales (conventionnel, agriculture biologique, etc.)
- la différenciation territoriale des produits sous inscriptions géographiques (AOC, IGP), dont les cahiers des charges spécifient de plus en plus le type de variété à utiliser.

La différenciation du marché variétal déplace aussi les enjeux et les lieux de la mobilisation de la recherche. La génétique végétale et l'amélioration des plantes, qui après guerre s'efforçait de gommer les attachements locaux des variétés végétales pour des marchés de masse (recherche de variétés performantes sur de vastes zones, affranchissement de la plante des idiosyncrasies locales avec par exemple l'extinction des gènes de photopériodisme dans les variétés de la révolution verte), se voit depuis quelques décennies soumise à une contrainte de diversification des assemblages variétaux, ce à quoi répondent deux modèles d'innovations, deux paradigmes. L'un consiste à faire remonter vers l'amont les investissements de standardisation, de la variété au gène (avec des gènes de résistance à un herbicide commercialisés dans le monde entier une fois greffés sur différentes espèces et variétés), de l'expérimentation variétale normalisée à la production industrialisée de connaissances « omiques » à haut-débit. La recherche apporte alors la maîtrise des éléments moléculaires que les entreprises n'auront plus qu'à assembler de façon flexible dans des variétés, en fonction des multiples segments et des évolutions des marchés. On appellera ce paradigme d'innovation, qui est celui privilégié par les grandes firmes agro-chimico-semencières, « modèle oligopoliste intégré ». L'autre paradigme consiste à détecter et valoriser les interactions « génotype x environnement » les plus fines à l'échelle locale. Ainsi, même Norman Borlaug, père de la révolution verte, estime qu'« un des défis majeurs pour la sécurité alimentaire des communautés pauvres est le développement de variétés ajustés à leurs environnements locaux spécifiques »[26]. On retrouve dans ce deuxième modèle la relance de produits de terroirs associée à la conservation de la biodiversité cultivée *in situ* à la ferme, ainsi que la sélection participative associant les agriculteurs comme partenaires de la recherche. Ces approches peuvent recourir aux recherches de génétique quantitative, de génétique des populations, de modélisation et de biologie des systèmes les plus poussées.

CONCLUSION

À partir des années 1970, le régime de production de savoirs et d'innovations en génétique végétale, que nous avons appelé « régime du progrès génétique », connaît une transformation structurelle, sous l'effet conjugué d'une série de changements qui relèvent à la fois des façons de connaître et des transformations des marchés agro-alimentaires. Pendant les Trente Glorieuses, la régulation de l'agriculture dépendait principalement de l'État et de la profession, l'innovation variétale constituait un bien semi-public, où les organismes de recherche publics jouaient un rôle central dans des dispositifs sectoriels. Aujourd'hui, le rôle de l'État nation dans la régulation de l'agriculture décline devant la montée des niveaux internationaux (« Bruxelles », l'OMC, etc.) et régionaux. Le couple État-profession n'a plus le monopole de la définition des normes et le modèle de

[26] Reynolds et Borlaug, « Applying innovations », p. 103.

développement agricole d'après-guerre est ainsi remis en cause sous la double pression de logiques marchandes (libéralisation des marchés, économie de la demande) et de logiques civiques (requalification des appréciations civiques de l'agriculture et des choix variétaux par la qualité, les territoires et l'environnement). Gilles Allaire et les économistes de « l'école de la régulation » voient dans ces évolutions le pendant, dans le secteur agro-alimentaire, d'une sortie plus générale du modèle fordiste dans les économies occidentales depuis un quart de siècle. Ils parlent alors d'une crise du modèle productiviste et de l'entrée de l'agriculture et l'agro alimentaire dans un nouveau modèle productif, l' « économie de la qualité »[27]. La sociologue canadienne Harriet Friedmann et ses collègues apportent un éclairage plus empreint d'économie politique et plus international sur cette même transition. Elle y voit le passage d'un régime agro-alimentaire « mercantile-industrial » vers un régime « corporate-environmental »[28]. Si on les couple avec les transformations des objets, pratiques et paradigmes de recherche, ces deux cadres interprétatifs sont féconds et complémentaires pour situer le *régime du profit génétique mondialisé* de production des savoirs et des innovations variétales dans son contexte le plus large (cf. Tableau 1).

Après une période dominée par des modes colbertiste et corporatif de polarisation de la recherche, c'est donc dans le type d'équilibre entre mode marchand et mode civique, entre paradigme « oligopoliste intégré » et paradigme « territorial participatif » que va se jouer l'orientation de la recherche en amélioration des plantes dans les prochaines années, et l'avenir de l'Inra comme organisme public de recherche.

---

[27] Allaire, « Émergence d'un nouveau système productif » ; Allaire, « L'économie de la qualité ».

[28] Friedmann, « From colonialism to green capitalism ».

Tableau 1 - Trois régimes de production des savoirs et des innovations en génétique végétale

	Semence domestique/ semence marchande (1870-1940)	**Progrès génétique planifié (années 1940-vers 1972)**	**Profit génétique mondialisé (années 1980-)**
“Agro-food regimes” (H. Friedmann) **“Modèles productifs” (G. Allaire)**	**“Colonial-diasporic”** Agricultures européennes déficitaires notamment en céréales	**“Mercantilist-industrial”** **“Productivisme” (Allaire)**	**“Corporate-environmental”** **“Economie de la qualité”**
Statut de l’innovation	Bien privé pour les sélectionneurs mais sans protection effective Bien domestique/collectif pour les paysans	Bien semi-public (UPOV, variétés comme inputs de l’économie nationale).	Bien privé (brevet sur le vivant)
Gouvernance des choix variétaux	Eclatée : trajectoires des variétés de pays dans des terroirs multiples, faible influence publique sur les stratégies privées d’innovation	Nationale, centralisée et sectorielle	Le marché mondial (cf. OGM à l’OMC) et ses segments multiples Logiques de territorialisation et d’écologisation des choix variétaux
Modes de polarisation des recherches dominants	Marchand	Colbertiste, Corporatif (mais aussi en second lieu marchand et civique).	Marchand, Académique (mais aussi civique, corporatif, colbertiste)
Acteurs dominants de la R&D	Les communautés paysannes, les maisons privées	L’Inra, les obtenteurs privés	Les oligopoles privés agrochimico-semenciers
Paradigme variétal dominant la recherche	Sélection généalogique et émergence du concept de lignée pure	La variété distincte homogène et stable comme input agronomique fonctionnel, sur lequel portent les efforts de standardisation et optimisation.	Le gène est l’unité de manipulation et d’appropriation La variété comme empilement de traits monogéniques (Back-cross répétés ou transgenèse) ou multigéniques (sélection assistée par marqueurs)
Disciplines dominants la recherche publique	Botanique et physiologie, Génétique classique	Génétique classique, Expérimentation agronomique, cytogénétique	Culture in vitro, biologie moléculaire et génomique

BIBLIOGRAPHIE ET SOURCES IMPRIMÉES

Aggeri, F. et Hatchuel, A., « Ordres socio-économiques et polarisation de la recherche. Pour une critique des rapports science-société », *Sociologie du travail*, 2003, vol. 45, pp. 113-133.

Allaire, G., « Émergence d'un nouveau système productif en agriculture », *Canadian Journal of Agricultural Economics*, 1996, vol. 44, pp. 461-479.

—, « L'économie de la qualité, en ses secteurs, ses territoires et ses mythes », *Géographie, Économie, Société*, 2002, 4 (2), pp. 155-180.

Bonneuil, C., « Cultures épistémiques et engagement des chercheurs dans la controverse OGM », *Natures Sciences Société*, 2006, 14 (3), pp. 257-268.

—, « Producing identity, industrializing purity. Elements for a cultural history of genetics », in Müller-Wille, S. et Rheinberger, H.-J. (eds.), *Cultural History of Heredity*, vol. 4. Berlin, MPIWG (Preprint 343), 2008, pp. 81-110.

Bonneuil, C. et Hochereau, F., « Gouverner le 'progrès génétique' : biopolitique et métrologie de la construction d'un standard variétal dans la France agricole d'après-guerre », *Annales HSS*, nov.-déc. 2008, n° 6, sous presse.

Bonneuil, C., Joly, P.B. et Marris, C., « Disentrenching experiment ? The construction of GM-crop field trials as a social problem », *Science, Technology and Human Values*, 2008, vol. 33, n°2, pp. 201-222.

Bonneuil, C. et Thomas, F., *Gènes, pouvoirs et profits. La recherche publique face aux transformations des régimes de production des savoirs en génétique végétale de Mendel aux OGM*, Paris, Quæ-FPH, 2009.

Castonguay, S., « The Transformation of Agricultural Research in France : The Introduction of the American System », *Minerva*, 2005, 43 (3), pp. 265-287

Cranney, J., *Inra 50 ans d'un organisme de recherche*, Paris, Inra, 1996.

Friedmann, H., « From colonialism to green capitalism: social movements and emergence of food regimes », in *New directions in the sociology of global development. Research in rural sociology and development*, 11, 2005, pp. 229-267.

Gervais, M., Jollivet, M., Tavernier, Y., *La fin de la France paysanne de 1914 à nos jours*, tome IV de Duby, G. et Wallon A. (eds.), *Histoire de la France Rurale*, Paris, Seuil, 1976.

Haquin, F., « Anticiper ou subir ? », *Semences et Progrès*, 1994, n° 79 (avril.-juin), p. 2.

—, « Oui au productivisme ! », *Semences et Progrès*, 1990, n° 65 (oct.-nov.), p. 2.

Heller, M.A. et Eisenberg, R.S., « Can patents deter innovation ? The anticommons in biomedical research », *Science*, 1998, vol. 280, n. 5364, pp. 698–701.

Jas, N., *Au carrefour de la chimie et de l'agriculture, les sciences agronomiques en France et en Allemagne 1840-1914*, Paris, Édition des Archives contemporaines, 2002.

Joly, P.B. et Ducos, C., *Les artifices du vivant, stratégie d'innovation dans l'industrie des semences*, Paris, Inra-Économica, 1993.

Kuisel, R.F., *Le capitalisme et l'État en France. Modernisation et dirigisme au 19e siècle*, Paris, Gallimard, 1984.

Muller, P., *Le technocrate et le paysan, essai sur la politique française de modernisation*. Paris, Economie et Humanisme, 1984.

Nowotny, H, Scott, P. et Gibbons, M., *Rethinking Science: Knowledge and the Public in an Age of Uncertainty*, London, Polity Press, 2001.

Pestre, D., *Science argent et politique, un essai d'interprétation*, Paris, Inra Éditions, 2003.

Poly, J., *Pour une agriculture plus économe et plus autonome*, Paris, Inra, juillet 1978.

Ramade, F., « Crise de l'énergie, ressources naturelles et production alimentaire », *Economie Rurale*, 1978, n° 124, pp. 30-38.

Reynolds, M. P. et Borlaug, N. E., « Applying innovations and new technologies for international collaborative wheat improvement », *J. Agri. Sci.*, 2006, n° 144, pp. 95-110.

Rives, M., « L'amélioration des plantes », *La Recherche*, 1984, n°155 (mai), pp. 752-766.

L'INRA ET LA COORDINATION DES POLITIQUES SCIENTIFIQUES, 1953-1968

Alain CHATRIOT[1]

La politique scientifique française connaît de profondes transformations institutionnelles durant les années 50 et 60. À la question déjà ancienne de la coordination d'une politique scientifique l'expérience mendésiste puis la pratique du pouvoir gaullien apportent de nouvelles réponses[2]. Les spécificités de l'histoire de l'institutionnalisation de la recherche agronomique en France[3] amènent à réfléchir à la manière dont l'Institut créé à la Libération est confronté à ces évolutions de la fin des années 50 et des années 60. La création entre 1958 et 1961 de la Délégation générale à la recherche scientifique et technique (DGRST) pose à l'Inra des questions concernant la direction de la recherche, le rôle du ministère des Finances pour le contrôle budgétaire, le choix des actions concertées alors amorcées et plus largement le statut de la tutelle du ministère de l'Agriculture dans un nouveau contexte interministériel. On peut en fait considérer que le compromis de la Libération laborieusement trouvé entre les différents héritages et intérêts institutionnels est alors remis en cause. Le changement de structure dans l'organisation de la recherche française est largement cité dans les volumes commémoratifs déjà publiés sur l'histoire de l'Inra. Dans celui des quarante ans de l'Institut, Raymond Février parle « d'une modification fondamentale »[4]. Les transformations de ce paysage

---

[1] Alain Chatriot est chargé de recherche au Cnrs, au Centre de Recherches Historiques, <chatriot@ehess.fr>.

[2] Cette étude prolonge les travaux collectifs qui ont donné lieu au livre : Chatriot et Duclert, *Le gouvernement de la recherche*.

[3] Cf. Cranney, *Inra, 50 ans d'un organisme de recherche*. Sur la question de la disparition du premier institut de recherche au moment de la réforme des différents offices en 1934, on se permet de renvoyer à Chatriot, « Les offices en France sous la IIIe République ».

[4] Février, « Évolution des structures », p. 27.

institutionnel peuvent être un prisme intéressant pour interroger une partie de l'histoire de l'Inra et surtout inscrire l'organisme dans ses relations avec les différents acteurs des politiques scientifiques françaises des années 60. Ce moment « gaullien » des années 70 n'est certes qu'une étape dans un débat et dans un processus institutionnel de plus longue durée mais les mécanismes qui s'y jouent sont alors rendus plus apparents par l'intervention de cet acteur institutionnel qu'est la DGRST.

DU CSRSPT À LA DGRST

Dans cette contribution on s'intéresse surtout à l'expérience gaullienne grâce aux archives consultées[5], mais la période mendésiste mériterait sans doute également une analyse plus détaillée. En effet, avant le choix de la formation d'une « administration de mission » en décembre 1958, Pierre Mendès France, aidé de son secrétaire d'État à la Recherche scientifique et au Progrès technique Henri Longchambon, avait tenté une première coordination de la politique scientifique au cours de son gouvernement en 1953. La brièveté de l'expérience gouvernementale ne laisse en héritage que le Conseil supérieur à la Recherche Scientifique et au Progrès Technique (CSRSPT) construit sur le modèle d'un « parlement de la science » qui ne peut suivre réellement que peu de dossiers. Jean Bustarret, figure de l'Inra, n'en est pas absent, même si il n'est nommé qu'en août 1955 alors que le Conseil est créé en décembre 1954[6]. On peut cependant penser que le CSRSPT n'a pas eu vraiment à traiter du dossier agronomique.

En novembre 1956, lors du colloque de Caen, organisé par Jean-Louis Crémieux-Brilhac et les mendésistes, avec le parrainage de scientifiques tels André Lichnerowicz ou Jacques Monod, c'est Michel Cépède, professeur d'économie et de sociologie rurales à l'Institut National Agronomique, qui présente un rapport sur « Enseignement supérieur et formation des chercheurs dans le domaine agricole » et Jean Keilling, ingénieur agronome et professeur à Grignon, qui fait la synthèse des travaux de la sous-

---

[5] Je remercie ici vivement Ghislaine Bidault, responsable de la mission des Archives nationales, délégué auprès du ministère de la Recherche.

[6] D'une composition complexe et très politique, e CSRSPT compte aussi des représentants du ministre de l'Agriculture : Raymond Braconnier, Auguste Oudin et René Blondelle et pour l'Inra Jean Lefèbvre, Maurice Lemoigne, de l'Institut Pasteur, qui est vice-président du conseil supérieur de la recherche agronomique, Roger de Vilmorin pour l'Académie d'agriculture, mais aussi Jacques Leroy-Ladurie présenté comme président de chambre d'agriculture… Chatriot et Duclert, *Le gouvernement de la recherche,* pp. 319-327.

commission de la recherche agronomique[7]. Le XIe point des douze points du colloque de Caen est consacré à l'« expansion de la recherche agronomique », les propositions sont générales mais deux points sont à noter : la volonté proclamée

> [qu'] « un Comité Agronomique de caractère interministériel, lié au Conseil Supérieur de la Recherche Scientifique et du Progrès Technique, doit, au niveau de la Recherche fondamentale, faire l'inventaire des problèmes à résoudre et le choix des priorités, répartir les tâches et les moyens, établir le programme d'expansion de cette recherche dont l'Institut National de la Recherche Agronomique doit rester la cheville ouvrière »

et aussi une attention aux effectifs :

> « Au point de vue recrutement, il est logique de prévoir une extension de l'effectif de chercheurs contractuels débutants, pépinière qui devrait être abondante et dont les « surplus » alimenteraient utilement les effectifs voués à l'enseignement agricole, à la vulgarisation et aux industries »[8].

L'arrivée des équipes gaullistes permet paradoxalement de résoudre le blocage institutionnel avec la création en novembre 1958 d'un nouveau dispositif institutionnel : un comité interministériel de la recherche scientifique et technique présidé par le Premier ministre, un comité consultatif de la recherche scientifique et technique composé de douze membres nommés pour deux ans, et enfin un délégué général chargé du secrétariat général des deux comités. Le poste est confié à Pierre Piganiol, chimiste travaillant dans le privé et qui fut un grand résistant. Ce dernier regroupe autour de lui une petite équipe qui vient en fait du CSRSPT de Longchambon. Cette équipe sert d'embryon à ce qui s'appelle progressivement la DGRST (en fait officiellement créée en avril 1961). Elle met alors en place toute une série de mesures qui réorganisent la direction de la politique scientifique française.

---

[7] *Les Cahiers de la République*, 5, janvier-février 1957. On peut signaler que parmi les participants du colloque de Caen on compte aussi René-Guy Busnel et Raymond Février ; Braconnier et Lefèbvre sont par contre excusés.
[8] *Ibid.*, p. XX.

PIGANIOL ET LE BUDGET DE L'INRA

Pierre Piganiol, le délégué général, a rendu compte dans des témoignages de l'image de l'Inra à laquelle il avait été confronté, lui qui connaissait mieux d'autres milieux scientifiques[9]. Il a ainsi expliqué en 2002 :

> « Je me souviens d'une chose qui m'avait alors profondément heurté : le mépris très grand que les universitaires avaient pour l'Inra. À une époque où les crédits de recherche étaient peu abondants ses agents étaient considérés comme des culs terreux dont les revendications étaient déraisonnables et toujours excessives »[10].

Piganiol à son arrivée semble avoir lancé une « enquête Inra » assez informelle dont on a trouvé quelques épaves datées de la fin 1958 et du début 1959 dans les archives[11]. L'une des actions prioritaires menées par Pierre Piganiol concernant l'Inra a touché à son budget. Piganiol semble avoir été très actif en partenariat avec Henri Ferru, alors directeur de l'Inra depuis 1956. Dans ses entretiens Piganiol explique assez clairement :

> « L'Inra souffrait à l'époque d'une réputation médiocre auprès du ministère des Finances. Henri Ferru avait beaucoup de qualités mais c'était un avocat, ne sachant jamais très bien trouver le moment opportun pour faire valoir tel ou tel argument. Je l'ai aidé à monter des opérations et à les faire accepter par les Finances en l'invitant à les replacer dans les problèmes plus larges de l'agriculture française et de son avenir »[12].

L'une des mesures importantes promues par la DGRST est en effet l'idée de l'« enveloppe recherche » : pour éviter la dispersion des négociations entre grands organismes et ministère des Finances, le budget global est négocié par la DGRST. Les crédits de l'Inra sont donc alors arrêtés en Conseil interministériel puis inscrits dans le budget de l'agriculture après le vote du Parlement et versés comme subvention au budget de l'Inra.

---

[9] Normalien, agrégé de chimie, il poursuit une carrière dans l'industrie chez Saint-Gobain avant d'être appelé comme délégué général en décembre 1958.

[10] Entretien réalisé par D. Poupardin et B. Desbrosses les 13 novembre et 5 décembre 2002. *Archorales Inra, Les métiers de recherche. Témoignages*, 11, pp. 87-99.

[11] Archives du ministère de la Recherche, Mission, CE RE 130/10 : 31.12.1958 : « Reproches faits à l'Inra » et 5.2.1959 : « Résumé provisoire Enquête Inra », signé J. Baratte. Ces mentions dans une liste ne sont hélas pas suivies des documents qu'elles citent.

[12] Entretien avec Pierre Piganiol, *op. cit.* p. 94.

Une réunion est même prévue pour convaincre les Finances du bien-fondé des recherches de l'Inra[13] le 7 avril 1961. Le représentant des Finances, Dufour, demande « qu'à côté de la recherche fondamentale une partie de l'effort de recherche soit appliquée à quelque chose de plus immédiatement rentable ». Après des interventions assez touffues de Ferru, c'est Pierre Cognard, homme du ministère des Finances détaché à la DGRST et responsable du service du Plan[14], qui mène les débats et « rappelle que le problème est de chercher les arguments qui permettront aux financiers de bien vouloir accorder les crédits nonobstant les obstacles économiques actuels », avant de conclure le débat « en notant que l'essentiel de la réunion était que les organismes de recherche aient pu prendre conscience à la fois des conséquences économiques que peuvent avoir leurs recherches et des soucis que peuvent avoir, à juste titre, les Finances devant une extension sensible des investissements de la recherche agricole »[15].

Deux autres questions se posent aussi à la DGRST en raison des spécificités de l'Inra : la question des personnels et celle des nouveaux établissements envisagés dans le cadre d'une politique de décentralisation. Le statut des techniciens et leur sous-rémunération semblent-être un problème très vif à l'Inra. Henri Ferru a essayé de mobiliser Piganiol sur ce dossier mais il semble que les arbitrages d'Antoine Pinay aux Finances aient convaincu le Premier ministre Michel Debré. Les archives de la DGRST[16] montrent que sur ce dossier, le délégué s'est informé et a été très attentif aux questions de statut du personnel et aux revendications des techniciens qui avaient même alors conduit une grève. Le second point est également directement lié aux questions budgétaires. Dans une note anonyme, mais peut-être rédigée par Charles Thibault, on apprend ainsi :

> « Si l'on examine rétrospectivement les moyens accordés à l'Inra depuis 1958, on constate que l'effectif est passé de 1892 à 3090 personnes, que le budget de fonctionnement « proprement dit » a plus que triplé, que les problèmes de statut et de rémunération sont en voie de solution ; c'est là, pour tout le secteur du 'Fonctionnement', un bilan assez satisfaisant. La situation est moins favorable en ce qui concerne les crédits d'équipement, dont la croissance n'a été ni aussi régulière ni aussi rapide : un effort devra donc être fait à partir de 1964, notamment pour permettre à l'Inra de faire face, sans ralentissement de son

[13] Ce point est bien souligné par Cranney, *Inra, 50 ans d'un organisme de recherche,* p. 201.

[14] Le rôle du Commissariat général au Plan qui travaille alors de concert avec la DGRST mériterait d'être mieux compris dans le cas de la recherche agronomique comme dans celui de l'ensemble de la politique agricole.

[15] Procès-verbal de la réunion du 7 avril 1961, Archives du ministère de la Recherche, Mission, CE RE 130/9.

[16] Archives du ministère de la Recherche, Mission, CE RE 130/10.

développement scientifique, à la politique de décentralisation qui lui est demandée »[17].

En avril 1964, Thibault dans un rapport à la DGRST le redit ouvertement :

« J'ai consacré une grande partie de mon rapport sur la recherche agricole de l'an passé à l'Inra et souligné le véritable drame d'un organisme obligé d'une part, par la nature de ses travaux et par la volonté des pouvoirs publics, à une décentralisation onéreuse et ayant un temps de latence de deux à trois ans entre l'attribution des crédits et les possibilités d'utiliser les nouveaux locaux, et d'autre part de financer simultanément les agrandissements et les équipements des équipes existantes, pour la plupart en pleine production »[18].

LES IRRITATIONS D'UNE TUTELLE ?

Cette mobilisation de la DGRST au profit de l'Inra ne résout pas tous les problèmes et est sans doute même assez mal vue par la tutelle de l'organisme : le ministère de l'Agriculture. Dans l'attente de dépouillements plus complets – on doit en effet souligner que mis à part des travaux maintenant anciens la bibliographie sur cette administration est étonnement pauvre[19] – un document retrouvé dans les archives de la DGRST l'illustre. Il s'agit d'une lettre, sur papier à en-tête de l'Inra, station de recherches apicoles « La Guyonnerie » de Bures-sur-Yvette, de Rémy Chauvin à Jacques Bloch-Morhange, économiste et journaliste gaulliste engagé politiquement qu'il appelle « cher ami », datée du 7 décembre 1959[20]. Le ton est vif et commence ainsi : « Je pense que dans la recherche en général et dans la recherche agronomique en particulier, il y a quelque chose qui ne tourne pas rond ». Il commente en fait le décret du 2 décembre 1959 qui « supprime pratiquement la recherche agronomique de la liste des directions générales du ministère » et il s'explique en détail :

« Vous constaterez page 2 que nous ne figurons point en effet dans l'énumération des directions générales ; par contre la direction générale des Eaux

[17] « L'Inra », DGRST, 11.3.63, note ronéotée, 9 p., Archives du ministère de la Recherche, Mission, CE RE 130/10.

[18] Note de Charles Thibault, « Examen des propositions budgétaires de l'Inra », 21 avril 1964, Archives du ministère de la Recherche, Mission, CE RE 130/10.

[19] Cépède et Weill, *L'agriculture,* et bien sûr mais avec des terrains différents de ceux de la recherche scientifique proprement dite Muller, *Le technocrate et le paysan.*

[20] Archives du ministère de la Recherche, Mission, CE RE 130/9.

et Forêts qui ne marche guère et la direction générale du Génie Rural qui ne marche pas si bien que cela gardent leur indépendance ; quant à nous, nous sommes rattachés au Ministère par l'intermédiaire de la direction générale de l'enseignement et de la vulgarisation, alors que l'enseignement et la vulgarisation sont, de l'avis général, ce qui marche le plus mal au ministère de l'Agriculture. De plus, à la tête de cette direction générale de l'enseignement est nommé un garçon charmant que je connais bien mais qui était auparavant à l'Office de la recherche Outre-Mer, Office qui n'a pas fait d'étincelles, c'est le moins qu'on en puisse dire. Nous ne sommes donc pas rassurés du tout sur les suites et nous pensons qu'une telle mesure a été prise pour nous faire expier certaines démarches que nous avions faites directement auprès de M. Piganiol, il y a quelques mois, et qui nous avaient valu quelques dizaines de millions supplémentaires. Nous avons été informés à l'époque que les services du ministère de l'Agriculture n'avaient pas du tout digéré cette façon de passer par-dessus leurs têtes.
L'émotion est extrêmement vive à l'intérieur de l'Inra ; une délégation va se rendre dès demain auprès de Piganiol, une autre auprès de Jacquinot[21] et une autre auprès de Rochereau[22] ; ces délégations vont demander notre rattachement à la Présidence du Conseil, car nous sommes fatigués des brimades qu'on nous fait subir sans arrêt au ministère de l'Agriculture ; d'ailleurs pour mettre le comble à l'incohérence, je vous signale qu'avant la prise de ce décret, on venait de créer à l'intérieur de l'Inra un département de vulgarisation destiné à préparer les données scientifiques qui devraient être mises à la disposition des vulgarisateurs. Si bien qu'après nous avoir demandé de coordonner en quelque sorte la vulgarisation, on charge la direction générale de l'enseignement et de la vulgarisation de coordonner la recherche »[23].

La lettre se finit sur des allusions au problème du blocage de la paye des techniciens et à la crainte de démissions – c'est là un point important qu'il faudrait mieux connaître dans le cas spécifique de l'Inra tant la question du statut des chercheurs est un point important de lutte durant toutes les années 60. Il ne s'agit pas ici de surinterpréter ce document en l'absence de recoupement avec d'éventuelles archives du ministère de l'Agriculture et de la direction générale de l'Inra. Il semble cependant intéressant que ce courrier ait été en tant que tel conservé dans les archives de la DGRST.

---

[21] Louis Jacquinot est alors ministre d'État en charge des questions de la recherche.
[22] Henri Rochereau est le prédécesseur d'Edgard Pisani au ministère de l'Agriculture entre mai 1959 et août 1961.
[23] Archives du ministère de la Recherche, Mission, CE RE 130/9. Rémy Chauvin à Jacques Bloch-Morhange, 7 décembre 1959.

L'INRA À LA DGRST

Au « comité des douze », les recherches agronomiques n'occupent pas une place de premier plan. Certes dans la première structure, René Dumont représente déjà les recherches en ces domaines mais son poids dans le comité semble très inférieur à celui d'hommes comme Pierre Aigrain, Jean Bernard, Maurice Letort, André Lichnerowicz, Maurice Ponte ou Charles Sadron. Au premier renouvellement en décembre 1960, c'est Charles Thibault, directeur central de recherches au Centre national de recherches zootechniques de Jouy-en-Josas, qui est nommé. Il commente ainsi cet épisode dans un témoignage oral en 1996 :

> « J'ai réussi à ce que le CCRST propose le rattachement des recherches forestières, piscicoles et vétérinaires à l'Inra, sans y être encouragé vraiment par la direction (J. Bustarret n'y tenait pas particulièrement). Par ailleurs, je me suis investi dans le projet de création de l'INSERM, organisme nouveau qui était appelé à remplacer l'Institut National d'Hygiène (INH). C'est une époque enfin durant laquelle j'ai voyagé en Allemagne et en Angleterre et ai recueilli des éléments de comparaison permettant de déterminer ce qu'on pouvait faire en France en matières de recherches biologiques. De 1961 à 1963, j'ai représenté la recherche biologique au Conseil économique et social[24] dans la section de l'agriculture »[25].

Dans différents rapports Thibault présente sa vision des difficultés des recherches agronomiques. Ainsi en mars 1963, il explique :

> « La situation de l'Inra peut donc se résumer ainsi : progression harmonieuse et raisonnable des effectifs ; progression satisfaisante des crédits de fonctionnement, mais qui, si elle suivait le même rythme, deviendrait insuffisante par suite de l'effort considérable à faire pour la pathologie animale et à partir de 1964 d'une façon plus modérée mais non moins réelle pour la recherche forestière. Au contraire, situation qu'il ne faut pas hésiter à qualifier de dramatique en ce qui concerne les crédits d'équipement, et qui appelle en 1964 un effort d'un autre ordre de grandeur : la multiplication par deux des crédits accordés en 1962 et en 1963 »[26].

---

[24] Il est en particulier l'auteur d'une étude sur l'enseignement agricole : Thibault, *Problèmes*.
[25] Entretien réalisé par D. Poupardin le 11 avril 1996. Archorales – Inra, cassettes DAT n°87, transcription revue en mai 2002.
[26] Les deux points sont soulignés dans le rapport : Archives du ministère de la Recherche, Mission, CE RE 130/9, Charles Thibault, *Rapport sur les problèmes posés par les services de recherches du ministère de l'Agriculture*, 11 mars 1963, ronéoté, 13 p., p. 4.

En 1964, Thibault est remplacé par Claude Martin, directeur de recherches à l'Inra au Centre de recherches agronomiques de Dijon, lui-même laissant la place à Yves Demarly après avoir démissionné en mars 1966. Yves Demarly, directeur de la station d'amélioration des plantes fourragères à Lusignan, est renommé en 1967 et jusqu'en 1969. Dans son témoignage oral recueilli en 1996, il commente brièvement cet épisode de sa carrière :

> « J'ai eu d'autres occasion de m'occuper d'administration de la recherche. Quand Pompidou était premier ministre, j'ai fait partie, à la DGRST, du Comité des 12 sages qui arbitrait tous les budgets de la recherche française. J'y avais été nommé à titre personnel et m'occupais de problèmes qui sortaient beaucoup du domaine de mes compétences (recherche nucléaire, spatiale, etc.). Cette expérience a enrichi ma culture générale et mes relations. Les opportunités qui s'offraient à moi d'exercer des responsabilités plus hautes étaient grandes mais je les ai volontairement ignorées, parce qu'elles ne me plaisaient pas »[27].

PRÉSENTER ET PROMOUVOIR LA RECHERCHE AGRONOMIQUE

La DGRST a également eu pour tous les domaines scientifiques une importante politique en matière de documentation. Dans une volonté de présentation et de clarification des structures, la délégation a ainsi publié deux éditions, en 1962 puis en 1969, d'un répertoire national des laboratoires concernant la recherche agronomique. Au-delà de la volumineuse description (502 pages en 1969), la deuxième édition est l'occasion de constater les progrès et la diversification de la recherche agronomique. Dans son avant-propos, Jean Bustarret écrit ainsi : « Les crédits et les effectifs globaux dont dispose la recherche agronomique ont donc connu, depuis la publication du précédent Répertoire, une augmentation très sensible et l'effort ainsi fait en leur faveur par les Pouvoirs Publics entraîne pour les chercheurs des obligations dont ils ont conscience »[28]. La présentation du rapport par l'équipe de la DGRST insiste sur la diversification de la recherche agronomique durant ces années :

> « [Le Répertoire] répond en outre au souci de plus en plus affirmé de présenter la recherche agronomique non seulement en tant que telle, mais dans toutes ses implications et dans toutes ses relations avec les disciplines voisines, celles des

---

[27] Archives Nationales. CAC. Entretien réalisé par D. Poupardin le 18 juillet 1996. Archorales – Inra, cassettes DAT n°111-1 et 111-2.

[28] DGRST, *Répertoire national des laboratoires*, p. X.

sciences naturelles (biologie, sciences de la terre…), mais aussi des sciences exactes – celles des sciences médicales auxquelles s'apparentent les recherches vétérinaires intégrées à l'Inra depuis 1961, mais aussi celles des sciences sociales et humaines dont relève, par exemple, l'économie rurale »[29].

La mention des sciences sociales dans ce rapport permet de rappeler que les sociologues ont alors grandement bénéficié des financements issus de la DGRST, y compris les spécialistes de sociologie rurale comme Henri Mendras par exemple[30]. La revue mensuelle de la DGRST, *Le Progrès scientifique*, se fait régulièrement l'écho de la recherche agronomique en France et à l'étranger. Plutôt qu'une liste fastidieuse des articles publiés, il faut surtout noter que la diversité des lieux de cette recherche est régulièrement rappelée[31] : les laboratoires publics avec l'Université, le CNRS, le ministère de l'Agriculture (avec l'Inra, le CNEEMA, centre national d'études et d'expérimentation du machinisme agricole, et le CREGR, centre de recherche et d'expérimentation du génie rural), l'enseignement supérieur agricole ; les laboratoires privés (associations, centres techniques industriels aux statuts issus de la loi de 1948, reprenant les créations antérieures, établissements rattachés à des syndicats professionnels ou à des groupements de syndicats ou à des coopératives), et enfin les laboratoires propres des entreprises. La revue est aussi un lieu de pédagogie pour convaincre de la bonne utilisation des budgets revendiqués et présenter la recherche agronomique comme une « nécessité » :

> « Aujourd'hui, si la qualité des recherches biologiques françaises intéressant l'agriculture s'avère, en elle-même, indéniable, il faut reconnaître que leurs impacts dans le champ réel des applications demeurent réduits. L'une des raisons essentielles de cet état de choses réside dans l'insuffisance des moyens mis en œuvre qui ne nous permettent pratiquement jamais de disposer d'un matériel suffisamment abondant, génétiquement homogène, élevé dans des conditions standard et placé dans un environnement stable (zootron, phytotron, serres). C'est vers ce but qu'il convient aujourd'hui de tendre si l'on veut être efficace et c'est particulièrement pour produire plantes et animaux standard que les investissements à opérer en ces domaines, et notamment dans le cadre de l'Institut de la Recherche Agronomique, devraient être suffisamment importants »[32].

---

[29] *Ibid.*, p. XII.
[30] Masson, « Le financement de la sociologie française ».
[31] « La recherche scientifique et technique dans les industries agricoles ».
[32] « Le développement de la recherche agronomique », p. 4.

Le collaborateur de Pierre Piganiol, Louis Zieglé fait même une présentation sur la recherche agronomique en France aux élèves de la promotion Vauban de l'ENA en 1958[33].

LES ACTIONS CONCERTÉES

Au-delà de l'enveloppe recherche et du travail d'information et de documentation, la DGRST décide surtout de lancer des « actions concertées ». Dès décembre 1959, des comités d'études sont organisés pour réfléchir aux actions gérées par le Fonds de développement de la recherche scientifique et technique créé à la délégation. Sur les dix comités, deux concernent directement la recherche agronomique : « application de la génétique » et « nutrition animale et humaine ». De ces dix comités naissent neuf actions concertées. Celle concernant la nutrition regroupe aussi bien des scientifiques de l'Institut national d'hygiène (Jean Trémolières), de l'EPHE (Raymond Jacquot), de Grignon (Jean Keilling), du ministère de l'Agriculture (Maurice Rossin) que de l'Inra (Jacques Delage, André François, André Guilbot et Germain Moquot). Cette action concertée est au fur et à mesure de plus en plus liée à l'INH puis à l'INSERM après sa création en juillet 1964. Le choix du dossier de la nutrition n'est pas un hasard. Il correspond à la fois à des préoccupations pratiques maintenues depuis la Libération et à une continuité avec des travaux amorcés pendant la période de Vichy. Émile Terroine avait ainsi créé en mai 1945 en lien avec le CNRS un Comité national de coordination des études et recherches sur la nutrition et l'alimentation[34]. La tâche du comité de la DGRST entre 1961 et 1965 a donné à des laboratoires une aide financière facilitant leur équipement en matériel et en personnel. Sur le plan scientifique, il a assuré la coordination des travaux ayant trait à la biochimie alimentaire ou à la physio-pathologie de la nutrition et les a organisés autour de thèmes précis revêtant une urgence pratique : ceux-ci ont porté notamment sur les graisses alimentaires et les protéines, les céréales, les boissons, etc.

La recherche agronomique est aussi touchée par l'action « application de la génétique » dont le comité, présidé par Jean Bustarret, regroupe André Bilquez (ORSTOM), André Blondeau (sélectionneur privé dans le Nord), Pierre Bouvarel (École nationale des eaux et forêts), Maxime Lamotte (Faculté des sciences de Paris), Maurice Lamy (Faculté de médecine de

---

[33] Il s'agit du cours n°173, « L'organisation de la recherche scientifique », H. Laugier, H. Longchambon et L. Zieglé, 76 p.

[34] Nicault et Durand, *Histoire documentaire du CNRS*, pp. 402-403.

Paris), Jean-Georges Rizet (Faculté des sciences de Paris), Jean Sutter et Ernest Tourneur, et pour l'Inra Pierre Charlet, Jacques Poly et Georges Valdeyron.

Par la suite (après que l'action concertée « nutrition » ait été confiée à l'INSERM) est créée une autre action concertée consacrée à la « technologie agricole » dont le comité regroupe aussi plusieurs hommes de l'Inra, tout en accordant une présence à d'autres institutions : Frappart, président (Cour des comptes, directeur du service des alcools), Charles Thibault, vice-président (Inra), Jean-François Breton (directeur général de la FNSEA), Bertrand de Commines (administrateur de la Fédération nationale des CETA), Max Dietlin, secrétaire général de la Fédération nationale des syndicats des industries de l'alimentation, Raymond Février, ingénieur agronome, André Gac, ingénieur du génie rural, Jacques Ronze, chef du service d'études et de synthèses au ministère de l'Agriculture, Jean Trémolières, chef de la section de nutrition de l'Institut national d'hygiène, Roger Ulrich, professeur à la Faculté des sciences de Paris et le secrétariat scientifique est tenu par Jean Daguin, ingénieur agronome. En 1965, une présentation interne de cette action concertée souligne que celle-ci a

> « mis l'accent sur des problèmes scientifiques et techniques situés aux carrefours de la compétence de différents organismes et qui, de ce fait, avaient été délaissés (cultures sous serres – qualité technologie des céréales – technologie alimentaire) ; elle a suscité la collaboration de différents organismes d'État, d'organismes professionnels et de laboratoires industriels privés, qui n'avaient jusqu'ici que des rapports académiques et a engagé par là même certains milieux industriels dans la voie de la recherche (technologie des céréales, conditionnement de la viande) »[35].

La diversité des thèmes traités est très grande et concerne aussi bien la transformation industrielle des produits agricoles, la technologie laitière, l'élevage[36], la valorisation des blés ou les techniques nouvelles de transformation des produits agricoles et de la pêche. Parmi ses actions concertées et sans avoir procédé à un dépouillement systématique[37], il faut remarquer que tous les contrats ne concernaient pas l'Inra : ainsi pour l'année 1969 concernant le comité « technologie agricole », deux contrats sont passés pour l'étude de la congélation industrielle des produits alimentaires, avec le centre d'enseignement et de recherches de bactériologie

[35] DGRST, Fonds de développement, *Les actions concertées, Rapport d'activité,* 1965, p. 481.

[36] Sur les mutations majeures des recherches pour l'élevage, cf. le témoignage de l'ancien chef du département de génétique animale de l'Inra : Vissac, *Les vaches de la République.*

[37] Des recueils annuels sont consacrés aux actions concertées et *Le Progrès scientifique* annonce la plupart des contrats.

de l'Institut Pasteur de Lille, et pour la recherche sur l'amélioration et la diversification des produits de cuisson à base de céréales avec le laboratoire de l'École française de meunerie[38]. Ce point est important car la période montre que l'Inra ne bénéficie en aucune manière d'un monopole sur ces questions mais que les grandes écoles agronomiques et les entreprises privées conservent un rôle dans le domaine de la recherche.

L'étude plus précise du choix de ces thèmes et de l'organisation progressive de ces actions serait à mener pour saisir la manière dont les équipes de l'Inra ont directement travaillé avec la DGRST[39]. Il serait d'ailleurs intéressant de suivre l'évolution de ces actions (dans leurs thématiques et dans les moyens qui leurs sont allouées) au début des années 1970. La DGRST joue aussi un rôle au côté de l'Inra, de l'INSERM et de la profession dans la controverse entourant les huiles de Colza entre 1971 et 1974[40]. L'autre forme de financement encouragée par la DGRST : l'aide au développement[41] a peu concerné les domaines agricoles. Les partenariats avec des entreprises ont concerné principalement les produits laitiers (lyophilisation du yaourt, conditionnement stérile du lait en vrac...). Le système de cette aide voulait que la mise de fonds de l'État corresponde à une mise de fonds équivalente de la part de l'industrie, or l'agro-alimentaire français est encore pour une part dispersé à l'époque.

La tutelle de l'agriculture reste bien sûr l'une des grandes questions pour l'Inra, on a vu rapidement que le ministère avait pu se montrer ombragé du nouveau rôle d'une instance interministérielle de décision dans le domaine de la recherche. Il faut reconnaître aussi que la question du rapport au monde agricole et à ses structures syndicales se pose aussi comme une question délicate pour l'institution scientifique. Raymond Février résume ainsi le problème dans l'ouvrage publié à l'occasion des quarante ans de l'Institut :

> « Contrairement à ce que l'on pouvait penser, *l'ouverture vers le monde agricole*, n'allait pas de soi. L'indifférence de certains fonctionnaires du ministère de l'Agriculture et le scepticisme des dirigeants agricoles – plus que des agriculteurs eux-mêmes – constituaient un barrage qui, certains jours, faisait mal[42].

---

[38] *Le Progrès scientifique,* 129, avril 1969, p. 70.
[39] Les archives de la DGRST sont déposées au Centre des archives contemporaines de Fontainebleau mais la consultation n'a pu en être effectuée pour cette contribution.
[40] Bonneuil et Thomas, *Gènes, pouvoirs et profits*, chapitre 6.
[41] Wacrenier, « Le bilan des dix premières années de la DGRST ».
[42] Février, « Évolution des structures », p. 35. Il est vrai que cette remarque s'applique sans doute davantage à l'expérience difficile de son auteur comme directeur de l'Inra en 1975-

Cette tension ressentie à l'intérieur de l'Inra est aussi vécue du côté du monde agricole. Dans un rapport de synthèse sur la recherche en France rédigé en 1971 pour le Conseil économique et social par le journaliste économique Michel Drancourt, ce dernier se fait l'écho des critiques issus des représentants du monde rural :

> « La profession agricole souhaiterait que, sans nuire à la sérénité des travaux de certains chercheurs, une liaison meilleure soit établie entre l'Inra et les instituts spécialisés chargés du développement. Elle souhaiterait aussi qu'il existe une section plus spécialement opérationnelle, chargée de résoudre rapidement les problèmes agronomiques qui se posent de plus en plus souvent aux praticiens »[43].

Une étude rédigée au Conseil peu de temps auparavant insistait également sur la recherche dans les industries agricoles et alimentaires en rappelant l'importance accordée à l'Inra dans le cadre du Ve Plan[44]. Préparé en accord avec la DGRST ce plan insistait sur le développement d'instituts techniques et sur les liens facilitant le passage des résultats de la recherche à l'application.

Avec le rapport plus précis concernant la recherche agronomique fait au CES en février 1974 (le Conseil s'est saisi lui-même du dossier en décembre 1972), on dispose d'un bilan général de la recherche agronomique pendant depuis 1946[45]. On ne peut présenter ici l'ensemble des conclusions de ce texte qui offre une riche synthèse sur l'histoire de l'Inra et de l'ensemble de la recherche agronomique française. Outre des comparaisons internationales et des remarques sur les statuts des chercheurs (ce dernier point est celui sur lequel le conseil semble s'être le plus divisé), le rapport définit la « spécificité des travaux de l'Inra » comme un « organisme de recherche effectuant une recherche fondamentale orientée »[46]. Il est présenté par Pierre Cormorèche, un représentant de la FNSEA membre du groupe du groupe de l'agriculture et se veut le plus complet possible en insistant par exemple sur le rôle des instituts techniques, de l'Association Nationale pour le Développement Agricole (ANDA) créée en octobre 1966 ou de l'Agence Nationale de Valorisation de la Recherche (ANVAR) créée en 1967. La

---

1976 mais il semble lui donner dans l'ouvrage de 1986 un caractère général qui semble être un trait de longue durée.

43 Drancourt, *La recherche*, p. 169.

44 *Recherche dans les industries agricoles et alimentaires,* étude présentée par la section de l'adaptation à la recherche technique et de l'information économique sur le rapport de Louis Perrin le 3 juillet 1968, document interne au Conseil économique et social.

45 Sur le poids des représentants agricoles au Conseil, on se permet de renvoyer à Chatriot, « La représentation agricole ».

46 Cormorèche, *La recherche, ses besoins, ses ressources*, p. 697.

dimension alimentaire de la recherche agronomique structure une large partie des conclusions du rapport qui s'achève sur le rappel des différents partenaires de l'Inra :

> « Ce caractère de service public reconnu à la recherche agricole et alimentaire implique en contrepartie pour l'Inra d'autres exigences. La définition des orientations de la recherche concerne l'ensemble de la société. L'élaboration des programmes et les résultats des travaux intéressent les agriculteurs, les industriels et les coopérateurs de l'agro-alimentation et l'ensemble des consommateurs. De nouvelles structures et des moyens amplifiés sont indispensables à la recherche car les consommateurs et la société française auront demain l'alimentation et le monde rural qu'ils auront mérités aujourd'hui »[47]

Les éléments rassemblés ici ne permettent pas d'avoir une vue d'ensemble de l'Inra face à toutes les administrations auquel l'Institut était confronté au début des années 60. On constate cependant déjà une série de point. L'Inra est un bon exemple des difficultés de la coordination de la politique scientifique qui est une préoccupation à la fois chez des chercheurs, des hauts fonctionnaires et quelques politiques durant les années 50 et 60. La confrontation à la tutelle du ministère de l'Agriculture comme à celle indirecte mais essentielle du ministère des Finances se fait semble-t-il parfois dans la douleur (le rapport aux Finances peut d'ailleurs être considéré comme difficile pour d'autres organismes de recherche également…). L'action de la DGRST dans cette logique a semblé débloquer certains verrous mais l'agronomie n'a jamais tenu une place de premier plan dans les projets amorcés et aidés par la Délégation et l'effet direct de cette action sur l'évolution de l'agronomie est difficile à évaluer. Ce rôle n'est pour autant pas totalement négligeable et il faudrait à partir des expériences concrètes (en particulier sur le vaste dossier de la nutrition) tenter d'apprécier les synergies nouvelles qui tentent de s'opérer dans la première moitié des années 60. Le moment « gaulliste » d'une politique scientifique s'inscrit certes dans un processus plus large mais semble bien marquer un temps spécifique dans les administrations de la recherche[48]. Dans ce cadre, la question de la coordination de la politique scientifique pourrait aider à mieux apprécier un problème qui concerne aussi bien l'histoire des sciences, l'histoire de l'innovation, l'histoire des entreprises que l'histoire rurale.

---

[47] *Ibid.*, p. 719.

[48] « Le général de Gaulle et la recherche scientifique et technique ».

BIBLIOGRAPHIE ET SOURCES IMPRIMÉES

« La recherche scientifique et technique dans les industries agricoles et alimentaires », *Le Progrès scientifique*, février 1966, n° 93, pp. 2-22.

« Le développement de la recherche agronomique : une nécessité », *Le Progrès scientifique,* 1er septembre 1961, n° 11, pp. 1-4.

« Le général de Gaulle et la recherche scientifique et technique », *Cahiers de la Fondation Charles de Gaulle,* 2003,12.

Bonneuil, C. et Thomas, F., *Gènes, pouvoirs et profits. La recherche publique face aux transformations des régimes de production des savoirs en génétique végétale,* Paris, Quæ-FPH, 2009.

Chatriot, A. et Duclert, V. (eds.), *Le gouvernement de la recherche. Histoire d'un engagement politique, de Pierre Mendès France à Charles de Gaulle (1953-1969),* Paris, La Découverte, 2006.

Chatriot, A., « Les offices en France sous la IIIe République, une réforme incertaine de l'administration », *Revue française d'administration publique,* 2006, 120, pp. 635-650.

—, « La représentation agricole aux conseils économiques (1925-2006) », communication au colloque « Le syndicalisme agricole », SFER, Bordeaux, 26 et 27 avril 2007.

Cranney, J., *Inra, 50 ans d'un organisme de recherche,* Paris, Inra éditions, 1996.

Cépède, M. et Weill, G., *L'agriculture,* Paris, PUF, 1965.

Cormorèche, P., *La recherche dans les secteurs agricoles et alimentaires, Journal officiel de la République française, Avis et rapports du Conseil économique*, 3 avril 1974, n°13, pp. 681-719.

DGRST, *Répertoire national des laboratoires. La recherche agronomique,* Paris, 1969.

Drancour, M., *La recherche, ses besoins, ses ressources, le rôle de l'État, Journal officiel de la République française, Avis et rapports du Conseil économique,* 12 février 1971, n°2, pp. 127-190.

Février, R., « Évolution des structures et des orientations », *40 ans de recherche agronomique 1946-1986,* Paris, Inra, 1986, pp. 21-36.

Masson, P., « Le financement de la sociologie française : les conventions de recherche de la DGRST dans les années soixante », *Genèses,* mars 2006, 62, pp. 110-127.

Muller, P., *Le technocrate et le paysan. Essai sur la politique française de modernisation de l'agriculture, de 1945 à nos jours, Paris,* Les éditions ouvrières, 1984.

Nicault, C.et Durand, V. (dir.), *Histoire documentaire du CNRS,* tome 1, *années 1930-1950,* Paris, CNRS éditions, 2005.

Thibault, C., *Problèmes ayant trait au développement de la connaissance et du progrès technique en agriculture*, *Journal officiel de la République française, Avis et rapports du Conseil économique*, 29 février 1964, n°7, pp. 293-302.

Vissac, B., *Les vaches de la République. Saisons et raisons d'un chercheur citoyen,* Paris, Inra, 2002.

Wacrenier, P., « Le bilan des dix premières années de la DGRST », in A. Chatriot et V. Duclert (eds.), *Le gouvernement de la recherche. Histoire d'un engagement politique, de Pierre Mendès France à Charles de Gaulle (1953-1969),* Paris, La Découverte, 2006, pp. 275-281.

L'INTRODUCTION DU MAÏS HYBRIDE EN FRANCE : UNE TECHNOLOGIE FORDISTE

Frédéric THOMAS[1] et Christophe BONNEUIL[2]

En donnant, à partir de deux lignées pures données, une série d'hybrides, identiques les uns aux autres en première génération, la génétique agricole du 20e siècle a atteint le paroxysme de son ambition à révolutionner l'amélioration des plantes. Dans le cas du maïs, ces hybrides industriels en conquérant le monde ont constitué le moteur de l'essor du capitalisme semencier à l'échelle planétaire et sont devenus une matière première majeure sur un marché agricole global.

L'analyse de la genèse de cette innovation technique voit l'affrontement de deux écritures de l'histoire. Pour la première, l'existence dans la nature d'un phénomène qualifié de vigueur hybride ou d'hétérosis, explique que la « voie hybride » ait supplanté toute autre voie d'amélioration du maïs[3]. La seconde analyse au contraire l'adoption de semences hybrides avant tout comme relevant d'un choix économique, commercial et politique qui oblige l'agriculteur à acheter annuellement sa semence, le rendant par conséquent tributaire des firmes semencières[4]. On observe alors que le capitalisme américain s'est heurté à deux obstacles pour constituer la semence en marchandise globale : premièrement un obstacle biologique (les semences produisent des plantes qui produisent des semences), deuxièmement un obstacle institutionnel (les recherches des Stations d'État limitant le monopole du privé sur l'amélioration des plantes…). L'histoire de

---

[1] Chargé de recherche à l'IRD, UR 105 Savoirs et développement, <thomas@bondy.ird.fr>.

[2] Chargé de recherche au CNRS, Centre Alexandre Koyré de Recherche en Histoire des Sciences et des Techniques et Inra-SenS, <bonneuil@damesme.cnrs.fr>.

[3] Sprague, *Corn and corn improvement*; Bidau, *La Révolution du maïs* ; Crow, « 90 Years Ago ».

[4] Fitzgerald, *The Business of Breeding* ; Kloppenburg, *First the seed.*

l'amélioration du maïs au 20e siècle devient alors la chronique des efforts des industries privées pour contourner ces deux obstacles.

En France, l'affrontement de ces deux thèses se joue au sein de l'Inra entre plusieurs généticiens[5] et l'économiste Jean-Pierre Berlan qui a fait sa thèse sur l'économie politique de la genèse du maïs hybride aux États-Unis[6]. Ce dernier pointe la nature performative des choix de recherche, en montrant qu'à force d'investir dans la « voie hybride », on est arrivé à un verrouillage (lock-in) technologique par lequel les innovations hybrides sont aujourd'hui les plus productives. Il voit même dans l'hétérosis un pur artefact de l'investissement de la recherche dans les hybrides. Jean-Pierre Berlan affirme que l'intérêt des hybrides ne vient pas de l'hétérosis en F1, mais de la dépression consanguine en F2. En réponse, André Gallais, s'est employé à démontrer que l'hybride industriel est la meilleure voie d'amélioration du maïs tant du point de vue de la supériorité des rendements que de la gestion de la variabilité et quelle que soit l'hypothèse retenue pour expliquer l'hétérosis (dominance des allèles favorables ou superdominance)[7]. Cependant, dans le même article, Gallais reconnaît que dans un programme bien conduit de « sélection récurrente », la supériorité des hybrides F1 diminue avec le temps par rapport aux meilleures variétés populations qui pourraient être tirées d'un tel programme. À l'échelle de 50 ans, avec un effort public d'amélioration des populations, l'avantage du gain de productivité des hybrides par rapport au coût de la semence serait-il alors moins évident ?

Cette controverse reste ouverte, mais au delà de ses aspects techniques attachons nous à en saisir les enjeux historiographiques. On peut qualifier la première lecture de l'histoire du maïs hybride d'« internaliste » car elle cherche l'explication du succès d'une technique dans son adéquation avec la nature elle-même. La seconde se rattache à la perspective constructiviste des études sociales des sciences en ce qu'elle analyse au contraire l'innovation « hybride F1 » comme la matérialisation des intérêts et imaginaires des acteurs du moment, comme une construction sociale et culturelle d'un temps et d'une société donnés.

Si la conception internaliste de l'histoire des sciences et des techniques, même enrichie par l'historicisation des conditions d'émergence des approches de sélection récurrentes, présente bien des défauts, une limite symétrique que l'on peut adresser à la thèse de Jean-Pierre Berlan est de

---

[5] Cauderon, « Génétique, sélection et expansion du maïs » ; Gallais, « Les variétés hybrides sont-elles justifiées ? » ; Charcosset, « Le fait hybride ».

[6] Berlan, *Recherches sur l'économie politique* ; Berlan, « Du coût de faire de la 'vie' une marchandise »,; Berlan, « Quelle politique semencière ? ».

[7] Gallais, « Les variétés hybrides sont-elles justifiées ? »

participer d'une vision trop téléologique de l'histoire, en faisant de l'intervention de la recherche publique en amélioration des plantes une étape nécessaire, et préméditée, pour retirer aux paysans leur savoir-faire d'améliorateurs dans le seul but de les livrer pieds et poings liés au secteur privé. Ayant accompli sa « tâche historique » de marchandisation de la semence au service du capital, la recherche publique n'avait ensuite plus qu'à lui abandonner la création variétale une fois celle-ci devenue une activité profitable en soi[8]. Cette reconstruction *a posteriori* offre l'avantage de susciter le débat sur l'appropriation du vivant par des oligopoles industriels et d'offrir une explication pertinente au reflux de la recherche publique de l'innovation variétale (dans les années 1940-1960, aux États-Unis, et dans les années 1968-2007 en France). Mais ne présente-t-elle pas un danger d'anachronisme, en étant trop peu attentive aux actions et raisons des acteurs en situation au sortir de la seconde guerre mondiale ? On ne saurait comprendre les choix faits autour de l'adoption de la technologie hybride en France sans une solide exploration empirique des logiques et des imaginaires des acteurs en présence, dans le contexte de la « modernisation » de l'agriculture. Si ce travail empirique a été mené dans le cas américain, il restait à faire pour le cas français, négligé aussi bien par les protagonistes de la querelle évoquée ci-dessus que par les historiens. La thèse du géographe Serge Lerat s'attarde longuement sur les effets des hybrides dans la géographie des pays de l'Adour[9]. Il existe aussi des travaux de sociologie rurale autour des déterminants de l'adoption des hybrides par les agriculteurs[10], ainsi que des travaux d'anthropologie[11], mais il n'existe pas encore de travaux historiques examinant la construction sociale du choix hybride en France à partir de la diversité des sources aujourd'hui disponibles : entretiens avec des acteurs de l'époque, littérature scientifique et agricole publiée, fonds d'archives (versements des services agricoles départementaux dans les archives départementales, Archives du Ministère de l'Agriculture à Paris ou Fontainebleau, archives de la section maïs du CTPS au Geves). C'est précisément à cette tâche que s'attelle cet article. La configuration française dans les années 50 et 60 était différente de celle des États-Unis de l'Entre-deux-guerres. Les acteurs savaient déjà que ces variétés sont chères à produire, qu'elles contraignent l'agriculteur à acheter annuellement sa semence, à mécaniser son exploitation et à consommer beaucoup plus d'intrants. En dépit de bien d'autres obstacles encore, l'Inra choisit cette voie. Pourquoi ?

---

[8] Berlan, « Recherche agronomique. Signe particulier », p. 20.
[9] Lerat, « L'introduction du maïs hybride dans les pays de l'Adour »
[10] Papoz, « Enquête pilote » ; Mendras, *La fin des paysans.*
[11] Carraretto, *Histoire du maïs.*

Plutôt que de chercher l'explication dans les stratégies de profitabilité de compagnies semencières (alors quasi-inexistantes en France sur cette espèce), nous le situerons dans les logiques planistes, colbertistes, fordistes et productivistes de l'après-guerre, ainsi que dans la fascination pour le modèle américain tout en voulant protéger le pays de la pénétration des firmes semencières américaines. En effet, les variétés de maïs hybrides qui dominent le marché semencier et conquièrent les campagnes françaises dans les années 1950 et 1960 ne sont pas commercialisées par des firmes américaines mais par l'Inra, au terme d'une mobilisation d'une vaste réseau d'acteurs autour d'un grand objectif national aux multiples facettes : façonner le vivant en formes stables et fixes pour simplifier la gouvernance sectorielle et centralisée des flux génétiques des laboratoires aux champs, intensifier l'élevage de certaines régions et spécialiser quelques autres régions dans la production de semences, assurer (pour deux décennies du moins) l'indépendance de la France vis-à-vis des semences et de la technologie américaines, etc.

La première partie, centrée sur le contexte français de l'après-guerre et de la reconstruction, montre que les maïs hybrides sont apparus aux yeux des phytogénéticiens de l'État comme un objet expérimental pratique et comme un puissant outil de standardisation des cultures répondant à la fois aux objectifs de modernisation et au paradigme de la variété DHS (distincte, homogène et stable) de la réglementation française. La deuxième partie retrace l'histoire de l'édification de la filière de semence de maïs hybrides, en montrant que celle-ci se construit sur une alliance étatico-corporatiste entre généticiens de l'Inra et petites coopératives, bien moins fondée sur la logique marchande d'exploitation de la dissociation des caractères en F2 des hybrides industriels, que sur la recherche de l'indépendance nationale semencière. Nous revenons enfin, en troisième partie, sur l'amélioration du maïs par voie population (sélection récurrente pour l'obtention de variétés synthétiques) voie abandonnée, voire rejetée, par l'Inra, principalement parce qu'elles ne répondaient pas à la vision industrielle de la modernisation agricole de la période.

LES HYBRIDES F1 DANS LE PARADIGME VARIÉTAL FIXISTE ET LE MODÈLE AGRICOLE PRODUCTIVISTE-FORDISTE D'APRÈS-GUERRE

Au premier congrès international du maïs, réuni à Pau en 1930, seul un propriétaire agricole du Tarn mentionne la révolution hybride qui se préparait dans la recherche américaine et aucun des chercheurs et sélectionneurs présents ne semble en prendre la mesure[12]. En 1949, les maïs hybrides sont les vedettes du deuxième congrès international du Maïs, à Pau toujours[13]. L'organisation du secteur semences et variétés sous Vichy, les impératifs de « modernisation » de l'agriculture d'après guerre, le modèle américain, la Planification, l'aide Marshall, et la création de l'Inra sont à l'origine d'un renversement total de perspective tant sur la place du maïs dans l'agriculture hexagonale que sur la voie royale de son amélioration génétique.

La création d'un Institut national de recherche agronomique indépendant du CNRS marque en 1946 la victoire d'un petit cercle d'ingénieurs phytogénéticiens autour de Charles Crépin et de Jean Bustarret, porteurs d'une vision finalisée de la recherche directement en prise avec les politiques publiques de transformation de l'agriculture. Ces phytogénéticiens mettent en avant dans les commissions du Plan le « progrès génétique » comme le levier le plus efficace pour relever rapidement la production agricole française. Bustarret, qui prend la tête du secteur végétal de l'Institut, avant d'en assumer plus tard la direction, affirme ainsi :

> « Le matériel idéal pour toute étude génétique, biologique ou agronomique est évidemment constitué par la lignée pure, en raison de sa stabilité intrinsèque, dans l'espace et dans le temps, et de la possibilité qu'elle offre, par conséquent, d'éliminer, dans les expériences, le facteur "hétérogénéité du matériel végétal" »[14].

Les lignées pures, issues de l'autofécondation à partir d'un seul individu pendant plusieurs générations (et constituées de plantes dont les génomes sont quasi-identiques, à l'instar des clones) constituent donc des objets et outils de recherche en laboratoire et en station. À la manière d'un réactif chimique pur, réagissant toujours de la même façon aux mêmes causes, les lignées pures permettent de raisonner sur le mode analytique et expérimental du « toutes choses étant égales par ailleurs » en effaçant les variations liées à l'hérédité, pour mieux les distinguer des facteurs « environnementaux » et

---

[12] Guyonnet et Penic, *Premier congrès international du Maïs.*
[13] *Compte-rendu du deuxième Congrès International du Maïs.*
[14] Bustarret, « Variétés et variations », p. 362.

étudier les effets propres de ces autres facteurs (climat, engrais, travail du sol, date et densité des semis, leur densité, etc.)[15].

Si l'hybride F1 ne représente sans doute pas pour Bustarret le matériel génétique idéal que représentent les lignées pures, il ne montre pas plus de fluctuation phénotypique que les lignées pures[16], et permet de plier les plantes allogames aux exigences d'exactitude de l'expérimentation génétique et agronomique du milieu du 20e siècle. Dans son article « Variétés et variations », dans lequel Bustarret synthétise ce qui sera le paradigme de toute une génération de chercheurs de l'Inra en matière de représentation de la variété et du vivant, assimile clairement de ce point de vue les hybrides F1 aux lignées-pures :

> « ces F1 représentent un type de variété tout à fait particulier qu'il faut reconstituer chaque année. Une telle variété F1 a de nombreux points communs avec une lignée pure. Tous les individus qui la composent [...] ont en effet la même constitution génétique et, cultivés dans un milieu suffisamment homogène, le même aspect phénotypique »[17].

En somme, pour Bustarret et cette génération de phytogénéticiens, l'intérêt des hybrides réside dans le fait qu'ils tirent les espèces allogames vers le modèle de sélection lignée pure des autogames, participent d'un même paradigme fixiste du vivant cultivé et de mêmes normes de scientificité dans l'expérimentation agronomique multifactorielle[18].

À cette première explication, « de laboratoire », vient s'en ajouter une deuxième quasiment indissociable : sous la forme de semences certifiées diffusées à grande échelle aux agriculteurs, ce « matériel génétique idéal » produit une uniformisation des cultures, des produits, des marchés. La voie hybride permet de soumettre les cultures de plantes allogames comme le maïs à la même uniformisation des phénotypes cultivés que ne le permet la voie généalogique ou « lignée pure » pour les cultures de plantes autogames comme le blé.

Gilles Allaire, analysant le modèle productiviste agricole et agro-alimentaire des décennies d'après-guerre, en fait une variante du modèle « fordiste » dans le secteur industriel[19]. Ce modèle se caractérise par l'alignement des cadres de pensée de l'agriculture sur les principes de justification de la pensée industrielle : efficacité, gros volumes de

---

15 Johannsen, *Über Erblichkeit* ; Bustarret, « Variétés et variations »

16 Observation déjà faite par Johannsen et Shull en 1906.

17 Bustarret, « Variétés et variations », p. 351.

18 Ce point est largement développé dans notre ouvrage : Bonneuil et Thomas, *Gènes, pouvoirs et profits.*

19 Allaire, « Émergence d'un nouveau système productif en agriculture »

production, économies d'échelle sur des production de masse de qualité standard, standardisation des pièces, décomposition des étapes de production, prévisibilité, stabilité de performances élevées, etc.

Les choix de recherche et d'innovation variétale des chercheurs de l'Inra s'intègreront parfaitement dans cette logique. D'une part, l'obtention de variétés homogènes qui soient diffusées sur de vastes surfaces est vue comme hautement souhaitable afin de permettre la prescription d'itinéraires techniques productivistes simples et standard conçus par les chercheurs et diffusés par les services de vulgarisation et organes professionnels. Comme le dit Pierre Jonard, alors responsable de l'amélioration des céréales à paille à la Station d'amélioration des plantes de l'Inra à Versailles,

> « L'avantage de la variété stable est la possibilité d'en fixer théoriquement une fois pour toutes les réactions au milieu, aux techniques culturales et, par voie de conséquence, d'en obtenir le rendement maximum »[20].

D'autre part, la diffusion de variétés sélectionnées pour valoriser les intrants chimiques (la valorisation de l'azote par la rigidité des pailles et le nanisme) et mécaniques (la synchronisation de la maturation par l'homogénéité variétale favorisant la mécanisation des récoltes) servira de cheval de Troie à une transformation plus large des itinéraires techniques, ce que le sociologue Henri Mendras avait bien analysé dès 1967[21].

L'uniformisation des phénotypes cultivés va ainsi permettre la croissance des industries agro-chimiques grâce à l'augmentation de la consommation d'engrais et d'intrants phytosanitaires, ainsi que le machinisme agricole par la mécanisation de la récolte qu'elle induit. Ce type variétal va aussi assurer le développement d'un secteur semencier par la division fordiste du travail qu'elle permet d'établir entre obtenteurs de variétés, producteurs de semences et simples utilisateurs. Il va encore participer à l'édification d'une nouvelle stratification politique et sociale dans les campagnes basée, non plus seulement sur la propriété foncière, mais aussi sur une maîtrise des nouvelles techniques passant par l'enseignement agricole et l'entrée dans l'exploitation du conseiller agricole[22]. Les lignées pures et les hybrides F1 constituent, en raccourci, un des fleurons des technologies d'intégration du secteur agricole aux secteurs industriel et bancaire, et plus généralement à l'économie nationale, voulue par les gouvernements successifs de la IVe et de la Ve République et dont l'Inra assure l'orchestration techno-scientifique.

---

[20] Jonard, « Commentaires sur la législation », p. 209.
[21] Mendras, *La fin des paysans.*
[22] Gervais, Jollivet, Tavernier, *Histoire de la France rurale.* pp. 600-605.

Outre une façon de faire preuve et un modèle de production (fordiste-productiviste), c'est aussi le choix d'un certain mode de gouvernement des flux génétiques des pépinières de sélection aux champs des agriculteurs qui explique le choix hybride pour le maïs comme analogue du choix lignée pure pour d'autres espèces. C'est la naissance de la semence et de la variété comme objet de politique publique, comme affaire d'un État phytogénéticien chef d'orchestre des flux génétiques[23]. Pour devenir objet d'intervention modernisatrice, la semence et la variété devaient cesser de circuler dans un réseau distribué complexe constitué de nombreuses boucles d'auto-reproduction à la ferme et de relations d'échange et de ventes, mal connues de l'appareil de connaissance étatique. À ce réseau distribué complexe et opaque à l'État, il fallait substituer un système panoptique et centralisé : collecte, inventaire et étude de lots de semences à la faveur de réglementations sur la qualité des semences depuis la fin du 19e siècle, fixation sectorielle centrale des normes de qualité des variétés avant mise sur le marché dans les sections par espèce du Comité Technique Permanent de la Sélection créé en 1942, interdiction d'échange de semences issues de variétés non inscrites au Catalogue officiel des variétés depuis 1949, élimination progressive des variétés de pays de ce Catalogue, construction de statistiques départementales et nationales sur les variétés en usage. La division du travail entre obtenteurs de lignées pures ou F1, multiplicateurs et agriculteurs-usagers et la simplification du paysage variétal doivent permettre un pilotage central par l'État phytogénéticien (pilotage partagé dès Vichy avec les professionnels des semences dans une dynamique où dirigisme et corporatisme se renforcent plus qu'ils ne s'opposent) des flux génétiques. Michel Foucault a dénommé « bio-politique » toutes les techniques de gouvernement (statistique, démographie, hygiénisme...) qui émergent avec le 18e siècle et qui agissent sur les individus en temps qu'éléments d'une population et non comme sujets pris dans une chaîne de hiérarchie et de relations domestiques. Avec ce pilotage étatico-corporatiste du flux variétal privilégiant les meilleures variétés distinctes homogènes et stables, on voit émerger dans la gestion du vivant végétal ce même type de gouvernementalité. Dans l'État eugéniste du milieu du 20e siècle comme dans État phytogénéticien, et bientôt dans l'État zoogénéticien en quête de la « vache nouvelle »[24], on assiste bien à une nouvelle étape de ce que Foucault analysait comme « *l'étatisation du biologique* »[25].

---

23 Cf. Bonneuil et Thomas (ce volume) et Bonneuil et Thomas *Gènes, pouvoirs et profits*.
24 Vissac, *Les vaches de la République*.
25 Foucault, *Il faut défendre la société*, p. 213.

LE SUCCÈS D'UNE VOIE HYBRIDE À LA FRANÇAISE

Pour vérifier notre hypothèse selon laquelle la victoire de la voie hybride en France doit moins à une logique de privatisation du vivant au profit d'entreprises semencières (comme aux États-Unis) qu'à un mode particulier d'administration de la preuve expérimentale, un modèle fordiste-productiviste de production et une biopolitique du vivant agricole, il nous faut à présent suivre de la construction de la filière maïs semence car elle fait émerger une quatrième valeur d'usage importante des hybrides industriels : la cogestion entre État phytogénéticien (modèle colbertiste) et profession (modèle corporatiste) de l'input variétal qu'ils permettent de mettre en place.

Le Plan Monnet prévoit, entre 1948 et 1952, une progression des surfaces de maïs, grain et fourrage confondus, de 300 000 à 372 000 ha, et une hausse de la production de 4,7 millions à 7,2 millions de quintaux, soit une hausse des rendements moyens de 15 à 20 qx/ha. Un véritable défi ! Le choix de cultiver des hybrides n'est toutefois pas encore arrêté avant la fin des années 1940. Il n'a en fait rien d'évident. Luc Alabouvette, spécialiste de la sélection du maïs à l'ENSA de Montpellier, bien que séduit par les hybrides lors d'une mission dans la corn-belt, doute que le modèle américain puisse être importé en France :

> « Les Américains ont mis au point un matériel et des méthodes de cultures qui éliminent à peu près complètement le travail à la main. Reste à savoir dans quelle mesure ce matériel et ces méthodes sont utilisables chez nous avec une propriété très morcelée »[26].

Si les hybrides américains semblent pouvoir contribuer à l'augmentation des rendements et à la mécanisation des exploitations, ils posent aussi le problème de la dépendance technologique et commerciale à l'égard des États-Unis. Dès 1946, en effet pour assurer la production de 400 000 quintaux de maïs fourrage pour l'élevage laitier de l'Ouest de la France, la Direction de la Production du Ministère de l'Agriculture, et l'Office National Interprofessionnel des Céréales (ONIC) organisent l'importation annuelle de 150 000 quintaux de semence de maïs fourrage, principalement en provenance d'Amérique du Nord et d'Europe Centrale. Ces achats seront rendus possibles par les financements du Plan Marshall. Les semenciers américains entendent alors s'ouvrir un nouveau marché en Europe. En 1947, la FAO distribue pour expérimentation des lignées et hybrides américains aux stations publiques de 19 pays dont la France. En 1949, l'United Growers

[26] Alabouvette, « L'avenir de la culture du maïs », p. 244.

Association de l'Iowa fait de même en organisant la distribution gratuite de 2 tonnes de semences à une centaine de coopératives françaises, ce qui lui permet l'année suivante d'écouler 200 tonnes de semences de maïs hybride pour fourrage dans le cadre de l'aide Marshall. Mille tonnes de semence d'hybrides américains sont en tout importées en 1950, au prix de 110 $ la tonne au Havre. Le Plan Marshall prévoyait en outre un crédit de 400 000 $ pour l'achat d'hybrides pour la campagne 1951[27].

Cette dépendance naissante cadre mal avec l'objectif d'autosuffisance que se donnent les planificateurs. Les chercheurs de l'Inra, certains responsables du Ministère et les dirigeants de la filière regroupés dans l'Association Générale des Producteurs de Maïs (AGPM) se mobilisent. Braconnier, futur directeur de l'Inra, affirme en 1946 que la France doit produire ses semences de maïs, particulièrement, celles de maïs fourrage[28]. Alabouvette estime aussi que, plutôt que d'importer, il faut que « les régions méridionales produisent les semences des variétés septentrionales » ; il juge même souhaitable de « spécialiser quelques régions dans la production de semences de maïs fourrage »[29]. De son côté, la filière de production du Sud-Ouest basée sur la multiplication de variétés populations, se plaint en 1949 de devoir vendre ses semences au prix du maïs grain tant les semences hybrides étrangères les concurrencent[30].

Ces positions influencent le débat sur l'introduction des hybrides. Vouloir cultiver au plus vite des maïs hybrides impliquerait en effet d'importer les semences des États-Unis et compromettre l'émergence d'une filière semence dans le Sud-Ouest, filière dans laquelle les planistes voyaient le moteur de la « modernisation » de cette région d'agriculture traditionnelle. Dans un rapport remis à la sous-commission « céréales » du Plan, Alabouvette milite en faveur de la constitution d'une filière de semences française à partir des variétés populations déjà améliorées à la station Inra de Saint-Martin-de-

---

27 Archives Nationales (on notera AN) CAC 870238/41 Maïs hybrides de 1949-54. La totalité de ce crédit ne sera pas utilisée.

28 AN, F^{10} 5270, Agriculture Vichy, dossier maïs 1946-1949. Braconnier « Production de semences de maïs fourrage », Circulaire du 13 septembre 1946.

29 AN, F^{10} 5270, Agriculture Vichy, dossier maïs 1946-1949. Rapport de Luc Alabouvette, « La culture du maïs en vue de la production de semences de maïs fourrage », 13 mai 1946.

30 AN F^{10} 5270, Dossier : Maïs 1946-49, Directeur des Services Agricoles des Landes (Renaud) « rapport sur la commission des maïs de semence en 1949 » (16 juillet 49) ; ANCAC 870238/41, Fonds de la Direction de la Production et des Marchés, Maïs hybrides de 1949 à 1954, Sous-dossier Importation de semences de maïs d'USA, sous-dossier : Importation de maïs hybrides d'USA, Lettre du secrétaire générale du Groupement national interprofessionnel de production et d'utilisation des semences, graines et plants à M. Imbaud, sous-directeur de la production agricole au Ministère, le 9 mai 1951 & Lettre de M. Bidau, président de la AGPM, à P. Protin, directeur de la production agricole, le 4 mai 1951.

Hinx, dont il attend des rendements de 40 quintaux à l'hectare, et ajoute que « l'amélioration des variétés est moins urgente que l'amélioration des techniques culturales »[31]. Sans rejeter les hybrides américains, il estime prioritaire de « rechercher les meilleures « souches » françaises en vue de la fourniture des semences aux coopératives »[32]. La priorité du moment, c'est donc d'amorcer la pompe d'une filière semence avec des variétés populations tout en mobilisant les chercheurs de l'Inra vers la quête d'une voie hybride d'obtention française. Dans une lettre de fin 1948 à la Direction de la production du Ministère, Jean Bustarret trace le programme de ces efforts vers l'indépendance nationale. Il propose dans un premier temps, d'importer des hybrides américains mais en privilégiant ceux issus des Stations publiques sur ceux des entreprises privées. Ensuite, il estime qu'il sera bientôt « possible de réaliser des hybrides français et franco-américains [...] mieux adaptés encore aux conditions climatiques françaises et donnant des grains dont le type se rapprocherait davantage de celui des maïs de notre pays »[33].

Le travail de l'Inra consiste donc d'une part à expérimenter les variétés américaines en privilégiant l'introduction des hybrides des Stations de l'USDA comme les Wisconsin et les Iowa. Les essais ajustent la date des semis selon les conditions climatiques régionales, le nombre de jours de maturité, les doses d'engrais azotés, de fumures, la densité de semis, les besoins en désherbage, et mesurent les rendements. En retour ces nouvelles variétés hybrides sont aussi un formidable matériel pour améliorer, les protocoles des essais randomisés et multilocaux encore relativement jeunes à l'Institut.

Les chercheurs s'activent aussi à la collecte et l'inventaire des populations de pays dans le but de créer des lignées pures françaises avec de fortes aptitudes au croisement avec les lignées publiques américaines. On réunit ainsi une quarantaine de populations précoces venant des Pyrénées, du sud du Massif Central et aussi de l'Aisne et du Pas-de-Calais. L'accent est mis sur la diffusion des maïs hybrides vers les régions septentrionales en vue de la fourniture de maïs fourrage, s'intégrant à l'objectif de la bataille du lait. Parmi ces populations de pays, deux lignées précoces vont être tirées par André Cauderon à Versailles d'une variété issue d'une sélection paysanne recueillie dans le Tarn[34]. Ce sont les « célèbres » lignées F2 et F7, parentes de presque tous les maïs hybrides commercialisées jusque dans les années 80. En 1951, l'aptitude à la combinaison de ces lignées est testée avec des

---

[31] *Ibid.* AN, F^{10} 5270.

[32] *Ibid.* AN, F^{10} 5270.

[33] AN, F^{10} 5270, Agriculture Vichy, dossier maïs 1946-1949. Bustarret à Protin, 21 déc. 1948.

[34] Cauderon, « Génétique, sélection et expansion du maïs »

lignées américaines ce qui permet aussi de déterminer les lignées américaines les plus intéressantes ; il s'agit des lignées H et J, deux des quatre lignées de W 255. Lascols et Cauderon sont ainsi très rapidement sur la piste de la formule Inra 200 [(F7 x F2) x (H x J)] inscrite au catalogue en 1957. Inra 200 apporte en moyenne 16% de rendement de plus que W 240, tout en étant nettement plus résistant au froid. Un an plus tard c'est l'arrivée d'Inra 258 [(F115 x W33) x (F7 x EP1)] dont la supériorité des rendements par rapport à W 255 est du même ordre. En 1970, avec Inra 258 et d'autres obtentions, l'Inra détient près de 70% du marché variétal maïs en France. Ces obtentions sont issues de lignées « publiques » (les lignées parentes américaines sont issues gratuitement des stations publiques) et sont mises à disposition de tous les multiplicateurs ou coopératives de semences qui en font la demande.

L'Inra et Alabouvette (qui est professeur à l'ENSAM mais dirige une équipe Inra à Montpellier) jouent également un rôle clé dans l'édification de la filière de production de semences de maïs[35]. On l'a vu, celle-ci se structure initialement, sur le conseil d'Alabouvette, sur la multiplication de variétés populations comme le *Grand Roux Basque*, variété de pays améliorée à la station de Saint Martin de Hinx, afin d'organiser les producteurs de semences sans les rendre dépendant des lignées américaines[36]. En appuyant l'AGPM et les coopératives du Sud-Ouest de la France, notamment la CACBA (ancêtre de l'actuel groupe Pau Euralis), l'Inra, l'ONIC et le Ministère de l'agriculture font le choix de soutenir le mouvement coopératif agricole en évitant l'entrée dans le secteur semences de maïs d'opérateurs privés, américains ou français. Bustarret et Alabouvette appuient aussi, en apportant encouragement, conseils techniques sur l'organisation de la production et conseils juridiques sur les statuts, la création en janvier 1950 par les coopératives et l'AGPM d'un syndicat national de producteurs, la Fédération Nationale des Producteurs de Semences de Maïs (FNPSM). L'ONIC joue un rôle central dans la collecte et la distribution des semences. Créé en 1936 par le Front populaire sous le nom d'Office du blé et reconduit dans sa fonction sous Vichy, c'est un organisme d'intervention sur les marchés des céréales visant la stabilisation des prix et une juste rémunération des producteurs afin de permettre aux maïsiculteurs d'investir et de se moderniser. De 1950 à 1951, l'ONIC détient le monopole de l'importation de semences de maïs hybride des États-Unis, et assure la distribution de ces semences département par département, meilleur moyen de limiter la

[35] Alabouvette, « Comment organiser la production » ; Alabouvette, « Organisation de la production ».
[36] Piat, « L'amélioration du maïs » ; Alabouvette, « L'avenir de la culture du maïs ».

pénétration commerciale des hybrides privés américains[37]. Enfin, le CTPS est également un organisme semi public de régulation du marché variétal qui discrimine les variétés qui peuvent être commercialisées de celles qui ne le sont pas. Son rôle est d'accompagner la filière française en faisant évoluer les règlements techniques d'inscription des variétés de maïs en fonction des capacités des producteurs de semences.

Au total, les dynamiques professionnelles (AGPM, coopératives et syndicats départementaux, FNPSM) se développent à l'abri d'un régime d'action très administré : on retrouve le couplage entre colbertisme et corporatisme qui caractérise toute l'organisation de l'agriculture après guerre[38]. Les coopératives bénéficient de nombreuses aides, les producteurs de semence sont encadrés par les services agricoles départementaux, l'ONIC contient les importations et distribue les primes aux producteurs de semences ; et les chercheurs l'Inra, notamment via le CTPS, définissent les règlements techniques et les normes de production des semences. Jusqu'à la fin des années 1960, la filière semence de maïs est constituée de coopératives encore modestes qui sont encore très loin des logiques des firmes multinationales américaines de l'époque comme Pioneer, Dekalb ou Funk nées aux États-Unis pour exploiter la technologie hybride dans des logiques marchandes beaucoup plus affirmées. Lorsque l'Inra commence à inscrire ses premiers hybrides au catalogue, ces coopératives (et quelques maisons de sélection privées) créent une société en 1959, la Société des Semences de Base de Maïs (SSBM, ancêtre de l'actuelle FRASEMA), chargée de la commercialisation des semences de base des lignées Inra, la FNPSM prenant en charge la répartition de leur programme de multiplication des lignées Inra entre les membres de la Société[39].

La figure 1 permet de mieux se représenter ce cadre très administré sur lequel repose la filière de production de variétés et de semences hybrides. Profitant du Plan Marshall, l'administration (du Ministère aux départements en passant par le Commissariat au plan), organise les plans de production et planifie l'importation des semences américaines pour une profession encore peu organisée. La distribution des rôles entre les différents acteurs est bien définie, elle répond à une planification du rôle de chacun défini par la Direction de la production du Ministère dès le Congrès de Pau de 1949 :

- à l'Inra la recherche de lignées aptes à la combinaison et l'obtention des meilleures variétés,

---

[37] ANCAC 870238/41, Maïs hybrides, 1949-54.

[38] Bonneuil et Thomas, dans ce volume.

[39] Bidau, *La Révolution du maïs*.

Figure 1. Organisation administrée de la filière maïs semences

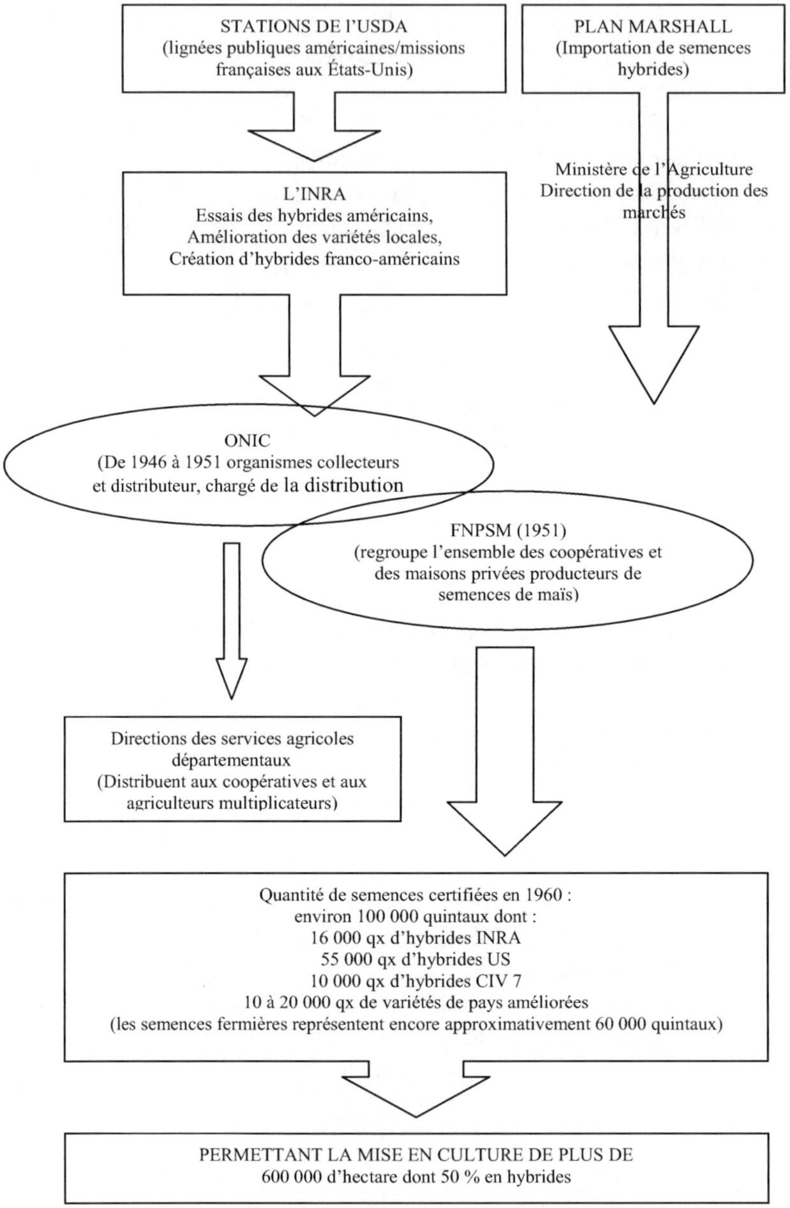

- à la FNPSM la répartition des programmes de multiplication des variétés et des lignées de l'Inra entre les coopératives et les entreprises privées, et l'organisation du contrôle technique de la production de semences,

- aux coopératives l'organisation d'un réseau d'agriculteurs-multiplicateurs et la formation technique de ces agriculteurs,

- à la Commission officielle de contrôle des semences de maïs (COC) créée en 1950[40], l'élaboration et l'actualisation des règles de multiplication, et l'accréditation des professionnels.

Il apparaît bien sûr dans ce schéma, dans les instances de régulation semi-publiques qui prennent corps, que l'État phytogénéticien organise la fermeture de la profession, construit la défense des intérêts coopératifs autour d'un Inra qui est la clé de voûte du dispositif car il est le seul à détenir l'ensemble de la partition et à maîtriser la technologie d'obtention d'hybrides. Il est par conséquent le donneur d'ordre. Il s'adresse à une filière toute neuve, certes enthousiaste pour diffuser les innovations du public, diligente à prodiguer les normes de multiplication prescrites par l'obtenteur public, et toute disposée à s'approprier de nouveaux savoir-faire, mais totalement dépendante de lui et cantonnée jusqu'au milieu des années 1960 à l'activité de multiplication de semences.

Enfin, l'Inra organise activement, à la plus grande satisfaction de la filière spécialisée semence qui s'affirme, l'élimination des variétés de pays de la carte de France à présent vues comme des obstacles au progrès. En voici les principales étapes dans le cas du maïs. En 1937, une première liste des variétés de maïs avait été établie au Catalogue Officiel des Variétés pour autoriser le commerce de semence de maïs fourrage[41]. Il s'agissait de ne pas livrer n'importe quoi sous l'étiquette de semence maïs fourrage. En 1949 cette liste est révisée : huit variétés sont radiées comme n'étant pas assez homogènes, sept nouvelles sont inscrites correspondant, selon les responsables du catalogue, à des variétés mieux fixées comme *Étoile de Normandie*, mais cette première radiation épargne encore plusieurs variétés de pays comme le *Grand Roux Basque*[42]. Signe de réticences et d'une

---

[40] Arrêté du 22 juin 1950 (*JORF* 18 juillet 1950, 7722). La COC rend obligatoire l'adhésion à un syndicat de producteurs de semences membre de la FNPSM pour exercer l'activité de multiplicateur de semences.

[41] Décret du 7 avril 1937.

[42] Restent alors inscrites, outre le *Grand Roux Basque,* les variétés suivantes : *Doré des Landes, Jaune hâtif d'Auxonne, Jaune d'Alsace.* Les nouvelles variétés sont : *Étoile de Normandie, Roux de Chalosse, Maïs de Tarbes, Maïs de Pouyastruc, Doré de Gomer, Millette du Lauragais, Millette de Finhan.*

politique protectionniste, les premiers hybrides américains (essentiellement des Wisconsin et des Iowa) n'entrent dans le Catalogue officiel qu'en 1951, bien qu'ils aient été déjà diffusés dès 1947. En 1956, la commission maïs supprime les variétés populations du catalogue, à l'exception d'*Étoile de Normandie* et de *Millette de Finhan*[43]. Ces deux dernières disparaîtront à leur tour leur de la réforme du catalogue en 1960[44]. L'élimination planifiée des variétés populations n'est bien sûr pas un trait spécifique aux hybrides F1, on retrouve ce phénomène à la même époque pour le blé par exemple, en faveur des lignées pures. Schribaux, le créateur de la Station d'Essais de Semences en 1884 et maître de Crépin et Bustarret, estimait ainsi qu'« il faut pratiquer des coupes sombres dans la masse des anciennes variétés »[45]. La réduction du paysage variétal à quelques variétés recommandées par région après expérimentation systématique constituait l'enjeu majeur de la constitution des semences et variétés comme objet de science et de politique publique. Mais précisément, on voit bien ici, comment les hybrides amènent le maïs dans la norme réglementaire DHS, dans le paradigme fixiste de la variété et dans le modèle fordiste-productiviste de développement agricole. Ce type variétal permet en effet le contrôle de l'input variétal du laboratoire au champ par un État entrepreneur de « progrès génétique », et par conséquent l'extension du mouvement d'uniformisation des phénotypes auquel les plantes allogames avaient échappé jusqu'ici.

La politique ainsi mise en oeuvre s'avère d'une redoutable efficacité. Entre 1949 et 1958, les surfaces en maïs grain doublent (de 309 000 à 590 000 ha), le rendement aussi (de 14 à 28 qx/ha) et la production quadruple, passant de 4 millions de quintaux à plus de 16 millions de quintaux (Figure 2). L'année suivante, la France devient pour la première fois exportatrice de maïs. Quand aux variétés hybrides de l'Inra, elles conquièrent le marché intérieur au cours des années 1960 en supplantant les variétés publiques américaines et les variétés de pays. Ce ne sera que dans les années 1970 que les firmes américaines (notamment Pioneer) conquérront le marché français et amèneront l'Inra à soutenir des « champions français » comme la coopérative Limagrain qui deviendra un géant mondial… mais c'est là une autre phase de l'histoire de la technologie hybride qui commence, dans le contexte d'un autre régime économique qui s'annonce dans l'agro-alimentaire et un autre régime de production des savoirs et des innovations[46].

---

[43] Arrêté du 26 janvier 1956.
[44] Décret du 22 janvier 1960.
[45] Schribaux, « Les meilleures variétés de blé », p. 1466.
[46] Bonneuil et Thomas, ce volume.

Figure 2. L'Expansion du Maïs en France

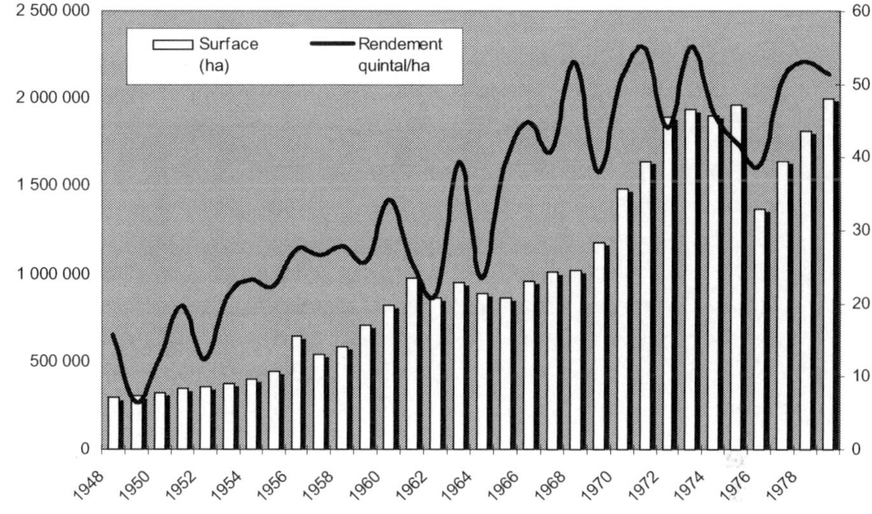

Source : Cauderon, "Génétique, sélection et expansion du maïs en France"

Figure 3. La conquête du marché par la gamme Inra

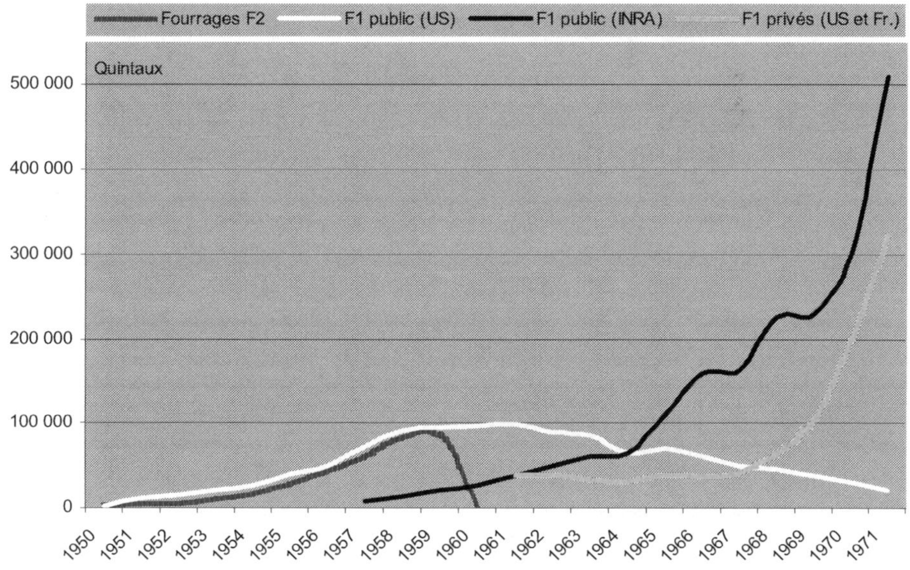

Source : Joly, 1981, De la création variétale à la production

L'AMÉLIORATION DU MAÏS PAR LA VOIE POPULATION : UNE OPTION SOCIO-TECHNIQUE ÉCARTÉE

Techniquement, d'autres voies d'amélioration du maïs que la voie hybride, mais exploitant elles aussi le phénomène de vigueur hybride, étaient pourtant possibles, notamment, celle visant à la création de « variétés synthétiques ». C'est une voie adoptée en Europe dans l'entre-deux-guerres pour la sélection des betteraves, puis du colza en Allemagne après-guerre ou des fourragères allogames en France. Pour le maïs, cette voie s'affirme aux États-Unis grâce notamment au travail de Merle Jenkins. Parti d'un programme de recherche visant à optimiser l'aptitude à la combinaison de lignées parentes pour la création d'hybrides industriels, Jenkins en arrive à mettre au point la méthode de « sélection récurrente » dans les années 1930. Le schéma qu'il propose consiste à isoler des lignées d'une population par une seule autofécondation et de les tester en croisement avec la population initiale (top-cross). On retient alors les lignées ayant prouvé leur meilleure aptitude à la combinaison et on les croise entre elles pour obtenir une variété synthétique. Le cycle peut être répété plusieurs fois pour obtenir une accumulation de gènes favorables[47]. Jenkins développe ce type de variétés au Mexique dans les années 1940 en soulignant qu'elles sont un peu moins performantes mais moins chères que les semences hybrides et plus rapidement adoptables par des agriculteurs pouvant ensuite réutiliser pendant leurs semences plusieurs années et même poursuivre l'amélioration de la variété-population[48].

Cette voie, plus ou moins alternative à la voie hybride, et tirant cependant parti de la vigueur hybride, est connue en France et elle a même ses partisans autour de 1950. Jacques Le Conte, par exemple, un ingénieur des services agricoles de la France d'Outre-mer, soutient, lors du congrès international du maïs à Pau en 1949, que l'on peut exploiter le phénomène d'hétérosis sans passer par la création de lignées pures. Il décrit notamment le schéma de « sélection récurrente réciproque » mis au point pas Jenkins en 1940 et préconise comme ce dernier d'utiliser : « Ce procédé de fabrication de variétés synthétiques là où la semence hybride ne serait pas obtenue de façon économique »[49]. Dans un article de 1951, le même auteur définit deux autres types variétaux alternatifs aux hybrides F1, premièrement, les croisements top-cross qui résultent du croisement d'une lignée pure avec une population ordinaire et qui peut constituer des lots de semences livrables aux

[47] Jenkins, « The segregation of genes affecting yield ».
[48] Matchett, « At Odds over inbreeding »
[49] Le Conte, « L'hétérosis et les nouveaux procédés », p. 135.

agriculteurs, deuxièmement, les variétés synthétiques, « populations issues d'un nombre de lignées pures égale ou supérieur à cinq et se perpétuant ensuite sur elle-même par la voie de la pollinisation ouverte »[50]. Dans cet article, Le Conte retourne l'argument classique de Shull en faveur de la voie hybride sur l'existence dans toute population d'un individu supérieur aux autres qu'il ne resterait qu'à produire en masse à partir de ses deux parents[51], et pointe la culture de l'uniformité qui sous-tend le paradigme hybride :

> « pris individuellement, un plant hybride n'est pas supérieur aux meilleurs plants des bonnes variétés ordinaires à pollinisation non contrôlée. Si nous considérons l'un de ces derniers plants, il résulte évidemment de la rencontre de deux gamètes parentaux A et B. Sa composition génétique et son aspect eussent été identiques s'il avait été obtenu, non par pollinisation libre, mais par le croisement dirigé de deux lignées pures AA et BB, et dans ce cas, nous aurions attribué sa vigueur au phénomène d'hétérosis. Cette notion d'hétérosis, qui semble pouvoir s'étendre aux populations de tout-venants, paraît donc susceptible d'une vaste généralisation et ne pas sortir du cadre des phénomènes héréditaires considérés comme banaux. En définitive, l'augmentation des rendements due à l'emploi des hybrides s'expliquent, non par la création d'un type 'supernormal', mais par la multiplication sur une vaste échelle d'un modèle uniforme jugé avantageux »[52].

Cette vision, ramenant l'hétérosis à un phénomène banal, observable dans les variétés paysannes, permet de ne plus limiter le spectre d'exploitation de la vigueur hybride à la seule mise au point de combinaisons optimales entre des lignées pures, mais l'élargit à des types variétaux bien plus divers que les seuls F1. Le Conte admet certes, comme André Gallais le démontre aujourd'hui, qu'en théorie : « La sélection généalogique [pour la création d'hybrides F1] doit normalement fournir les rendements les meilleurs »[53]. Mais il ajoute ajouter aussitôt que d'autres méthodes présentent

> « le mérite d'être très rapides, telles les sélections de type cumulatif qui permettent d'améliorer les rendements par paliers successifs sans passer par l'intermédiaire lent et délicat des lignées pures, et d'obtenir, en définitive, des populations à niveau moyen de productivité relevé, populations dont le maintien pose des problèmes infiniment moins difficiles à résoudre que celui des lignées pures »[54].

---

[50] Le Conte, « Sélection généalogique », p. 45.
[51] Shull, « The composition of a field maize ».
[52] Le Conte, « Sélection généalogique », p. 45.
[53] *Ibid* . p. 53.
[54] *Ibid.* p. 53.

Jacques Le Conte n'est pas le seul défenseur de ce que l'on peut appeler la « voie population » et à la présenter comme alternative à la « voie hybride ». Pierre Larroque un autre ingénieur des services agricoles d'outre-mer et ayant travaillé sur l'amélioration du maïs en Indochine, apporte une deuxième contribution importante. Dès 1935, ses travaux d'amélioration des maïs indochinois peuvent être regardés comme une amélioration des variétés locales par voie population dont l'objectif est plus ou moins le même que celui de Jenkins au Mexique – fournir plus rapidement des variétés améliorées – bien que l'on ne puisse pas encore parler de sélection récurrente réciproque dans le cas de Larroque en Indochine. Larroque part de la notion de « blocs de gènes » et de « complexes héréditaires » pour affirmer au congrès de Pau en 1949 que : « la 'population' en temps qu'unité génétique [peut] être plus intéressante et plus utile à observer que 'l'individu' »[55]. En 1954, alors que la voie hybride s'impose en France, Larroque affirme plus clairement encore que

> « faire des lignées autofécondées revient à désagréger artificiellement un patrimoine héréditaire qu'il faut ensuite reconstituer pour rendre à la plante son aspect normal [...] Autrement dit, les meilleurs combinaisons entre les lignées sont celles qui reconstituent au moins une partie des complexes initiaux de la population d'origine »[56].

Larroque, féru de statistiques et de génétique quantitative détonne dans un contexte hexagonal où les généticiens et sélectionneurs de céréales de l'Inra ignorent largement les avancées de la génétique quantitative et de la génétique des populations, et travaillent, dans le cadre du paradigme variétal fixiste tracé par Jean Bustarret, sur la sélection de caractères mendéliens plus ou moins isolables (par voie généalogique) et leur combinaison (par la voie hybride). Pourtant, Larroque met un point d'honneur à mettre en œuvre ses théories dans un programme appliqué de création variétale. Entre 1947 et 1954, il met en place avec la Coopérative agricole de Moissac-Beaumont dans le Tarn-et-Garonne, un programme d'amélioration du maïs, à partir de 30 variétés de pays. Les premières variétés qu'il obtient se montrent supérieures à beaucoup de maïs américains : son S223 ayant notamment donné des rendements supérieurs de 48% au W416. Ce S223 remporte même le premier prix du Comice Agricole de Salies-de-Béarn et est cultivé deux ans chez le Vice-président de l'AGPM, en conservant ses caractères et en donnant 70 quintaux à l'hectare[57].

---

[55] Larroque, « Bases scientifiques de la nouvelle méthode de sélection », p. 139.
[56] Larroque, « Maïs hybrides ou variétés synthétiques ? », p. 13.
[57] *Ibid.*, p. 13.

Larroque conclut que ces variétés synthétiques ont le triple avantage sur les hybrides industriels, premièrement, d'être sélectionnées sur place, « dans le milieu utilisateur », et d'être par conséquent parfaitement adaptées aux micro-climats, deuxièmement, d'avoir un cycle de sélection beaucoup plus rapide, troisièmement, de donner des semences dont le prix de revient est très réduit et qui peuvent être produites sans difficulté en n'importe quelle quantité[58]. Cependant, au motif de son manque de stabilité, et en dépit de ses excellentes performances culturales reconnues, le CTPS refusera fermement l'inscription du maïs S223 et des autres variétés de Larroque.

Larroque et Le Conte constituent en somme des « perdants » dans l'histoire du maïs hybride, c'est-à-dire des chercheurs, non moins « rationnels » que leurs collègues, mais qui ne parviennent pas à arrimer leurs choix techniques aux orientations générales de la société de leur époque, c'est à dire ici, du système d'acteurs constitué autour de la filière maïs, de l'Inra et de la « modernisation » agricole. En fait, la voie d'obtention de synthétiques, proposée par Larroque, était bel et bien une option envisageable et mûre techniquement dans l'après-guerre, ce que confirment les analyses d'Alain Charcosset sur l'existence d'une base de connaissance dès les années 1940 à l'appui de la voie de la sélection récurrente réciproque[59]. Mais la greffe ne prit pas car cette voie présentait l'inconvénient majeur d'entrer en porte-à-faux avec le paradigme fixiste et uniformisateur de la variété construit par Bustarret et par conséquent risquait de gripper les effets attendus de ce formidable levier de la « modernisation » agricole.

Conclusion

L'intérêt d'exhumer les perdants est bien sûr de reconsidérer l'histoire des « vainqueurs » qui occultait jusque l'existence de chercheurs en France promoteurs d'une voie alternative aux hybrides industriels pour mieux rendre naturelle la nécessité (bio)logique du choix de la voie hybride. L'existence des Larroque, des Le Conte, des S223 montre le contraire. La question de la possibilité d'opter de manière réaliste pour la voie population dès l'après guerre n'est pas close, elle mérite un examen plus approfondi et des recherches complémentaires qui ne doivent cependant pas tomber dans les pièges d'une histoire-tribunal. C'est assez toutefois pour conclure que, de toute évidence, la biologie des allogames n'imposait pas seule le schéma de

[58] *Ibid.*, p. 14.
[59] Charcosset, « Le fait hybride ».

sélection d'hybride F1 dans la France de l'après guerre, pour montrer que le phénomène de vigueur hybride aurait pu être exploité dans d'autres schémas de sélection porteurs d'autres futurs socio-techniques pour l'agriculture, l'appropriation du vivant et la diversité cultivée.

Résumons-nous. Dans la France d'après guerre, les principaux déterminants du choix hybride sont les suivants :

- un modèle agricole fordiste, reposant sur ce que Boltanski et Thévenot[60] ont nommé la « grandeur industrielle », qui privilégie les productions de masse, la standardisation, la recherche d'économies d'échelle, et une division planifiée du travail, notamment entre les régions productrices de semences et celles vouées à l'intensification fourragère pour la production laitière.

- l'articulation de deux modes de polarisation de la recherche et de l'innovation que l'on peut qualifier, avec Aggeri et Hatchuel[61], de colbertiste et de corporatiste, que l'on voit particulièrement à l'œuvre dans le développement de la filière maïs. L'État joue un rôle central de mobilisateur des acteurs économiques, d'entrepreneur économique (l'ONIC) et technologique (l'innovation variétale à l'Inra). Il dresse des barrières commerciales ou techniques aux produits d'importations, tandis que la profession assure, la mobilisation des agriculteurs, et leur structuration autour de normes de qualité des semences.

- un mouvement de construction de l'État comme pilote d'une biopolitique des ressources génétiques cultivées, qui incite à privilégier les formules variétales compatibles avec un objectif de centralisation de la gouvernance des flux génétiques

- une culture scientifique particulière partagée par les généticiens de l'Inra, basée sur des normes durcies de preuve expérimentale, une culture de la pureté et de l'homogénéité héritée des débuts de la génétique moderne et cristallisée dans un paradigme fixiste de la variété DHS, et oblitérant pendant de longues décennies les apports de la génétique quantitative et populationnelle.

Si nous privilégions ces quatre explications, est-ce à dire que nous négligeons totalement une autre explication, celle de la privatisation et de la marchandisation du vivant permise par la technologie hybride, explication la plus mise en avant par Jean-Pierre Berlan ? Ce serait une erreur d'abandonner ce cinquième déterminant puisqu'il est présent en filigrane dans chacun des quatre premiers déterminants. Le fordisme agricole est une

[60] Boltanski et Thevenot, *De la justification*.
[61] Aggeri, Hatchuel, « Ordres socio-économiques ».

politique d'insertion du monde rural dans le capitalisme du 20e siècle et le colbertisme assurant un pilotage centralisé des flux génétiques vise autant la constitution d'un marché semencier florissant qu'un relèvement de la production agricole. Le paradigme fixiste reflète les évolutions économiques de la sélection, et répond parfaitement aux exigences des droits de propriété revendiqués par l'obtenteur, le COV ou le brevet requérant la stabilisation du vivant[62]. Le choix de la voie hybride pour le maïs a donc bien partie liée aux formes du capitalisme industriel de la période et à la marchandisation des semences dont il fait le lit. Mais, il ne nous semble pas anecdotique de souligner combien en 1945-1965, l'adoption de la voie hybride en France se fait dans un contexte de modernisation fordiste-productiviste dans lequel la variété est conçue comme un input semi-public, où ce sont des coopératives qui captent une part significative de la rente, et où un organisme public, l'Inra conquiert près des trois-quarts du marché national de l'obtention variétale. Ce n'est qu'à partir de la deuxième moitié des années 1960, avec la percée de l'américain Pioneer sur le marché français et la transformation des coopératives françaises en grands groupes industriels qu'un nouvel ordre se profile… Mais c'est une autre histoire[63].

---

[62] Sur ces points voir les travaux de J.-P. Berlan, de M.-A. Hermitte, de P.-B. Joly ainsi que Bonneuil et Thomas, *Gènes, pouvoirs et profits*, chap. 2.

[63] Les évolutions des années 1960-70, par rapport à la configuration des années 1945-60 dont il est ici question, sont étudiées dans Bonneuil et Thomas, *Gènes, pouvoirs et profits*, chap. 6.

BIBLIOGRAPHIE ET SOURCES IMPRIMÉES

Aggeri, F. et Hatchuel, A., « Ordres socio-économiques et polarisation de la recherche. Pour une critique des rapports science-société », *Sociologie du travail*, 2003, vol. 45, pp. 113-133.

Alabouvette, L., « L'avenir de la culture du maïs », *Le progrès agricole et viticole*, 1945, pp. 244-247.

Alabouvette, L., « Comment organiser la production des semences de maïs », 1947, *Bull. Tech. Ingén.*, n° 17-18, pp. 113-116.

Alabouvette, L., « Organisation de la production de semence de maïs » *in Deuxième congrès international du Maïs,* Pau, du 1er au 4 décembre 1949, Paris, UNAC, 1949, pp. 91-120.

Allaire, G., « Émergence d'un nouveau système productif en agriculture », *Canadian Journal of Agricultural Economics*, 1996, 44, pp. 461-479.

Berlan, J.-P., *Recherches sur l'économie politique d'un changement technique : les mythes du maïs hybride*, thèse d'État, Faculté des Sciences Économiques, Université Aix-Marseille II, 1987.

—, « Du coût de faire de la 'vie' une marchandise : des variétés 'libres' au maïs hybride, 1800-1935 », communication à l'atelier « Faut-il créer un privilège sur le vivant ? » du 26-27 septembre 1997, Montpellier.

—, « Recherche agronomique. Signe particulier : tâche historique terminée », *Campagnes Solidaires*, 1998, n° 117, p. 20.

—, « Quelle politique semencière ? » *OCL*, 1999, 6, pp. 168-179.

— (éd.), *La Guerre au vivant. Organismes génétiquement modifiés & autres mystifications scientifiques*, Agone, 2001.

Bidau, L., *La Révolution du maïs*, Pau, AGPM, 1973.

Bonneuil, C., « Producing identity, industrializing purity. Elements for a cultural history of genetics », in S. Müller-Wille & H.-J. Rheinberger (eds.), *Cultural History of Heredity*, vol. 4. Berlin, MPIWG Preprint 343, Berlin, 2008, pp. 81-110.

Bonneuil, C. et Thomas, F., *Gènes, pouvoirs et profits. La recherche publique face aux transformations des régimes de production des savoirs en génétique végétale de Mendel aux OGM*, Paris, Quæ-FPH, 2009 (à paraître).

Boltanski, L, Thevenot, L., *De la justification, les économies de la grandeur*, Paris, Gallimard (Nrf Essais), 1991.

Bustarret, J., « Variétés et variations » *Annales agronomiques*, 1944, n° 14, pp. 336-362.

Carraretto, M., *Histoires de maïs. D'une divinité amérindienne à ses avatars transgéniques*, Paris, Éditions du CTHS, 2005.

Cauderon, A., « Génétique, sélection et expansion du maïs en France depuis trente ans », *Cultivar*, 1980, 133, n° spécial maïs, pp. 13-19.

Charcosset, A., « Le fait hybride, conditions de l'innovation et choix stratégiques », in Boistard, P., Sabbagh, C. et Savini, I. (eds), *Actes du colloque : Amélioration des Plantes, continuités et ruptures. Montpellier 17-18 octobre 2002*. Paris, 2004, non paginé. [en ligne : http://www.inra.fr/gap/vie-scientifique/animation/colloque-AP2002/actes-complets.pdf]

Compte-rendu du deuxième Congrès International du Maïs, Le maïs : culture, sélection, industrie en France dans l'Union Française et à l'étranger. Pau, 1949, UNCAC, 1950.

Crow, J. F., « 90 Years Ago: The Beginning of Hybrid Maize », *Genetics*, 1998, 148, pp. 923-928.

Fitzgerald, D. K., *The Business of Breeding: Hybrid Corn in Illinois, 1890-1940*, Ithaca, Cornell Univ. Press, 1990.

Foucault, M., *Il faut défendre la société. Cours au Collège de France* [1976]. Paris, Gallimard-Seuil (Hautes Études), 1997.

Gallais, A., *Théorie de la sélection en amélioration des plantes*, Paris, Masson, 1990.

—, « Les variétés hybrides sont-elles justifiées ? » *OCL*, 2000, 7, pp. 5-10.

Gervais, M., Jollivet, M. et Tavernier, Y., *La fin de la France paysanne de 1914 à nos jours*, in G. Duby and A. Wallon (éds), *Histoire de la France Rurale*. Paris, Seuil, 1976, vol.IV.

Guyonnet, G. et Penic, C. (eds.), *Premier congrès international du Maïs*, Pau, 1930, 2 vol.

Jenkins, M. T., « The Segregation of Genes Affecting Yield of Grain in Maize », *Journal of the American Society of Agronomy,* 1940, 32 (1), pp. 55-63.

Johannsen, W., *Über Erblichkeit in Populationen und reinen Linien*, Fischer, Jena, Germany, 1903.

Jonard, P., « Commentaires sur la législation du commerce des semences en France. » *Bull. Techn. Ingén.*, 1961, n°157, pp. 207-213.

Kloppenburg, J., *First the seed: The Political economy of Plant Biotechnology*, Cambridge, UK, Cambridge Univ. Press, 2004 [1988].

Larroque, P., « Bases scientifiques de la nouvelle méthode de sélection rapide des plantes basées sur la considération des complexes héréditaires », *in Deuxième congrès international du Maïs*, Pau, du 1er au 4 décembre 1949, Paris, UNCAC, pp. 137-155.

—, « Maïs hybrides ou variétés synthétiques ? » *Agriculture*, 1954, 153, pp. 12-13.

Le Conte, J., « L'hétérosis et les nouveaux procédés de sélection du maïs aux USA », *in Deuxième congrès international du Maïs*, Pau, du 1er au 4 décembre 1949, Paris, UNCAC, pp. 121-136.

Le Conte, J., « Sélection généalogique du maïs et production de semence hybride », *L'Agronomie tropicale*, 1951, vol. VI, n° 1-2, pp. 43-54.
Matchett K., « At Odds over Inbreeding: An Abandoned Attempt at Mexico/United States Collaboration to "Improve" Mexican Corn, 1940-1950 », *Journal of the History of Biology*, 2006, vol.39, n. 2, pp. 345-372
Lerat, S., « L'introduction du maïs hybride dans les pays de l'Adour », *Revue géographique des Pyrénées et du Sud-Ouest*, juin 1961, pp. 97-117
Mendras, H., *La fin des paysans*, Paris Actes Sud, 1992 [1967].
Papoz J.-C., « Enquête pilote sur l'adoption de la culture du maïs hybride dans les cantons de Nay, Basses-Pyrénées », *Économie Rurale*, 1960, 45, pp. 29-43.
Piat, J., « L'amélioration du Maïs aux États-Unis. » *Le sélectionneur Français*, 1938, n° 8, pp. 109-115.
Schribaux, E., « Les meilleures variétés de blé à cultiver ou à essayer », *La Grande Revue Agricole*, 1928-1, pp. 1465-1468.
Shull, G. H., "The composition of a field of maise". *Am. Breeders Association Report*, 1908, 4, pp. 296-301.
Sprague, G. F., *Corn and corn improvement. Corn Breeding*, New York, Academic Press Inc., 1955.
Vissac, B., *Les vaches de la République. Saisons et raisons d'un chercheur citoyen*, Paris, Inra Ed., 2002.

LES AGRICULTRICES
ET LA « RÉVOLUTION SILENCIEUSE »

LA VULGARISATION FÉMININE EN LOIR-ET-CHER DANS LES ANNÉES 1960

Jérôme PELLETIER[1]

Les années 1959-69 sont marquées par une diffusion massive de l'innovation technique, de nouvelles méthodes d'organisation des productions et de gestion ainsi que par une modification profonde des structures socioculturelles du monde agricole. La prise de conscience par une élite agricole de ses carences technico-économiques dans le contexte particulier né de la Libération a ouvert une période clé pour l'agriculture française. La Ve République y répond par les politiques dîtes de *vulgarisation* (décret du 11 avril 1959) et du *développement* (décret du 4 octobre 1966). Leur application est marquée notamment par le transfert des capacités de décision et de gestion des moyens de la diffusion du progrès de l'administration à la profession[2] et le rôle décisif que jouent alors les Chambres d'Agriculture[3]. Des groupements volontairement constitués,

---

[1] Jérôme Pelletier est doctorant en Histoire, <pelletier.nieto@wanadoo.fr>. Ce travail s'inscrit dans le cadre d'une thèse d'histoire contemporaine en cours : « La place des femmes dans la modernisation de l'agriculture, de la Libération à 1981, en Loir-et-Cher » sous la direction de M. Michel Lescure, Paris X Nanterre, IDHE.

[2] Muller, *Grandeur et décadence du professeur d'agriculture.*

[3] Elles agissent en organismes parapublics par l'intermédiaire du personnel de leur service technique et comme structures centralisatrices des actions de vulgarisation, notamment avec le SUAD : Service d'Utilité Agricole de Développement, mis en place par le décret de 1966. La Chambre d'Agriculture de Loir-et-Cher constitue à ce titre le premier fonds documentaire de nos travaux. Que son président, M. Vasseur, son directeur, M. Foucher et Mme Chauveau, responsable des archives, soient ici remerciés pour leur accueil et la possibilité offerte de travailler sur ces fonds. Le journal *L'Agriculteur de Loir-et-Cher* complète ces sources et offre le point de vue de la profession, pour la profession.

CETA et GVA[4], se structurent alors : organismes au statut assez simple, ils regroupent un ensemble d'exploitants dans le but d'expérimenter, partager et adopter des techniques nouvelles par la méthode de la diffusion par l'exemple. Le succès qu'ils rencontrent en font le symbole de la modernisation agricole parce qu'ils témoigneraient de la capacité des agriculteurs à choisir le progrès. Leur fonctionnement, leur financement et le contenu de leurs actions restent cependant encore largement à étudier pour comprendre comment de nouveaux moyens et systèmes de productions ont été diffusés auprès de populations rurales, mal ou incomplètement formées et ce, d'autant plus lorsqu'il s'agit des femmes.

Les Centres d'Étude Technique Ménagère et Agricole (CETMA) et les Groupements de Vulgarisation Agricole Féminin (GVAF) permettent d'aborder la « révolution »[5] de l'agriculture française par son versant le plus silencieux[6]. Il manque en effet à l'historiographie une approche féminine de la vulgarisation comme il manque à l'histoire rurale une histoire des « agricultrices »[7]. La structure familiale de production et la nécessité de n'avoir qu'un seul chef par exploitation se traduisent par l'absence de statut juridique pour les femmes : ces deux caractéristiques les ont en outre cantonnées dans un rôle de main d'œuvre d'appoint et de complément, chargées de certains élevages, des travaux de minutie et de l'entretien du foyer, activités moins enclines à intéresser le progrès technique. Pourtant, malgré leur travail et l'apport des productions dont elles sont responsables dans la trésorerie des exploitations, les représentations des femmes offrent de multiples visages, souvent contradictoires : gardiennes des traditions ou modératrices entre le père routinier et le fils modernisateur ; en charge de productions négligées voire abandonnées mais qui suscitent l'intérêt des maris lorsqu'elles se modernisent ; responsables de l'exode rural ou symboles de l'ouverture des champs sur la ville. En tout état de cause, les femmes ont connu des mutations aussi profondes que diversifiées : les progrès techniques (mécanisation, sélection des espèces, amélioration des rations alimentaires, technicité croissante et rationalisation des ateliers

---

[4] CETA : Centres d'Étude Technique Agricole « Association volontaire d'un nombre restreint d'agriculteurs désirant s'informer des nouvelles connaissances techniques et résoudre des problèmes communs. Chaque CETA est animé par un technicien recruté directement par le groupement, afin d'apporter des solutions nouvelles sur les plans technique, économique et social en vue d'améliorer la rentabilité des exploitations des CETA ». GVA : Groupement de Vulgarisation Agricole « Ancienne association ou section syndicale réunissant les agriculteurs d'un bassin géographique donné et un technicien, ayant pour mission de diffuser des connaissances techniques et d'animer le milieu rural ». Mazoyer, *Larousse Agricole*.

[5] Les titres des ouvrages de Debatisse, *La Révolution silencieuse*, et de Mendras, *La seconde révolution française*, témoignent de l'ampleur des mutations.

[6] Perrot, *Les femmes ou les silences de l'Histoire*.

[7] Lagrave, *Celles de la terre*, constitue jusqu'à présent l'ouvrage fondamental traitant de la question des femmes en agriculture.

d'élevage), la gestion et la comptabilité (nées des exigences nouvelles de rentabilité) et l'introduction de l'art ménager modifient profondément leurs activités. Autant de bouleversements intégrés dans la *vulgarisation* et le *développement* et que les sources issues des CETMA et des GVAF permettent de mesurer : entre appoint nécessaire mais secondaire et sans réels enjeux techniques, et vecteurs de véritables moyens de diffusion du progrès et surtout d'affirmation pour un statut des femmes en agriculture.

L'échelle départementale est celle à laquelle les mécanismes de cette modernisation sont les plus faciles à mesurer. Le Loir-et-Cher offre par sa diversité naturelle, celle de ses cultures et des modes d'exploitation, le dynamisme différencié de ses agriculteurs et son degré d'encadrement, un milieu relativement complet à défaut d'être exhaustif. Il permet d'y appréhender comment les débuts de la politique de modernisation se traduisent pour les agricultrices et la place qu'elles y tiennent ou qu'elles y prennent, afin d'évaluer les premières conséquences de la vulgarisation et du développement féminin.

RECENSEMENT ET RÉPARTITION DES STRUCTURES DE BASE FÉMININES

En 1966, selon la MSA :

> « Les exploitantes, avec leurs tâches particulières ont ressenti très vite le besoin d'une formation parallèle. Spontanément des groupes sont nés ; GVA, CETMA, groupes vivants, actifs, avides de savoir et de travailler »[8].

En 1969 cependant, 12 structures féminines de base ne regroupent que 462 femmes[9]. Quelles que soient les précautions à prendre dans l'utilisation de ces chiffres[10], la participation des femmes à la modernisation de l'agriculture à travers les organismes de base apparaît comme extrêmement

[8] « Le Conseil Ménager Agricole » (non signé), *L'Agriculteur de Loir-et-Cher* n°500, 12/X 1966, p. 3, entièrement consacrée aux actions de la MSA.

[9] Données extraites de la fiche D1 récapitulative, manuscrite, extraite de la boîte « SUAD PDA 1968-72 », service technique, ancien classement. Ces chiffres s'inscrivent dans la préparation du Plan Pluriannuel de Développement Agricole 1970 (PPDA 1970) pour lequel l'ensemble des organismes a fait un travail de compilation des activités des années 1967-69.

[10] Les adhésions multiples ou la diversité des données prises en compte (cotisations effectivement versées, cotisation en cours d'encaissement, adhérents à la fin de l'année civile précédente ...) obligent à nuancer des données qui servent de références aux versements des subventions.

faible, puisqu'elle ne concerne que 4% des agricultrices[11] contre moins de 10% des agriculteurs.

Les CETMA : des naissances tardives et ponctuelles mais durables

Les premières initiatives apparaissent lorsque :

> « Au cours de l'année 1960-1961, deux professeurs d'enseignement Ménager Agricole ont animé deux associations de vulgarisation ménagère à Droué [dans le Perche] et à Cour Cheverny [en Sologne Viticole]. Elles ont également organisé des réunions de groupes féminins dans le cadre des Foyers de Progrès Agricole de Lamotte-Beuvron et Saint-Aignan »[12].

Mais dès 1962, les autorités départementales demandent de surseoir au renouvellement de leur agrément du fait de l'absence d'activité et de technicien[13]. Ce n'est qu'en 1963 que les femmes du département se dotent de leur premières structures de base pérennes avec le CETMA de l'Amandinois (entre Beauce et Gâtine tourangelle) et en 1964 avec ceux de Mondoubleau et de la Braye (dans le Perche). Ils comptent respectivement 14, 15 et 11 membres en 1965, soit 40 agricultrices. Ces trois CETMA sont cependant les seuls créés alors que le département compte 51 CETA en 1961. Apparus dès 1953, ils sont le fer de lance de la vulgarisation qui expérimente les progrès techniques dans le but de constituer des références exploitables par tous. Leurs actions s'inscrivent à la charnière entre les initiatives de quelques agriculteurs pionniers et la mise en place de la *vulgarisation*, dont les agricultrices semblent exclues. Pourtant, certains CETA ont compté des femmes dans leurs rangs, comme le « CETA avicole nord » présidé par Mmes Vaudour et Nouvellon[14] : la première appartient aussi au CETMA de l'Amandinois ; la seconde remporte un certain nombre de concours avicoles au cours des années 1950. De même, « certains CETA

[11] La population concernée peut être évaluée à environ 14 000 épouses, veuves et filles d'exploitants au début des années 1960 en Loir-et-Cher. Ce chiffre, approximatif, provient des recoupements de diverses sources et notamment celle de la Chambre d'Agriculture lors de sa session ordinaire de mai 1962.

[12] Réunion du 5/X 1961 du Comité Départemental de Vulgarisation du Progrès Agricole (CDVPA). Extraits de deux boîtes intitulées « CDDA 1967 à 1972 », service technique, ancien classement. Les procès verbaux des réunions de cet organisme y sont archivés par ordre chronologique avec les documents annexes.

[13] Réunion du CDVPA du 16/X 1962. « CDDA 1967 à 1972 ».

[14] Données tirées des fiches vertes D2, (production végétale) « demande de subvention au FNVPA » en 1965 pour l'exercice 1966, dans les actions « études spécifiques ». « CDDA 1967 à 1972 ».

ont tenu des réunions et entrepris des études spécialisées consacrées aux problèmes techniques intéressant la fermière »[15]. Une mixité est en effet admise au départ, voir jugée nécessaire :

> « elles comprennent très bien que leur mari ait besoin de se documenter, de se déplacer, d'assister aux réunions, elles sont toutes favorables à l'existence des CETA. Cependant, pour mieux les mettre dans l'ambiance, nous avons organisé une réunion mixte en avril, où ces dames ont pu entendre un exposé par un technicien de l'alimentation sur l'élevage avicole. Je dois dire que leurs maris ont été aussi très intéressés par cette conférence »[16].

Ces CETA sont cependant confrontés à la nécessité d'être agréés à partir de 1966[17], ce qui provoque une élimination systématique des groupes inactifs ne présentant ni programme, ni personnel. Leur nombre chute brutalement de 51 en 1961 à 18 en 1970, comptant alors 289 membres. Ce taux de mortalité élevé contraste avec la permanence des trois structures féminines comptant 41 membres en 1970 et qui obtiennent leur agrément sans difficulté. Cette remarquable stabilité semble correspondre à une volonté des autorités locales de justifier l'existence de ces structures, considérant qu'une dizaine de membres constitue un minimum pour les maintenir en activité et monter des programmes susceptibles de recevoir des financements.

Les GVAF, des structures plus adaptées aux agricultrices ?

Leur apparition en 1964 donne une réelle impulsion à la vulgarisation féminine puisqu'en quatre ans, huit GVAF comptant 421 membres sont créés : les femmes profitent alors des efforts de la Chambre d'Agriculture et de la Mutualité Sociale Agricole (MSA) en faveur du *développement*, qui mettent à leur disposition des moyens financiers et humains. Cela tient aussi à la forme et aux méthodes de vulgarisation adoptées, puisque ces structures mènent à une échelle cantonale des actions plus générales et polyvalentes que les CETMA, ce qui les rend plus accessibles et plus ouvertes. Le succès de ces organismes semble cependant, comme pour les CETMA, se tasser et certains projets de création

---

[15] Rapport lu par le correspondant des CETA auprès de la Chambre. Session ordinaire du 6/V 1954.

[16] *Ibid.*

[17] Tout organisme souhaitant bénéficier des aides de l'Association Nationale du Développement Agricole doit être agréé : cette demande se fait auprès du préfet qui décide sur avis et proposition de l'ingénieur d'agronomie, chargé au plan départemental des problèmes de développement, et après avis du Comité Départemental de Développement Agricole (CDDA).

n'aboutissent pas. Par ailleurs, leurs effectifs restent inférieurs aux structures masculines (1 262 adhérents) qui sont apparues plus tôt (dès 1960), en plus grand nombre (13 GVA, même si l'écart est moindre que pour les CETA) et qui continuent de croître. La tutelle des organisations professionnelles et parapubliques semble se traduire par une volonté d'appliquer un développement paritaire. Ainsi, si les CETMA sont indépendants des CETA, même lorsque les circonscriptions d'exercice sont communes et la proximité réelle[18], les GVAF sont plus étroitement liés aux GVA : la famille Dubreuil domine les organismes de Sambin Pontlevoy et de Contres ; la famille Gourdet se partage les présidences des GVA et GVAF de Mondoubleau ; c'est en famille que l'on assiste aux réunions de la structure de Droué ; enfin, les GVA et GVAF de Saint-Aignan, pourtant distincts, sont présidés par M. et Mme Buchet Yves (le prénom de l'épouse n'est d'ailleurs pas toujours mentionné). Surtout, la décision est prise de fusionner les GVAF avec les GVA dans une logique de rationalisation et de simplification administrative : Cinq des huit GVAF deviennent ainsi des sections féminines des GVA et seuls deux s'y opposent[19]. Inversement, six des treize GVA n'ont pas de sections féminines[20].

Distribution et typologie spatiales des structures de vulgarisation

Le découpage du département de la Chambre d'Agriculture en cinq grandes régions naturelles[21] et la confrontation avec les organismes masculins en 1969 permettent de dégager un certain nombre de logiques et de dynamiques spatiales. Les régions de petits et moyens producteurs, en polyculture élevage sont celles où les femmes ont le champ d'action le plus favorable : le Perche (région où les femmes gèrent les productions animales) et la Sologne viticole (région où les agricultrices ont pris en charge les fonctions de transformation et vente des produits) ainsi que la Gâtine Tourangelle offrent la possibilité aux fermières de renouveler et moderniser les productions qui leur sont traditionnellement réservées. De même, l'adoption des normes de rentabilité et de gestion de l'exploitation leur ouvre de réelles perspectives. Le Perche avec cinq organismes (deux CETMA et

---

[18] Les époux Jeulin président le « CETA de Sargé-sur-Braye » et « le CETMA de la Braye ».

[19] Le GVAF de Saint-Aignan parce qu'il est né deux ans avant le GVA ; le GVAF de Pontlevoy refuse son affiliation avec les GVA issu d'un Groupement de Progrès Agricole en raison des avances obtenues à solder. Enfin, le GVAF de Herbault est le seul organisme du canton.

[20] Quatre GVA de Beauce, un en Sologne Viticole et un en Sologne.

[21] Les organismes de base ne tiennent pas toujours compte de ce découpage basé sur les cantons ; la taille des régions ainsi constituées aboutit à des ensembles parfois hétérogènes.

trois GVAF) qui regroupent 144 femmes et la Sologne Viticole avec trois GVAF comptant 213 adhérentes, constituent les deux régions les plus dynamiques puisqu'elles comptent huit des onze organismes féminins et les trois quarts des adhérentes. Leurs maris, avec la moitié des organismes et des adhérents, font preuve d'un dynamisme comparable.

La Beauce avec un tiers des groupements et des adhérents masculins ne compte pourtant que deux organismes féminins qui sont, en outre, en « périphérie » puisque situés en limite de la Gâtine Tourangelle (Saint Amand et Herbault). L'abandon de l'élevage, la spécialisation des exploitations, une technicité croissante et la mécanisation excluent les fermières de toute activité agricole. Cette exclusion est considérée, en outre, comme un progrès social, puisque l'exploitation doit répondre aux besoins de la famille dont l'épouse se consacre aux activités de gestion du foyer, étendues au secrétariat[22].

À l'inverse, la Grande Sologne et la Vallée de la Loire ne comptent qu'un seul GVAF, né tardivement, et les projets ont le plus grand mal à aboutir puisque des créations annoncées à Bracieux et Romorantin restent lettre morte. De même, un cinquième des organismes et un huitième des adhérents masculins seulement sont recensés dans ces deux régions qui constituent pourtant le tiers sud du département. Les femmes y ont une participation émiettée aux travaux de la ferme, faute de productions spécifiques (Vallée de la Loire) et elles y subissent, comme leur mari, la modernisation (Sologne) : la survie de l'exploitation dépend alors souvent d'un apport extérieur que l'épouse a pu fournir par la pluriactivité ou l'exode définitif[23].

MOYENS ET PROGRAMMES D'ACTIVITÉS DES GROUPEMENTS FÉMININS

Malgré leur relative faiblesse, ces données témoignent d'une place non négligeable des femmes : les CETMA et GVAF regroupent 462 femmes sur l'ensemble des 2 013 adhérents à une structure de base en 1969, soit 22,9% de la population directement touchée par la vulgarisation pour 26,1% des organismes créés dans le département. La mise en place de la *vulgarisation* révèle pourtant trois caractéristiques essentielles : un personnel

[22] Selon un modèle d'exploitation à 2 UTH et celui de la « jaciste ». Cette région fournit d'ailleurs les responsables syndicaux et jacistes : la FDSEA est présidée par P. Cormier et son frère est l'aumônier de la JAC.

[23] Le rapport de R. Gessat sur la désertion des fermes et les difficultés de la Sologne, demandé par le préfet et exposé lors de la session extraordinaire du 19/VI 1952 de la Chambre, souligne que l'état d'abandon des exploitations serait amplifié par le « ramassage systématique » effectué par certaines entreprises industrielles.

spécifiquement recruté, un maillage de structures de base lâche et peu de coordination.

Des moyens humains et financiers croissants et consistants

La difficulté du recrutement vient de la pénurie de conseillers sur le marché et de la concurrence entre les différents organismes. Celui des conseillères apparaît alors comme secondaire : le personnel détaché de l'enseignement ménager fait d'abord office de vulgarisateur mais se partage entre formation et vulgarisation, situation incompatible avec l'activité naissante des CETMA et des GVAF[24]. Pour y remédier, la Chambre d'Agriculture délègue la gestion des conseillères à la MSA et parmi les dix-huit conseillers de la chambre, Mme Mauchien est alors rattachée « au service de la vulgarisation ménagère de la Mutualité Sociale Agricole à compter du 1er janvier 1966 »[25]. En deux ans, suite à cette décision, sept techniciennes à temps complet sont recrutées ou mises à la disposition des organismes de vulgarisation, qui sont tous dotés d'animatrices[26]. La moyenne d'adhérentes par conseillère (considérée en temps complet, et non en temps de présence effective) est alors pratiquement deux fois inférieure à celle du nombre d'hommes par conseiller (65 contre 116 environ), ce qui témoigne d'un niveau d'encadrement cohérent et d'une réelle présence sur le terrain, même s'il s'agit largement d'un rattrapage. Le niveau de qualification des conseillères est moyen : elles sont exclusivement des C2 qui, s'il représente le type de personnel le plus recruté (à 85% environ), n'offre pas le niveau de compétence des C1, dont seuls les CETA sont dotés[27]. En outre, comme pour les hommes, se pose la question de l'accueil de ces techniciennes par les femmes : peu d'évocation en fait, si ce n'est une remarque d'ordre général lors de la session du 12 mai 1964 par un rapporteur affirmant que l'accueil

---

[24] Session de la Chambre du 16/V 1963.

[25] Session de la Chambre du 12/V 1964 puis bureau du 11/IX 1965. Elle ne disparaît des cadres de la Chambre qu'en 1966, non sans avoir contesté cette décision.

[26] Auprès des CETMA, les conseillères ne sont rattachées que pour un quart de temps comme pour les CETA. Inversement, si certains GVA ont un conseiller à temps complet, les GVAF n'ont que des conseillères à mi-temps.

[27] Classification tirée des « directives pour l'élaboration des programmes de développement (vulgarisation) pour l'année 1967 » envoyées par l'Assemblée Permanente des Présidents de Chambre d'Agriculture (APPCA, puis APCA). « CDDA 1967 à 1972 ». Ces directives distinguent les C1 : conseiller agricole titulaire d'un diplôme d'ingénieur, de docteur, d'un diplôme de l'enseignement supérieur, notamment délivré par l'École Nationale Ménagère Agricole de Coëtlogon ; les C2 : conseiller agricole ou aide conseiller, élèves de l'enseignement supérieur ; les C3 : aide technique.

des agriculteurs « n'est pas d'un enthousiasme délirant »[28]. Le nombre réduit d'agricultrices par organisme permet cependant une plus grande disponibilité des conseillères malgré leur dispersion : Mlle Sœnen, a ainsi la charge de deux CETMA et d'un GVAF dans le Perche à partir de 1966.

L'enjeu financier oblige à se confronter aux difficultés liées aux sources : absence de continuité, multiplication des intervenants et complexification du processus et des mécanismes décisionnels. Le bilan des actions menées durant 1969 en vue de l'élaboration des demandes budgétaires pour 1970 pour les GVA, les GVA avec sections féminines et les GVAF offre cependant des moyens d'analyse plus fins grâce à des comptes rendus précis et fiables, puisque élaborés par les agents de la Chambre et de la MSA dont dépendent ces groupements. Les femmes représentent 25% des effectifs de ce type de structure mais 28% des dépenses et des recettes engagées, alors qu'elles ne comptabilisent que 10% de l'ensemble des cotisations perçues par les GVA qu'ils soient mixtes, masculins ou féminins[29]. Au final, la dépense moyenne par adhérente est de 437 francs contre 363 francs pour les hommes. Les économies d'échelle expliquent cette situation (le personnel représente le coût le plus élevé) mais des moyens réels de financement sont mis en œuvre dans le cadre de la vulgarisation féminine. Par ailleurs, l'ensemble des demandes faites a été honoré strictement, ce qui est rarement le cas pour les programmes masculins. Enfin, la situation des adhérentes des CETMA est comparable à celle des hommes, puisque le financement moyen s'élève à 800 francs par an contre 821 francs pour les adhérents des CETA.

Les programmes de vulgarisation destinés aux femmes

Le travail de compilation des différents programmes des GVAF et des CETMA au cours des années 1960 permet de dégager les types d'actions destinés aux agricultrices.

Des programmes pour la femme au foyer et la mère de famille

L'habitat et les activités ménagères dominent les premières initiatives, selon le modèle des « fermières qui attendent sur le seuil de la porte » et qui

[28] Selon M. Cochet, rapporteur de la consultation demandée par l'APPCA sur la vulgarisation en Loir-et-Cher.

[29] Les chefs d'exploitation cotisent en fonction de la taille de l'exploitation (70 centimes de l'hectare en moyenne) alors que les épouses ne versent qu'une cotisation fixe (10 francs en général). Cela répond aux instructions officielles et doit faciliter la vulgarisation féminine sans qu'elle ne pèse sur les finances de l'exploitation.

doivent offrir le cadre d'existence le plus accueillant. Des réunions cherchent à améliorer la cuisine et la tenue de la table : « toutes les jeunes femmes et les jeunes filles du milieu agricole sont invitées à assister à la prochaine démonstration culinaire : la pâte à choux et ses applications »[30] ou encore « la démonstration d'un menu de fête réalisé par un professionnel »[31]. Mais ces actions permettent d'introduire d'autres sujets comme « une étude sur le prix de revient des journées de nourriture des vendanges [qui] avait été entreprise par plusieurs adhérentes »[32]. La MSA développe l'amélioration et l'embellissement des fermes. Dès 1962, un article donne des conseils : « en vue de faciliter et de rendre toute installation rationnelle (économie de temps, de mouvement, de fatigue) et considérer d'abord les besoins essentiels de la personne et des nécessités de l'exploitation ». Il s'agit de développer une réflexion sur l'organisation de l'espace en le divisant et en le spécialisant, en insistant en outre sur le rangement pour éviter que la femme ne ressemble à « un lapin traqué : cette image s'applique aussi au va-et-vient de l'exploitante aux abords de la ferme, du clapier à la laiterie ou à la salle de préparation, de l'étable au fumier, du jardin à la maison. ». Si cette vulgarisation s'ouvre sur la cour, la cuisine reste un espace fondamental : « chaque femme y passe une grande partie de sa vie » d'où la nécessité de l'aménager avec soin : « présence d'eau [...] premier facteur de promotion sociale pour la famille » mais à compléter avec l'eau chaude, à condition de la gérer et de l'utiliser rationnellement[33]. Le tout est associé à une dimension technique et esthétique qui se retrouve lors de réunions sur « l'utilisation rationnelle de l'équipement électroménager [...] les travaux de printemps au jardin d'agrément : taille des rosiers, arbustes, semis [...] la décoration intérieure : peinture, papiers peints [...] les textiles d'ameublement »[34]. Ces programmes s'inscrivent dans une logique de parité par l'accès aux innovations de l'art ménager tout en affirmant le rôle traditionnel de la « fermière » en transformant ces activités selon des logiques de rentabilité et de rationalisation et en luttant contre l'attraction de la ville.

30 « Saint-Aignan. La caisse de la MSA de Loir-et-Cher communique », *L'Agriculteur de Loir-et-Cher* n°443, 8/IV 1964, p. 4 (non signé).

31 Compte rendu du bureau du 13/V 1969 du GVAF de Saint-Aignan. « Préparation programme de développement 1970 », service technique ancien classement. Recueil dans deux boîtes à archives de l'ensemble des comptes rendus des groupements de base de la vulgarisation, des bilans réalisés durant les trois dernières années en vue de la préparation du PPDA 1970, et leur demande pour 1970.

32 Compte rendu d'activité du GVAF de Saint-Aignan, saison 1967-68. « Préparation programme de développement 1970 ».

33 « Organisation intérieure de la ferme par Mlle Bonnaffé, conseillère ménagère à la MSA », *L'Agriculteur de Loir-et-Cher* n°397, 4/IV 1962, p. 4.

34 « La caisse de MSA de Loir-et-Cher, communique : réunions de vulgarisation ménagère agricole, salle des jeunes de Noyers sur Cher », *L'Agriculteur de Loir-et-Cher* n°480, 17/XI 1965, p. 4 (non signé). Neuf réunions s'étalent de novembre à juin.

D'autres actions insistent sur la dimension éducatrice comme en témoigne une réunion à Vernou-en-Sologne sur « l'orientation professionnelle »[35] et le GVAF de Herbault rappelle que : « Depuis sa création, le travail du groupement a porté sur : l'orientation des enfants ; l'alimentation des enfants (les besoins) »[36]. La MSA apporte en outre une dimension plus sanitaire et sociale : « Une réunion pour toutes les jeunes femmes et les jeunes filles du canton de Mondoubleau [...] Sujet : les soins d'urgence, que faire en cas d'accident ? (Fractures, brûlures, hémorragie, etc.) »[37]. Son influence apparaît alors de façon prégnante même s'il s'agit souvent de demandes des agricultrices afin de satisfaire aux exigences nouvelles liées au rôle accru de la mère et à l'éducation des enfants.

Des actions zootechniques et commerciales pour l'agricultrice

Une professionnalisation des programmes apparaît avec, par exemple, le GVAF de Droué qui :

> « travaillant seul ou tantôt avec le groupement de vulgarisation agricole masculin a vu se succéder les réunions suivantes : au point de vue professionnel : technique d'élevage des veaux, alimentation des vaches laitières, calcul des rations, qualité du lait, élevage lapin »[38].

Certaines actions témoignent de projets à long terme : deux réunions se succèdent ainsi dans les cantons du Perche ayant pour sujet « L'alimentation des veaux avec la collaboration de M. Petit Jacques, conseiller d'élevage, Mlle Agnès Sœnen, conseillère agricole féminine de la caisse de la MSA »[39]. Se met ensuite en place un programme d'expérimentation et de recherche de références pris en charge par le CETMA du Perche avec le CETA local et la maison de l'élevage, qui développent un « essai d'étude comparative du Kg

---

[35] « La caisse de MSA de Loir-et-Cher, communique : réunions de vulgarisation ménagère agricole [...] mairie de Vernou en Sologne, *L'Agriculteur de Loir-et-Cher* n°480, 17/XI 1965, p. 4 (non signé).

[36] Compte rendu d'activité du GVAF de Herbault. « Préparation programme de développement 1970 ».

[37] « Vulgarisation agricole féminine, canton de Mondoubleau », *L'Agriculteur de Loir-et-Cher* n°502, 7/XI 1966, p. 6 (non signé).

[38] Compte rendu d'activité du GVAF de Droué. « Préparation programme de développement 1970 ».

[39] « Vulgarisation agricole féminine, canton de Mondoubleau », *L'Agriculteur de Loir-et-Cher* n°504, 7/XII 1966, p. 6 (non signé).

de gain de croît en élevage de génisses bovin-viande » sous les auspices de l'ITEB[40]. D'autres productions animales sont concernées :

> [En 1969] « l'élevage caprin [...] intéresse certains GVAF à travers la recherche d'informations sur son importance et sa productivité [...]. Des essais d'actions de vulgarisation par les conseillères y visent l'amélioration de la production et de la fabrication des fromages »[41] et « un certain nombre d'agricultrices et d'agriculteurs à l'initiative des CETMA et GVAF, demandent à ce qu'une action soit entreprise dans l'élevage du lapin afin d'en améliorer la productivité et surtout la commercialisation »[42].

Ces programmes démontrent une insertion dans des circuits commerciaux et un certain dynamisme économique de la part des femmes dans une volonté de diversification des sources de revenus par la transformation des productions. En revanche, la nature de certains progrès peut susciter des remises en cause. La technicité croissante de l'élevage bovin se traduit notamment par l'introduction de la traite mécanique : le compte rendu de 1967 des activités menées par le service de l'élevage de la Chambre souligne que dans le cadre de l'action « traite mécanique et qualité du lait » les réunions menées de juin 1967 à mars 1968 ont rassemblé 177 personnes, dont 103 femmes[43]. Cela témoigne de l'implication réelle des fermières mais pose la question de la place des maris au cœur de cette activité :

> « M. Cochet [membre de la Chambre] [...] voudrait que soit modifié l'état d'esprit qui, dans le Perche, fait considérer le travail sur les animaux et en particulier sur les vaches, comme le travail de la femme et non celui du chef d'exploitation »[44].

Une production qui gagnerait en noblesse par l'apport de techniques nouvelles devrait se « masculiniser » et exclure les femmes.

---

[40] ITEB : Institut Technique de l'Elevage Bovin. Programme élaboré dans le cadre des « actions générales de développement » en 1969. « CDDA 1967 à 1972 ». Une étude du même type est envisagée par le GVAF de Morée par « l'enregistrement du coût de production du litre de lait » pour 1970. « Préparation programme de développement 1970 ».

[41] Programme d'action défini par le comité directeur du service élevage le 23/VIII 1968, puis réunion du 6/IX 1968 à la Chambre et réunion plénière du CDDA du 19/IX 1968. « CDDA 1967 à 1972 ».

[42] Demande coordonnée par la section lapin des GVAF en liaison avec le Direction des Services Vétérinaires et les deux coopératives départementales. Extrait de « Production animale programme de développement 1969 Recherche de références et actions spécifiques de développement ». « CDDA 1967 à 1972 ».

[43] Réunion de la commission production animale du CDDA (non datée) en vue du programme 1969. Compte rendu 1967 des actions menées dans le cadre de la loi sur l'élevage du 28 décembre 1966. « CDDA 1967 à 1972 ».

[44] Session extraordinaire de la Chambre du 28/IX 1967.

Des actions pour la secrétaire-comptable

De l'économie ménagère à l'initiation à la comptabilité, il n'y a qu'un pas que les exigences de rentabilité permettent de franchir en offrant aux femmes de nouvelles compétences. Rapidement, des demandes concernent la gestion, la fiscalité et la nécessité d'introduire les logiques comptables non plus seulement pour le foyer mais pour l'exploitation. La section féminine du GVA de Mondoubleau en illustre le poids croissant :

> « La TVA a sensibilisé les adhérentes du groupement à la nécessité du classement des papiers. Un plan de classement a été étudié au cours d'une réunion puis appliqué en démonstration pratique par petits groupes chez quatre adhérentes. Plusieurs réalisations individuelles ont suivi. Il reste encore à faire pour toute l'organisation des tâches administratives de l'exploitation, essentiellement en ce qui concerne la connaissance des différents papiers, ce qu'il faut garder de la comptabilité de l'exploitation. [...] Quelques adhérentes ont participé aux réunions du GVA sur la TVA »[45].

Les CETMA jouent alors pleinement leur rôle d'initiateur avec la tenue de comptes et l'introduction des mécanismes de comptabilité[46]. Environ vingt-cinq participantes, membres de CETMA et de GVAF, encadrées par trois conseillères et un stagiaire sous les auspices du centre de gestion du département, ont mené durant trois années des études afin de connaître le Revenu Agricole pour rechercher son utilisation par la famille et par l'exploitation avec une portée prévisionnelle. Des cahiers de ménage et d'exploitation ont permis aux agricultrices de se familiariser avec l'enregistrement des comptes et ont nécessité de distinguer les domaines privés et professionnels, en cherchant à élaborer des résultats par production[47]. La démarche s'appuie sur des cycles de formation à la gestion.

Cette recherche de références se double à la fin des années 1960 d'une réflexion sur le travail des femmes en agriculture, afin d'évaluer leur place sur l'exploitation. Il s'agit d'une enquête interrégionale menée sur le grand ouest français, à laquelle quelques femmes du département participent[48], et

---

[45] Compte rendu d'activité du GVAF de Mondoubleau, saison 1968/69. « Préparation programme de développement 1970 ».

[46] FDCETMA Action spécialisée, « budgets familiaux et gestion concertée » (non daté, bilan de trois années d'enregistrement). « Préparation programme de développement 1970 ».

[47] Compte rendu d'activité des CETMA du 4/VI 1969 au CFPA Montoire. « Préparation programme de développement 1970 ».

[48] « L'enregistrement du temps de travail 1968 » concerne 59 exploitations, dont 12 se situent en Loir-et-Cher. Enquête notamment restituée par Fouilloux-Lajus, « Des agricultrices ont tenu, un an, leur emploi du temps » *in Bulletin des CETA*, pp. 53-63.

qui se prolonge dans quelques organismes comme le GVAF de Morée à travers une action sur l'emploi du temps de la « femme exploitante »[49]. Le projet s'inscrit dans un plan de travail « Action Entreprise », avec analyse socio-économique des exploitations et « de la place actuelle des femmes (temps de travaux, poste de travail, participation aux décisions, liens financiers famille-exploitation) »[50].

QUELLE PLACE POUR LES FEMMES DANS LA VULGARISATION ET LE DÉVELOPPEMENT ?

Il s'agit ici d'élaborer un premier bilan de la vulgarisation féminine pour les agricultrices.

Une vulgarisation féminine sous tutelle

Des initiatives encadrées

La profession semble avoir pris le plus souvent l'initiative des créations et l'origine des groupements est souvent au minimum partagée entre une demande locale et une réponse institutionnelle. Le premier GVAF voit le jour à Herbault le 4 décembre 1964 dans ce contexte, sans qu'aucun GVA n'existe dans le canton :

> « En vue de constituer un Groupement Féminin de Vulgarisation Agricole et Ménagère, les Jeunes Agricultrices et filles d'Exploitants Agricoles de la région se sont réunies récemment à Herbault [...]. Cette réunion avait le concours de : MM. Yvon, Ingénieur de la Direction des Services Agricoles ; Barbeau, représentant la Chambre d'Agriculture ; Mme Mauchien, Conseillère Ménagère Agricole ; Mlle Brule, animatrice du Centre des Jeunes. [...]. Cela n'est dû qu'aux désirs de certaines qui ont été de l'avant »[51].

Parmi les organisations professionnelles, l'action du Centre Cantonal des Jeunes Agriculteurs semble ici déterminante, alors que le rôle de la MSA grandit notamment à partir du partage des tâches décidé en accord avec la Chambre. Le GVAF de Saint-Aignan, en Sologne viticole s'inscrit dans une

---

[49] Programme envisagé pour 1970. « Préparation programme de développement 1970 ».

[50] Compte rendu d'activité du GVAF de Mondoubleau, saison 1968/69. « Préparation programme de développement 1970 ».

[51] « Groupement de Vulgarisation Agricole et Ménagère », *L'Agriculteur de Loir-et-Cher* n°454, 7/X 1964, p. 4 (non signé).

démarche analogue et fait partie des GVAF qui refusent toute idée de fusion. Mais ces deux cas sont uniques et six autres GVAF sont nés après le GVA ou comme son appendice : c'est le cas des créations les plus tardives comme à Montoire où une section féminine est créée statutairement, alors qu'aucune femme n'est présente dans le compte rendu de l'assemblée constitutive ni dans le bureau installé[52]. Pour ce type de création, le GVAF semble avoir les plus grandes difficultés à exister[53].

Un enjeu de débats

Face à la proposition du président de la Chambre d'Agriculture P. Simon au milieu des années 1960 de confier à la MSA le recrutement des conseillères, un des membres souligne que : « il ne faut pas cependant négliger les femmes et pense qu'il faut mener de front la vulgarisation auprès des hommes et la vulgarisation féminine ». L'ancien secrétaire général du CDJA renchérit :

> « Si le travail manuel de la femme diminue dans certains types de fermes, elle doit rester associée à la gestion et par conséquent être au courant des principaux problèmes techniques et économiques de l'exploitation. »[54].

Au-delà du rôle des femmes et de la place à leur assigner dans la vulgarisation, il s'agit bien d'un enjeu financier, dont le président voudrait conserver l'utilisation à la seule vulgarisation masculine. P. Cormier considère que la Chambre doit coordonner les deux vulgarisations et recruter conseillers et conseillères. Et face à la nécessité d'une formation en gestion des agriculteurs, le directeur de la Chambre souligne « qu'il y aurait également lieu d'instruire les femmes d'agriculteurs sur les services que peut rendre la tenue de la comptabilité dans une exploitation agricole »[55]. Mais P. Simon rappelle que :

> « Le rôle d'une conseillère ménagère est celui d'apporter ses conseils aux fermières, en ce qui concerne l'habitat, la cuisine, la couture, etc.; la vulgarisation ménagère revient donc de droit à la mutualité sociale agricole et à la famille rurale »[56].

---

[52] « Réunion constitutive du GVA de Montoire-sur-Loir 41 », *L'Agriculteur de Loir-et-Cher* n°568, 23/IX 1969, p. 5 (non signé).
[53] Les sections féminines des GVA de Montoire et Neung-sur-Beuvron n'ont pas d'activité faute de membres et n'apparaissent pas dans les programmes de vulgarisation pour 1970.
[54] Session de la Chambre du 12/V 1964.
[55] Bureau de la Chambre du 11/VII 1964.
[56] Session extraordinaire de la Chambre du 24/IX 1964.

L'argumentaire introduit alors des représentations qui, dans un contexte de spécialisation des activités, rend le souhait d'une politique mixte moins pertinent et un membre souligne les derniers enjeux :

> « La vulgarisation doit s'adresser aussi bien aux hommes qu'aux femmes sous peine de ne plus trouver en agriculture que des hommes célibataires mais s'il est fait quelque chose en matière de vulgarisation ménagère, c'est l'essentiel » [57].

Le risque est qu'en séparant les vulgarisations, on divise finalement les couples et que le modèle de l'exploitation familiale soit remis en cause. Ce débat marque l'ambiguïté de l'image des femmes dans le monde agricole : nécessaires économiquement et socialement, l'absence de statut et de reconnaissance les cantonne cependant dans une position subalterne de femme au foyer que les questions financières révèlent et que les structures de vulgarisation reflètent. Cette décision entérine finalement la division sexuelle des tâches et la réalité des chiffres donne a posteriori raison au président Simon : la MSA développe effectivement des moyens et un intérêt supérieurs[58].

Une première affirmation pour les agricultrices

Une place relative dans le processus décisionnel

La vulgarisation et le développement nécessitent l'organisation du processus décisionnel à travers un certain nombre d'organismes départementaux : le CDVPA puis le CDDA accordent les agréments et contrôlent les programmes élaborés par les structures de base[59]. Le SUAD centralise et coordonne l'ensemble des actions et transmet les besoins financiers aux organismes centraux puis se charge de la répartition des subsides. Les premières femmes membres du CDVPA furent les deux professeurs d'enseignement ménager (bureau du 22 avril 1961) puis la présidente du CETMA de la Braye (réunion du 16 octobre 1962) comme représentante des groupements de base, soit au maximum trois femmes sur

---

[57] Session extraordinaire de la Chambre du 24/IX 1964. Réponse de M. Cochet, secrétaire général du bureau de la Chambre.

[58] *Supra.* A confronter avec les prévisions du plan d'action 1964-1969 qui étaient : « le recrutement au cours des cinq années à venir [...] de cinq conseillères ». Rapport lors de la 2nd séance de la 1ère session ordinaire de la Chambre du 12/V 1964.

[59] Comité Départemental de Développement Agricole qui remplace le Comité Départemental de Vulgarisation du Progrès Agricole. Ils sont présidés par le préfet et se composent de représentants des services extérieurs du Ministère et des représentants des organisations professionnelles et des différents organismes de base.

vingt-quatre membres, dont deux issues de l'administration et membres de droit. Le CDDA élargit quelque peu le recrutement des femmes notamment avec une représentante des conseillères et deux femmes titulaires dans les commissions par régions et par type de production. Ces membres sont ensuite répartis en comité restreint (une femme sur dix membres), commission actions générales (deux femmes sur quatorze), en commission par type de production (aucune femme dans les commissions végétales, deux sur douze dans les commissions animales) et par petites régions (une sur quatre pour la Grande Sologne ; aucune pour la Beauce ; deux sur dix pour le Perche ; deux sur six en Gâtine ; et deux sur cinq en Sologne Viticole). Cependant, leur nombre diminue à mesure que le niveau de décision s'élève : les femmes sont complètement absentes du SUAD et M. Guillard (membre de la Chambre) « regrette l'absence de femmes à la Chambre d'Agriculture »[60]. Malgré leur faible présence, la division sexuelle des tâches et les disparités spatiales déjà soulignées, cette représentation est la première pour les fermières. Cependant, la plupart des membres sont nommés sous les auspices de l'ingénieur en chef d'agronomie, par un subtil dosage en fonction des régions, des organisations professionnelles et des productions. Seuls les représentants des conseillers et des conseillères font l'objet d'un vote. Les femmes n'ont donc pas une représentation à la hauteur de leur implication dans les exploitations agricoles, ni même les moyens d'influer sur les débats qui les concernent, notamment lors du partage des tâches, mais elles ont accès à une première tribune : la vulgarisation offre la possibilité aux « agricultrices »[61] de s'impliquer et d'être accueillies en tant que représentante professionnelle.

[60] Lors de la discussion qui suit le compte rendu d'une consultation de l'APPCA sur la vulgarisation en Loir-et-Cher par M. Chochet, session de la Chambre du 12/V 1964.

[61] C'est sous cette dénomination qu'elles sont enregistrées dans les procès verbaux de présence. Par exemple le compte rendu de la réunion du 7/IX 1967 du CDDA comporte deux listes des présents : l'une manuscrite, où figurent les noms des présents, sans doute écrits de leur main, et leur titre. Pour les deux femmes présentes, Mme Terrier précise « GVAF Morée, (madame) » et Mlle Soenen « conseillers agricoles ». Dans la version dactylographiée, les deux femmes apparaissent comme « agricultrice à la Ville aux Clercs » et « représentante de conseillères agricoles ». « CDDA 1967 à 1972 ».

Les moyens d'une première reconnaissance

Les programmes sont marqués par la diversité des activités des fermières, par les représentations de la profession et le modèle de la Jaciste[62] renouvelé par le syndicat des jeunes, sans pour autant obtenir de reconnaissance. Pourtant, ces actions suscitent une prise de conscience de la part des femmes d'exploitants. Cette affirmation se traduit d'abord par la volonté de leur membre de faire des GVAF des structures spécifiquement agricoles : le bureau de la section féminine de Sambin Pontlevoy tenu le 15 avril 1969 décide : « Suite à la demande de certaines personnes, les femmes non agricultrices ne pourront pas assister aux réunions et adhérer au GVA ». Mais c'est surtout l'enquête sur le temps de travail et les programmes sur le budget familial[63] qui ont le plus d'impacts : les différents comptes rendus[64] débutent en effet par :

> « A-t-on un pouvoir de DÉCISION [en majuscule dans le texte] ? ». Cette question est liée au problème de la compétence et pas seulement du travail effectué sur l'exploitation : « pour une même surface, les femmes travaillent manuellement un nombre d'heures très différent. La différence est due à l'élevage, les fruits ou les primeurs. [...] Dans les exploitations trop petites pour payer un salarié, la femme assure le surplus de travail. Elle est parfois responsable cependant d'un atelier déterminé : porcs, veaux, lapins … [...] Celles qui semblent avoir le plus de responsabilités paraissent assurer le plus de direction sur la ferme. D'où encouragements à acquérir une plus grande formation pour nous permettre d'acquérir notre place dans les travaux de direction [texte souligné par l'auteur] ». Cette responsabilisation doit aboutir pour les femmes à une professionnalisation et « passer d'une agriculture mode de vie à une agriculture MÉTIER [en majuscule dans le texte], d'où dissociation de la famille et de l'exploitation ».

La distinction entre ces deux domaines est la clé d'une émancipation qui s'accompagne d'une réflexion sur la structure de l'exploitation et la nécessité « d'expérimenter les formules d'entreprise de demain » afin que le statut de « l'agricultrice » ne se limite plus seulement à celui de « l'épouse ». La prise de conscience et la volonté de trouver sa place ne s'accompagnent cependant pas de réelles revendications, mais constituent une étape fondamentale et, au-delà des interrogations et des pistes de travail, la

---

62 Perrot, « La Jaciste : une figure emblématique ».

63 Cette enquête concerne « les budgets familiaux de 24 familles d'agriculteurs du Loir-et-Cher habitant en Sologne, petite Beauce et dans le Perche ». Selon l'introduction de l'enquête diffusée en juillet 1969, compte rendu de la FDCETMA du 6/V 1969 au CFPA de Montoire. « Préparation programme de développement 1970 ».

64 Comptes rendus des CETMA du Loir-et-Cher du 6/V 1969 et du 4/VI 1969 au CFPA de Montoire. « Préparation programme de développement 1970 ».

conclusion permet de mesurer ce que la politique de vulgarisation a pu apporter aux agricultrices : « Cette soirée nous a permis de réfléchir sur notre place réelle à trouver dans l'Entreprise Agricole ».

Mais la portée effective de cette affirmation se heurte d'abord à la définition des programmes qui réduisent les possibilités d'acquisition de compétences réellement qualifiantes. Les femmes ne contrôlent en outre aucune production, parce que la manutention, l'entretien, l'exploitation et l'alimentation du troupeau dépendent des productions végétales de l'exploitation et nécessitent la mise en œuvre de moyens techniques et mécaniques qui restent le domaine des hommes. En outre, au-delà du nombre limité d'adhérentes aux groupements de base, leur assiduité témoigne de préoccupations variables. Par exemple, 22 femmes participent aux réunions du GVAF de Mondoubleau sur le classement des papiers et sur la congélation, 32 participent au voyage en Orléanais (visite d'une étable collective, d'un élevage de lapins et de l'usine Saint-Gobain) mais 10 à la réunion sur la TVA et 9 seulement à l'assemblée générale : défaut de formation initiale, problème de calendrier, de disponibilité ? Par ailleurs, des débats existent au sein des structures féminines : le bilan des programmes réalisés pendant trois années par le GVAF de Saint-Aignan illustre la diversité des demandes :

> « Il semble qu'une partie des adhérentes soit toujours intéressée par les problèmes ménagers et familiaux, cependant un certain nombre demande pour l'hiver prochain des sujets plus approfondis et d'ordre économique : tenue de comptabilité ménagère et d'exploitation, ainsi que de la gestion »[65].

Enfin, le poids croissant de la MSA peut aussi avoir des conséquences sur ces actions[66].

---

[65] Résumé des trois années d'activité élaboré dans le cadre de la préparation au PPDA 1970, rattaché à la demande de renouvellement d'agrément déposé auprès du préfet le 22 mars 1969.

[66] Le responsable de la MSA au CDDA précise pour le programme 1972-73 que les aspects ménagers doivent l'emporter sur la dimension professionnelle dans la vulgarisation féminine et rappelle à l'ordre ses conseillères. De même, le service des conseillères est intégré aux « actions sociales » du point de vue budgétaire et organisationnel. Cela donne une première indication sur l'orientation de leur fonction selon leur organisme de tutelle.

CONCLUSION

Faiblesse des structures féminines et des effectifs, de la représentation et absence de reconnaissance réelle des femmes à la fin des années 1960... S'il existe effectivement une vulgarisation féminine en Loir-et-Cher, sa portée semble extrêmement limitée. Cela ne doit cependant pas minimiser l'impact que ces actions ont pu avoir en terme d'affirmation et surtout l'évolution qu'elles induisent au cours des années 1960 : en 1955, le membre correspondant des CETA auprès de la Chambre souligne que « [les agriculteurs membres de CETA] ont été compréhensifs ainsi que leurs femmes, tant il est vrai que si les femmes ne « marchaient pas », il n'y a rien à faire, je dois dire, à leur honneur, qu'elles ont fort bien compris nos désirs [...] »[67]. Les femmes sont alors considérées comme frein potentiel au progrès technique et ceci témoigne du poids des représentations : apparemment exclues et peu concernées par une modernisation technicienne dont les moyens doivent être réservés aux hommes, mais indispensables à son application ... L'évolution est nette au cours des années 1960 : la politique de modernisation a équitablement tenu compte des demandes féminines et a répondu du moins en terme de moyens, aux besoins estimés. Les programmes féminins sont marqués par la diversité des activités prises en charge par les fermières et pour lesquels les GVAF offrent une structure souple et adaptée. Les CETMA étant plus techniques et aussi plus engagés et impliqués dans les questionnements des années 1960, ils constituent des groupes d'expérimentation dont les études se répercutent sur l'ensemble des organismes de base. Même si cela reste à confirmer et bien que les différentes actions fassent encore l'objet de demandes en 1970, il semble que les programmes « professionnels » prennent de plus en plus d'importance. Pourtant, cette vulgarisation qui témoigne d'une demande technique apparaît bien comme spécifiquement féminine et malgré les appels récurrents des autorités à favoriser une vulgarisation qui associe le couple, la réalité est bien marquée par une division sexuelle des tâches, qui confirme le rôle des maris. La vulgarisation féminine révèle davantage une situation qu'elle n'influe effectivement sur l'évolution technique, économique et juridique des agricultrices.

---

[67] Session de la Chambre du 10/XI 1955.

BIBLIOGRAPHIE

Debatisse, M., *La Révolution silencieuse, le combat des paysans*, Paris, Calmann-Lévy, 1963.

Fouilloux-Lajus, M.-Th. « Des agricultrices ont tenu, un an, leur emploi du temps », *Bulletin des CETA* n° 1609, octobre 1969, pp. 53-63.

Lagrave, R.-M. (Collectif), *Celles de la terre. Agricultrice : l'invention politique d'un métier*, Paris, édition de l'E.H.S.S., 1987.

Mazoyer, M., *Larousse Agricole*, Paris, Larousse, 2002

Mendras, H., *La seconde révolution française. 1965-1984*, Paris, Gallimard, 1989.

Muller, P., *Grandeur et décadence du professeur d'agriculture. Les transformations du système d'intervention de l'État en agriculture, 1955-1965*, Grenoble, édition Cerat, Institut d'Études Politiques de Grenoble, 1978.

Perrot, M., « La Jaciste : une figure emblématique », in Lagrave R.-M. (Collectif), *Celles de la terre. Agricultrice : l'invention politique d'un métier*, Paris, édition de l'E.H.S.S., 1987, pp. 33-60.

Perrot, M. : *Les femmes ou les silences de l'Histoire*, Paris, Flammarion, 1998.

SOURCES

Tous les documents d'archive cités sont tirés de deux fonds. Celui de la Chambre d'Agriculture de Loir-et-cher d'abord, avec les documents produits par son service technique et ses services administratifs ou généraux. Si les organismes consulaires ont des obligations statutaires de conservation, la gestion de leurs archives reste sous leur responsabilité.

Le service technique conserve les archives du CDDA, du CDVPA, et du SUAD et constitue un fonds des plus riches et des plus précieux. L'abondance de certains documents contraste parfois avec des lacunes aussi importantes qu'inexpliquées. Les documents sont classés par pochettes souples dans des boîtes à archives dont les intitulés sont donnés en notes de bas de page. Le classement interne est soit chronologique, soit par organisme, mais souvent désordonné et par simple compilation, sans réelle logique. En outre, les boîtes consultées l'ont été alors que la Chambre d'Agriculture occupait ses anciens locaux, avenue de Vendôme, à Blois. Le déménagement effectué récemment s'est traduit par un tri et un reclassement partiel des archives. Les indications pour chaque boîte consultée (précisées en détail lors du premier appel de note) rapportent alors l'intitulé que les responsables des archives de la Chambre lui ont donné, le service d'accueil et la précision « ancien classement » renvoie aux archives dépouillées sur le premier site.

Le service administratif conserve les comptes rendus des sessions et des bureaux de la Chambre. Ils sont classés dans des boîtes par ordre chronologique (par exemple : « Session 21 novembre 1968 - 29 septembre 1971 »). Ne sont indiquées dans le texte que les dates des sessions ou des bureaux, par facilité de présentation : tous sont issus des archives de la Chambre d'Agriculture de Loir-et-Cher, services généraux.

Enfin, le journal *L'Agriculteur de Loir-et-Cher*, bimensuel publié par les organismes coopératifs de la rue Franciade à Blois, a été utilisé pour la période considérée du n°344 au n°574. Le format se limite d'abord à 4 ou 6 pages en 1960 pour progresser à 8 ou 10 pages en 1969. Les articles sont rarement signés. Consultables aux archives départementales de Loir-et-Cher, sous la côte « 4 PER » (série complète) et à la coopérative *Ligéa*, dont je tiens à remercier le président, M. J.-F. Loiseau.

SUIVRE LA NORME SANITAIRE OU 'PÉRIR' :

LA LOI DE 1954 SUR LA PROPHYLAXIE COLLECTIVE DE LA TUBERCULOSE BOVINE

Delphine BERDAH[1]

L'Europe du 20e siècle, marquée par l'expansion des échanges internationaux et par la nécessité de répondre aux besoins alimentaires de ses populations grandissantes, vit la question du contrôle des maladies du bétail occuper progressivement le devant de la scène, jusqu'aux « crises » contemporaines de la vache folle ou de la peste aviaire, capables de monopoliser l'attention des médias pendant plusieurs mois. Le contrôle de ces maladies s'effectue généralement sur deux niveaux, sanitaire (isolement, désinfection, abattage) ou médical (sérums et vaccins préventifs, traitements curatifs), qui ne s'excluent pas forcément l'un l'autre. Mais si ce contrôle nous paraît aujourd'hui indispensable, eu égard à la protection de la santé des populations, l'étude de la lutte contre la tuberculose bovine en France depuis les années 1920 permet de mettre en évidence une réalité toute différente : malgré la promulgation de différentes lois plus ou moins coercitives, la France dut attendre l'après seconde guerre mondiale pour véritablement financer des prophylaxies à grande échelle.

Dans ce cadre, cet article vise à démontrer comment la lutte contre les maladies du bétail, et particulièrement l'établissement d'une prophylaxie collective contre la tuberculose bovine en France dans les années 1950, ne s'est mise en place qu'avec la définition de nouveaux enjeux – politiques, économiques et sociaux – nationaux, qui seront explicités. Dans un deuxième temps, seront étudiées les conséquences de la généralisation de cette prophylaxie à l'ensemble du territoire français qui dépassèrent le plan sanitaire pour contribuer à la modernisation du paysage rural français par

---

[1] Delphine Berdah est doctorante en histoire à l'EHESS, au Cermes. <berdah@vjf.cnrs.fr>.

l'ouverture des exploitations aux vétérinaires et agronomes[2], mais aussi par l'élimination programmée des petites exploitations incapables de s'adapter aux normes scientifiques d'assainissement édictées par la loi sur la prophylaxie collective de la tuberculose bovine de 1954[3]. Ainsi, cet article espère contribuer à montrer comment, dans certaines circonstances, le politique peut transformer le social par le truchement de l'expertise scientifique.

LIBRE-ÉCHANGE ET CONTRÔLE DES MALADIES DU BÉTAIL

En France, au début du 19e siècle, un animal malade était considéré comme un « vice rédhibitoire », c'est à dire un défaut caché susceptible de faire annuler la vente[4]. Ainsi, un animal malade était avant tout un problème individuel concernant son acheteur et son vendeur. Mais au milieu du 19e siècle, sous la double pression de l'expansion des échanges internationaux, essentiellement bilatéraux – à l'image du traité franco-britannique de 1860 – et de l'augmentation des populations (et de leur consommation de viande) associée à la volonté d'augmenter la productivité agricole[5], les maladies contagieuses des animaux devinrent un problème collectif, contre lequel les gouvernements se devaient d'apporter des solutions. Sous la forte poussée de peste bovine de 1866 – une maladie létale pour l'animal et excessivement contagieuse mais sans conséquence pour la santé des populations – le second empire mit en place les premières mesures coercitives destinées à lutter contre ces maladies[6]. Inspirées par les systèmes de « néo-quarantaines » mises en place en Grande-Bretagne[7] pour préserver les échanges commerciaux, ces mesures visaient à contrôler efficacement la maladie sur le territoire par des méthodes associant l'isolement des foyers de contagion et leur désinfection à un abattage drastique des animaux contaminés, fidèle illustration du vieil adage populaire : « *Morte la bête, mort le venin* ».

Afin de maintenir ses échanges de bétail avec la Grande-Bretagne[8], la France élargit la liste des maladies contagieuses dans une loi votée en juillet

---

[2] Préparant notamment la « Loi sur l'élevage » de 1966.
[3] Disparition qui sera fortement accélérée par la suite avec les lois-cadres de 1960.
[4] Stanziani, *Histoire de la qualité alimentaire,* p. 204.
[5] Zylberman, « Making food safety an issue » ; Stanziani, ibid. p. 194 : Pour couvrir les besoins en viande de sa population, la France dépendait d'importations d'Amérique du Sud, d'Algérie et d'Italie principalement.
[6] Lois du 11 juin 1866 et du 30 Juin 1866 sur les Maladies Contagieuses des Animaux.
[7] Bourdelais, *Les Épidémies Terrassées*, p. 118.
[8] *Journal Officiel* du 9 mars 1881, pp. 454-463 : 1ère délibération sur le projet de loi concernant la police sanitaire des animaux, p. 455.

1881[9], dans laquelle les autorités administratives se reposaient sur les vétérinaires pour déterminer si un animal était atteint ou non par ces maladies. Cette première reconnaissance par l'État des compétences vétérinaires allait s'avérer déterminante pour le développement de leur profession. En effet, depuis la constitution de leur corporation, les vétérinaires subissaient une rude concurrence exercée par de nombreux praticiens non diplômés (hongreurs et maréchaux-ferrants pour la plupart), bien implantés dans les campagnes[10] et qui s'avéraient d'autant plus dangereux pour les vétérinaires que leurs savoirs et savoir-faire n'étaient pas très éloignés des leurs[11]. En donnant aux vétérinaires le monopole d'exercice sur la médecine des maladies contagieuses des animaux[12], la loi de 1881 leur permit de définir leur premier « territoire de souveraineté »[13], basé sur le contrôle de la contagion, légitimé par l'État et garanti par leur mode d'apprentissage dans les Écoles[14].

Cependant, si cette loi donnait aux vétérinaires un avantage certain sur leurs concurrents en imposant leur présence dès lors qu'un foyer d'infection était constaté, elle les plaçait néanmoins en position délicate vis-à-vis des propriétaires d'animaux, pour qui l'intervention du vétérinaire allait être synonyme de répression et d'entrave à la liberté de leur négoce. En effet, la loi de 1881 s'appuyait sur le diagnostique vétérinaire pour décréter l'isolement des animaux malades et l'interdiction de leur vente ou de leur transport sauf à destination de l'abattoir. Des indemnités étaient prévues en cas d'abattage obligatoire, mais ces dernières ne prenaient pas en compte la valeur « au travail » de l'animal ni la nécessité pour le fermier de remplacer l'animal abattu, vendu le plus souvent à un prix supérieur aux indemnités reçues. Par ailleurs, la déclaration d'infection entraînait systématiquement la suspension des foires et des marchés jusqu'à la fin de l'épizootie, ce qui grevait lourdement les économies locales. Les fermiers étaient donc peu enclins à voir se généraliser les mesures d'abattage et ce d'autant plus que la plupart des maladies concernées par la loi (en dehors de la peste bovine et de la rage) sévissaient en France à l'état quasi-endémique[15], incompatible avec

[9] Loi du 21 Juillet 1881 : Les maladies contagieuses prises en compte par la loi étaient : la peste bovine, la péripneumonie, la fièvre aphteuse, la clavelée, la gale, la morve, le farcin, le charbon et la rage.
[10] Leclainche, *Histoire illustrée de la médecine vétérinaire* ; Hubscher, *Les Maîtres des Bêtes.*
[11] A l'origine, les vétérinaires étaient le plus souvent des enfants de maréchaux-ferrants (la pratique de la forge était obligatoire pour être admis dans les Ecoles Vétérinaires).
[12] Loi du 21 juillet 1881, Article 12 : « L'exercice de la médecine vétérinaire dans les maladies contagieuses des animaux est interdit à quiconque n'est pas pourvu du diplôme de vétérinaire ».
[13] Friedson, *Professional Powers.*
[14] *Abbott, « The system of professions ».*
[15] Blancou, *Histoire de la surveillance et du contrôle des maladies animales.*

un abattage généralisé. Ces derniers avaient pris l'habitude de s'en accommoder, développant un savoir empirique basé sur leur expérience personnelle des maladies animales. Ils savaient comment traiter eux-mêmes la plupart des lésions bénignes induites par ces maladies au moyen de remèdes traditionnels transmis de génération en génération[16], parfois décrits dans des almanachs, et pouvaient au besoin accélérer le processus d'infection afin de se débarrasser au plus vite de la maladie, en mettant leurs animaux indemnes au contact des sécrétions infectieuses des animaux malades[17]. La loi de 1881 avait donc tenu compte de cette expérience empirique, décrétant l'abattage obligatoire en cas de peste bovine, péripneumonie et rage, et la possibilité d'abattre (laissée à l'appréciation des autorités locales) en cas de morve, farcin et de charbon si ces dernières maladies s'avéraient « incurables ». Quant aux autres maladies contagieuses, seul le séquestre et la désinfection s'avéraient obligatoires. Cette latitude, comme le double niveau d'action de la loi, allaient s'avérer préjudiciables pour son application : le Préfet donnait l'ordre de faire abattre les troupeaux, après avis d'un vétérinaire. Il s'agissait donc d'une *décision locale*, qui n'avait pas besoin de l'assentiment du Ministère pour être exécutée. En revanche, les indemnités devaient être allouées par le Préfet sur la base de crédits attribués par le Ministère, ce qui revenait à placer le poids de l'indemnisation au niveau *national*. Or le Ministère de l'Agriculture était peu enclin à vouloir financer une politique d'abattage qui lui semblait trop onéreuse. Si la France avait en effet besoin d'établir une police sanitaire des maladies contagieuses afin de maintenir ses exportations vers la Grande-Bretagne[18] (qui imposait des normes sanitaires drastiques) elle n'y voyait cependant pas là un enjeu économique majeur, grâce à ses échanges avec ses Colonies. En conséquence, la loi de 1881 resta en grande partie lettre morte : seuls furent renforcés les contrôles aux frontières et dans les ports. Sur le territoire national, le gouvernement préférait donc laisser les autorités locales apprécier quelles mesures adopter, faisant de cette loi une mesure « molle » sur laquelle se superposaient les modes de gestion empiriques des éleveurs face aux maladies contagieuses animales.

---

[16] Le plus souvent à base d'antiseptiques naturels comme le vinaigre ou des solutions aqueuses à base de thym : voir diverses « recettes » transmises au Ministère de l'Agriculture : Archives Nationales, Centre des Archives Contemporaines (on notera ANCAC), Versement du Ministère de l'Agriculture, Fonds des Services Vétérinaires, cote 19880158, Article 105 : Remèdes proposés contre la fièvre aphteuse.

[17] Blancou, *Histoire de la surveillance et du contrôle des maladies animales (*Pratiques d'aphtisation contre la fièvre aphteuse ou de clavelisation contre la clavelée).

[18] Berdah, « 'Morte la bête, mort le venin !' ».

LES VÉTÉRINAIRES : DE « L'EXPERTISE AGRICOLE » À « L'EXPERTISE DE SANTÉ PUBLIQUE »

Seuls les vétérinaires, que la loi de 1881 avait avantagés par rapport à leurs concurrents, semblaient se soucier de faire respecter son application. Ces derniers firent alors de la question du contrôle de la contagion – qu'elle soit humaine ou animale – toute la base de leur rhétorique professionnelle, sur laquelle ils allaient construire leur identité commune pour tenter d'obtenir un monopole total d'exercice sur la médecine des animaux. Dans ce cadre, la question du contrôle de la tuberculose bovine, zoonose se transmettant à l'homme, allait devenir un enjeu majeur de leur développement professionnel. La tuberculose bovine est une maladie dont les symptômes sont quasiment indécelables jusqu'à un stade avancé où l'animal apparaît cachectique, avec parfois une toux associée. Ainsi, cette maladie ne gênait en rien les travaux agricoles, de labour, d'engraissement ou de production laitière, et ne représentait en ce sens pas un enjeu majeur pour l'économie agricole française. En revanche, pendant toute la phase asymptomatique, les bacilles responsables de la maladie sont sécrétés par l'animal, dans sa salive, mais aussi dans le lait produit par des vaches extérieurement « saines ». Ayant contribué à démontrer les dangers pour l'homme de la consommation de viande et de produits laitiers crus[19], les vétérinaires parvinrent à faire modifier le statut légal de la tuberculose bovine, qui cessa d'être considérée comme un vice rédhibitoire en 1884 pour devenir une maladie contagieuse en 1888[20], donc tombant sous le coup de la loi de 1881 et de la police sanitaire d'abattage.

Mais comme nous l'avons vu pour les maladies concernées par la loi de 1881 autres que la peste bovine, la rage et la péripneumonie, la législation établie par l'État français était plus une « législation de façade » qu'une véritable loi coercitive. En conséquence, la loi de 1888 demeura largement inappliquée, malgré le développement de la tuberculine comme test diagnostique dès 1895[21]. En effet, si les lois de 1881 et de 1888 prévoyaient des mesures pénales propres à inciter les éleveurs à faire abattre leurs animaux malades (fortes amendes associées ou non à des peines d'emprisonnement), le gouvernement ne disposait concrètement d'aucun service de police propre à veiller au respect de ces lois. Les propriétaires d'animaux, qui ne devaient être indemnisés que sur les saisies de viande, ne voyaient donc aucun intérêt à suivre la police sanitaire : si à l'abattoir, un de

[19] Nocard, *Conférence sur la tuberculose* ; Mandereau, *De la tuberculisation de l'homme*.
[20] Loi du 21 juillet 1888.
[21] Loi du 2 août 1895 et décret du 14 mars 1896. La tuberculine est une substance extraite de la culture du bacille de la tuberculose, découverte par Robert Koch en 1890.

leurs animaux se déclarait tuberculeux, l'ensemble de leur troupeau devait alors être dépisté et les animaux réagissant à la tuberculine abattus sans délai. Reculant devant les dépenses que ces lois n'auraient pas manqué de susciter, les paysans français dirigeaient leurs animaux qui leur semblaient les plus malades vers des tueries privées où des bouchers complaisants découpaient discrètement la viande pour la commercialiser sur des marchés éloignés[22]. En conséquence, le problème de la consommation de viandes et produits laitiers issus de ces animaux demeurait entier.

Bénéficiant paradoxalement de l'absence d'application de la norme sanitaire, les vétérinaires ont alors développé des compétences spécifiques spécialisées, enseignées dans les Écoles et portant notamment sur « l'inspection des viandes de boucherie », ainsi que sur « l'analyse bactériologique du lait »[23]. Reprenant le vocabulaire des médecins hygiénistes, favorables au renforcement du contrôle de la salubrité des aliments, les vétérinaires allaient militer pour que leurs nouvelles compétences soient reconnues par l'État, s'imposant en tant qu'experts de santé publique impliqués dans le contrôle des denrées animales. Ces nouvelles compétences allaient ainsi donner les moyens au Gouvernement de mettre en place de nouveaux modes de contrôle de la contagion animale, cette fois dans un but de protection de la santé publique. Réciproquement, l'Etat allait favoriser de plus en plus les vétérinaires au détriment des empiriques, reconnaissant leur formation particulière qui les différenciait du travail de la forge ou des castrations. La Loi du 12 janvier 1909, qui institutionnalisa les Services Vétérinaires Départementaux, permit à certains vétérinaires d'obtenir des postes d'inspecteurs aux frontières et dans les ports, dans les abattoirs et sur les grandes foires et marchés. En cas d'épizootie, cette loi prévoyait d'autre part que les vétérinaires départementaux aient recours à des vétérinaires sanitaires (des praticiens libéraux installés dans la localité qui avaient été agréés par le Préfet) pour se charger des opérations de prophylaxie. La mise en place des Services Vétérinaires scinda alors l'organisation du travail vétérinaire en deux : ceux d'une part qui allaient avoir tendance à suivre la carrière administrative définie par l'État, constituant un premier « segment professionnel »[24] principalement orienté vers le contrôle sanitaire dans les abattoirs, sur les foires et les marchés et aux frontières. D'autre part, un second « segment professionnel », attaché à la pratique libérale de leur profession, qui allait chercher à la fois une meilleure reconnaissance de la part de l'État mais

[22] Vagnard-Satre, *Maladies contagieuses du bétail*, p.17 ; Nocard, *Conférence sur la tuberculose*.

[23] Railliet et Moulé, *Histoire de l'Ecole d'Alfort*, p. 371.

[24] Pour servir mon propos, j'emprunte ce concept à Strauss, « Professions in Process », bien que la profession vétérinaire ne soit pas encore complètement constituée.

aussi à développer leur clientèle rurale, essayant de contrôler au mieux de leurs intérêts le marché émergeant des soins vétérinaires. Comme nous l'avons vu, les vétérinaires avaient du mal à faire respecter les lois coercitives d'assainissement des étables. Tout au long de la première moitié du 20e siècle, ces derniers allaient donc s'attacher à transformer leurs relations avec les éleveurs, abandonnant leur rôle répressif pour s'affirmer comme de véritables « conseillers agricoles ».

LES VÉTÉRINAIRES : DE L'EXPERTISE DE « SANTÉ PUBLIQUE » AU « CONSEIL AGRICOLE »

Malgré l'amélioration tangible de leur position au début du 20e siècle et l'institutionnalisation des Services Vétérinaires Départementaux, les vétérinaires avaient du mal à recruter suffisamment d'étudiants pour remplir leurs Écoles[25]. Ces derniers se sentaient toujours menacés par la concurrence des praticiens non diplômés et cherchaient à améliorer par tous les moyens possibles leur statut social et leurs revenus[26]. Dans cet objectif, le Syndicat National des Vétérinaires de France et des Colonies essaya de développer une identité commune à tous les vétérinaires, insistant sur le rôle de « service public » que les vétérinaires sanitaires et libéraux allaient jouer en permettant le contrôle de la tuberculose bovine en limitant la contagion des hommes, surtout des jeunes enfants, grands consommateurs de laits crus. Les vétérinaires adoptèrent une nouvelle stratégie professionnelle, basée sur le « désintéressement », ce qui, selon Lucien Karpic[27], rejette à la fois l'allégeance à l'État et la soumission au marché en développant une relation particulière avec le public.

Ainsi, le Syndicat National des Vétérinaires insistait sur la nécessité de transformer l'image des vétérinaires sanitaires – jusqu'alors perçus comme des « agents de police » chargés d'ordonner l'abattage des bovins contaminés – en conseillers « de confiance », sur lesquels le fermier pouvait prendre appui s'il souhaitait moderniser son exploitation :

> « La partie du projet relative à la tuberculose bovine doit être aussi favorablement accueillie. En substituant la prophylaxie libre à la contrainte actuelle, elle fait *confiance au vétérinaire praticien* et lui réserve le monopole de l'emploi de la tuberculine. Elle donne par ailleurs les moyens d'action au service

---

25 Journal Officiel, Documents Parlementaires – Chambre, Annexe n°6333, session du 4 Juillet 1923, pp. 1558-1560.
26 Aragon, *Les vétérinaires devant l'opinion.*
27 Karpik, *Les avocats,* p. 90-91.

sanitaire en mettant à sa disposition pour la lutte antituberculeuse des sommes importantes à provenir d'une taxe spécialement instituée dans ce but»[28].

Le syndicat vétérinaire avait bien compris qu'une loi coercitive imposant l'abattage des bovidés atteints de tuberculose ne pourrait être efficace sans des mesures incitatives adressées aux éleveurs, ni de volonté réelle de la part de l'État de venir à bout de cette maladie animale. En proposant d'adopter une prophylaxie libre et facultative, les vétérinaires responsabilisaient les éleveurs qui allaient pouvoir choisir de mettre en œuvre des mesures d'assainissement de leurs étables. Parallèlement, leur projet de loi associait à cette prophylaxie des mesures destinées à assainir le marché de la viande, en soumettant l'inspection des viandes dans les abattoirs et sur les étals des commerces au regard expert des vétérinaires, afin de répondre aux préoccupations du gouvernement[29]. En effet, dans les années 1930, le marché de la viande faisait face à une crise importante, due à la fois à une période de surproduction[30] ainsi qu'à un décalage important entre le prix de vente d'un bovin et celui de sa viande dans les boucheries[31]. Pour justifier ce décalage, bouchers et chevillards expliquaient qu'ils compensaient ainsi la mévente des « bas morceaux », délaissés par les consommateurs au profit des morceaux « à rôtir ». Dans ce cadre, la loi sur la prophylaxie de la tuberculose bovine, votée le 7 juillet 1933, devait permettre d'assainir progressivement ce marché en proposant des viandes – bas morceaux y compris – de meilleure qualité, donc à même de satisfaire les consommateurs[32]. Elle devait également permettre de produire des laits de meilleure qualité, provenant d'étables indemnes de tuberculose.

Loi sur la prophylaxie de la tuberculose bovine fut donc votée le 7 Juillet 1933, permettant aux éleveurs qui le souhaitaient de faire assainir leurs étables sous le conseil des vétérinaires, en suivant la prophylaxie dite « de Bang »[33], associée ou non aux nouvelles techniques de vaccination mises en œuvre par l'Institut Pasteur[34]. La prophylaxie de Bang était basée sur un

[28] CAC, Versement du ministère de l'Agriculture, fonds des Services Vétérinaires, Cote : 19880158, Article 66 : Syndicats Vétérinaires : *Rapport du Syndicat National des vétérinaires de France et des colonies « note pour M le Ministre » du 2 décembre 24.*

[29] *Journal Officiel*, séance du 13 novembre 1923, Annexe n°6514, pp. 110-114 : Proposition de loi tendant à la création d'un office national d'hygiène alimentaire pour la surveillance de la viande et du lait et de caisses d'assurances mutuelles contre la tuberculose bovine, présenté par M. Ambroise Rendu, député.

[30] Duby et Wallon, *Histoire de la France Rurale*, t.4, p. 594 et suivantes.

[31] *Journal Officiel*, Chambre des députés, séance du 19 mars 1935, Discussion d'un projet de loi tendant à l'organisation et à l'assainissement du marché de la viande, pp. 1107-1117, 1133-1175, 1254-1268 et 1417-1420.

[32] *Journal Officiel*, Sénat, Séance du 18 juin 1929, pp. 532-545.

[33] du nom du vétérinaire Danois ayant proposé cette méthode de contrôle.

[34] Vaccination par le BCG réglementée par l'arrêté du 17 août 1936.

dépistage des animaux tuberculeux au moyen d'une injection de tuberculine. Contrairement à la législation précédente, cette méthode laissait au propriétaire d'un animal réagissant un délai de six mois pour le conduire à l'abattoir ; cela devait lui permettre de renouveler son troupeau progressivement, en fonction de ses moyens, des indemnités[35] et subventions[36] versées par l'État au moment de l'élimination de l'animal. Une fois les étables assainies, l'éleveur recevait une patente qui lui permettait de vendre à un meilleur prix son lait cru.

Les vétérinaires sanitaires avaient donc superposé leurs intérêts professionnels à la nécessité gouvernementale de trouver des moyens d'assainir le marché des viandes. Cependant, malgré la souplesse et les avantages apportés par la loi aux agriculteurs, peu s'engagèrent dans cette prophylaxie et l'incidence de la maladie resta sensiblement la même. Les vétérinaires, qui avaient déjà initié un travail de « vulgarisation » destiné à sensibiliser les éleveurs sur la dangerosité de la tuberculose bovine pour l'espèce humaine[37], se lancèrent plus en avant dans une véritable campagne publicitaire. Ils rédigèrent de nombreuses brochures responsabilisant les éleveurs sur les nécessités de parvenir à éradiquer les maladies animales, à la fois dans un objectif individuel, mais aussi en insistant sur le sentiment patriotique des éleveurs, faisant valoir que la lutte contre les maladies animales présentait un intérêt pour les richesses nationales[38]. Cette responsabilisation des éleveurs allait de pair avec le souci national de favoriser le regroupement de ces derniers, dans des mutuelles agricoles destinées à pallier les pertes occasionnées par les maladies du bétail, et compensant le faible investissement de l'État[39].

---

[35] Compensant uniquement les saisies de viande.

[36] Versées en remboursement des opérations de tuberculination et pour l'aménagement des étables si l'éleveur s'engageait à assainir toute son exploitation.

[37] Guillou, *La tuberculose humaine et la tuberculose bovine*, p. 8-9.

[38] Julienne, *La tuberculose bovine*, p. 34 et p. 83.

[39] ANCAC, Versement du Ministère de l'Agriculture, Fonds des Services Vétérinaires, cote n°19880158, Article 72, Article de René Patriat, docteur Vétérinaire Directeur des Services Vétérinaires de la Côte d'Or, envoyé à La Revue de Zootechnie, Janvier 1939 : « Comment les Agriculteurs peuvent et doivent se protéger contre les pertes de bétail. Aide de l'Etat ou organisation professionnelle ? »

LA MONTÉE DU CORPORATISME AGRICOLE

Cependant, les paysans français n'avaient pas attendu la propagande des vétérinaires et du gouvernement pour se réunir et amorcer un mouvement propre à favoriser l'adoption de nouvelles techniques agraires (mécanisation, usage mieux approprié des engrais chimiques...) ou à aménager leur habitat. L'entre-deux-guerres avait ainsi vu se développer bon nombre d'organisations professionnelles paysannes (syndicats, Chambres d'Agricultures...) qui, avec les comices et l'enseignement agricole, diffusaient les nouvelles techniques et développaient la montée d'une « nouvelle forme de solidarité » fondée sur la construction d'une idéologie professionnelle agricole[40]. Parmi ces organisations professionnelles, le syndicalisme paysan apparaissait tout aussi pluriel que la communauté paysanne elle-même[41]. La loi de Waldeck-Rousseau en 1884 avait conduit à l'émergence de deux syndicats « historiques », caractéristiques des clivages politiques de l'époque : la Société des Agriculteurs de France, représentant principalement l'aristocratie des grands propriétaires terriens, traditionnellement attachée à la droite monarchiste, et la Société Nationale d'Encouragement à l'Agriculture, instaurée par les Républicains de Gambetta afin de ne pas laisser les voix paysannes aux mains des monarchistes. Ces deux syndicats avaient favorisé la création de coopératives, le développement de mutuelles et de caisses de crédit, vendant pêle-mêle à leurs adhérents engrais, polices d'assurances et propagande politique, de sorte qu'en 1919 « près d'un agriculteur sur 2 était touché par au moins une activité de l'une des organisations du mouvement professionnel paysan »[42].

En dehors de ces deux grands syndicats majoritaires, d'autres associations syndicales se développèrent, souvent liées au Parti Communiste ou aux Socialistes, comme la CNP (Confédération Nationale Paysanne), qui défendait dans les années 1930, « l'épanouissement technique et culturel du monde rural », notamment par l'action coopérative, considérée comme le seul moyen de « moderniser les exploitations sans remettre en cause l'indépendance du producteur »[43]. D'autres associations « apolitiques »[44] virent également le jour, comme le Comité de Défense Paysanne d'Henri Dorgères, ou le Front Paysan, qui s'affichaient clairement comme des mouvements agrariens de défense du monde paysan dans son ensemble, de l'exploitation familiale en particulier.

---

[40] Duby et Wallon, *Histoire de la France Rurale*, p. 372 et suivantes.
[41] Duby et Wallon, ibid., pp. 421-427.
[42] Duby et Wallon, ibid., p. 424.
[43] Lynch, « Le Parti Socialiste et la paysannerie ».
[44] Répondant à la crise du pouvoir politique traversé par l'affaire Stavisky.

Enfin, sous l'impulsion de l'Église qui visait la re-christianisation des milieux professionnels, la JAC (Jeunesse Agricole Catholique)[45], fondée en 1929 et sa branche féminine la JACF, fondée en 1933, ont contribué « à construire et à défendre une identité paysanne 'positive' », basée sur des valeurs d'entraide et de mutualisme. Particulièrement, l'enseignement agricole par correspondance délivré par la JAC aux fils de paysans, visaient à promouvoir l'amélioration de l'habitat et des conditions de vie rurale, dans un mouvement émancipateur qui allait être déterminant dans la formation des nouvelles élites d'après-guerre. Pour reprendre l'expression de Jean-François Chosson[46], les années 1935-1945 font ici figure de « décennie fondatrice », tant le développement des organisations professionnelles agricoles et le gouvernement du Front Populaire[47] ont conjointement favorisé la mise en place d'une « politique publique d'éducation populaire en milieu rural ». Cette « amorce de technicisation du travail agricole »[48] allait consacrer l'exploitation paysanne familiale, de taille moyenne, qui bénéficiait de la disparition régulière des très petites exploitations (inférieure à l'hectare) sous l'exode rural suivant la guerre de 1914-1918[49]. Cependant, ces fermes familiales étaient loin des objectifs productivistes des 30 glorieuses. Elles fonctionnaient principalement sur un système de polyculture – élevage, qui leur permettait à la fois l'autosubsistance et le commerce d'une petite partie de leur production[50].

Ces divisions du monde agricole, qui se reconnaissait au travers d'une multiplicité d'organisations professionnelles, mettaient en exergue les disparités de statut entre petits paysans et grands propriétaires terriens. Pendant la seconde guerre mondiale, l'idéologie du régime de Vichy dissout dans un premier temps ces syndicats avant de voter, le 2 décembre 1940, la loi relative à l'organisation paysanne de l'agriculture. Cette loi institua un syndicat agrarien unique, la Corporation Paysanne, dont l'adhésion conditionnait l'accès à la caisse d'allocations familiales, aux assurances sociales, ainsi qu'à la coopération et au crédit[51]. Tous ceux qui refusaient se plier au pouvoir de Vichy étaient exclus de la Corporation, entraînant la fondation concomitante des réseaux de résistance paysans, issus pour la plupart de la CNP et de la Société Nationale d'Encouragement à l'Agriculture, qui fondèrent la Confédération Générale Agricole.

---

45 Flauraud « La JAC dans le Massif Central Méridional ».
46 Chosson, « La décennie fondatrice ».
47 Le Front Populaire développait l'idée que la République se nourrissait de la diversité des cultures locales et valorisait les arts et traditions populaires.
48 Duby et Wallon, *Histoire de la France Rurale*, p. 373.
49 Duby et Wallon, *ibid.*, p. 207 et suivantes.
50 Duby et Wallon, ibid., p. 218.
51 Duby et Wallon, ibid., p. 474.

Parallèlement, l'arrivée de Darlan au gouvernement en janvier 1941, soutint le groupe des modernisateurs agrariens et restructura l'enseignement agricole[52], afin de rendre obligatoire trois années d'enseignement technique pour les enfants de 13 à 16 ans ayant achevé leur scolarité générale. Désireux de former des cadres pour appliquer à tous les échelons de la société la devise « Travail, Famille, Patrie », le gouvernement de Vichy instaura l'École Nationale des Cadres d'Uriage, dans laquelle les dirigeants de la JAC étaient convoqués pour présenter aux étudiants et enseignants les conditions de l'agriculture française. L'indépendance intellectuelle de l'École la fit échapper à son objectif premier, devenant un vivier pour la résistance, jusqu'à sa dissolution par Darlan en 1942, mais il est très probable que l'ouverture des dirigeants de la JAC à l'École d'Uriage a contribué à influencer les lignes directrices qu'elle allait adopter après-guerre[53]. Ainsi, à la libération, la JAC allait mettre de côté ses revendications religieuses, pour militer activement pour une amélioration des conditions de vie paysannes en adoptant les principes modernisateurs mis en avant par le gouvernement français, qui souhaitait en priorité augmenter le niveau de productivité agricole et mettre fin au rationnement.

LES NOUVEAUX ENJEUX D'APRÈS-GUERRE

L'après-guerre fut marquée par une volonté des gouvernements français de moderniser l'agriculture, afin d'augmenter la productivité nationale et de couvrir les besoins de la population. Il s'agissait de mettre l'agriculture à l'abri des crises et de stabiliser les prix[54]. De fortes disparités existaient au niveau national : Si les exploitations du Nord de la Loire semblaient, en 1951, relativement riches, celles du Sud et de l'Ouest du territoire avaient besoin d'être réaménagées afin d'augmenter la rentabilité des terres cultivables. Il fallait donc harmoniser la production à l'échelle du territoire[55], principalement en augmentant la taille des exploitations au Sud. Cette augmentation devait aller de pair avec un autre enjeu fondamental pour le gouvernement d'après-guerre : le développement du machinisme agricole[56]. L'emploi du tracteur qui tardait à se généraliser (en 1955, seules 30 % des exploitations en faisaient usage), impliquait en effet un agrandissement des parcelles à cultiver. Pour limiter les pertes de temps et d'énergie, on prôna ainsi le remembrement. Les préfets exproprièrent et redistribuèrent les terres

[52] Loi du 5 juillet 1941, qui demeura toujours en vigueur sous la IVe République.
[53] Chosson, « La décennie fondatrice », p. 194.
[54] Augé-Laribé : « Situation de l'Agriculture Française ».
[55] Miquel, *La France et ses Paysans*, p. 211.
[56] Berstein, Milza, « Histoire de la France au 20ème siècle », p.109.

sous le contrôle des géomètres, depuis la reprise, par la loi de 1954, des dispositions de la loi de 1941[57], jusqu'au 3ème plan de modernisation et d'équipement (rendu public en 1957)[58]. Le rôle de l'État devint ainsi déterminant, permettant, grâce aux plans de développement, à l'encadrement technocratique, comme aux aides financières, de faire progresser rapidement la production par le recours aux machines.

Très vite, il devint évident que pour favoriser le remembrement et augmenter les revenus des populations agricoles, il fallait mettre à mal le modèle de l'exploitation familiale, tel qu'il était établi sous la 3ème République. Le Ministère de l'Agriculture établit alors un classement des exploitations en trois catégories : celles économiquement très rentables : principalement les grosses exploitations céréalières ; celles dirigées par des agriculteurs « âgés, exploitant de petites structures, dont le départ de la vie active devait être facilité pour permettre l'agrandissement des exploitations de la 3ème catégorie » ; et enfin celles dirigées par de « jeunes éleveurs dynamiques ». Il était clair que ces dernières « devaient être les bénéficiaires privilégiés des interventions publiques »[59].

Le gouvernement d'après guerre souhaitait que la France puisse progressivement devenir autosuffisante en production animale, en augmentant la quantité de viande et de produits laitiers français, mais aussi en contrôlant au mieux leur qualité. Pour ce faire, un projet de loi fut déposé en 1952, destiné à assainir le marché de la viande, en demandant notamment aux agriculteurs d'améliorer leur outillage, d'augmenter leur production fourragère et de rénover leurs étables[60]. Le Cercle National des Jeunes Agriculteurs s'inscrivit alors dans ce mouvement de modernisation de l'habitat rural et d'amélioration de l'hygiène dans les fermes. Il savait que l'État était prêt à aider ses membres au détriment des exploitations les plus petites, si ces derniers se lançaient dans la filière bovine[61]. Leur modernisation passa alors par une montée du mutualisme et de la coopérative[62], encouragés à distance par la Confédération Générale de l'Élevage[63], qui souhaitait voir les éleveurs se prémunir collectivement contre les pertes inhérentes aux maladies contagieuses de leurs animaux. La Direction des Services Sanitaires et le Syndicat des Directeurs des Services

[57] Loi du 9 mars 1941 renforçant la législation sur le remembrement pour permettre le maintien d'exploitations viables.
[58] Miquel, *La France et ses Paysans*, p. 244.
[59] Vissac, *Les Vaches de la République*, p. 147.
[60] *Journal Officiel* Documents Parlementaires, Assemblée Nationale, 1er juillet 1952, annexe n°3986, pp. 1643 – 1645 : Proposition de loi visant à accroître de 50 % en dix ans la production de viande, lait et dérivés.
[61] Miquel, *La France et ses Paysans*, p. 263.
[62] Vissac, *Les Vaches de la République*, p. 135.
[63] Branche de la Confédération Générale de l'Agriculture (CGA).

Vétérinaires avaient essayé de reprendre à leur compte les initiatives de la Confédération Générale de l'Élevage, proposant une organisation départementale de la lutte contre les maladies animales, qui aurait laissé aux Vétérinaires Départementaux l'initiative des choix prophylactiques à mettre en place, mais tout en demeurant sous la direction du Directeur des Services Vétérinaires[64]. Une entente avec la CGA était apparemment sur le point d'aboutir lorsque la Fédération Nationale des Syndicats d'Exploitants Agricoles (FNSEA[65]) prit le pas sur la CGA, revendiquant l'émancipation agricole vis-à-vis à la fois du pouvoir d'État et des vétérinaires sanitaires, aboutissant à l'échec d'une prophylaxie mise en place au plan national[66]. L'échec de ces négociations laissa libre cours aux initiatives locales, sous l'impulsion principale de groupements d'éleveurs, parfois en association avec des vétérinaires exerçant en libéral, lorsque ces derniers y étaient bien implantés.

L'EXPÉRIENCE FONDATRICE DU PREMIER GROUPEMENT DE DÉFENSE SANITAIRE

Parmi ces initiatives, la fondation du premier Groupement de Défense Sanitaire (GDS) en Vendée en 1951, allait être déterminante. Dans ce GDS, le président était élu par ses pairs, mais il avait 3 vice-présidents de droit : le président de la Chambre d'Agriculture, le Président du plus grand syndicat agricole local (la FDSA) et le Président du Conseil Général. Le Secrétaire Général du GDS était quant à lui le Président du Syndicat local des Vétérinaires, ce qui permettait de « limiter les prétentions des uns et des autres par des contrats privilégiés où chacun avait pris en compte les intérêts de chaque partie dans le souci de l'intérêt général »[67].

Il existait en Vendée un syndicalisme agricole très bien organisé avec des structures locales et départementales et des employés à temps plein[68]. Ces éleveurs avaient de plus l'habitude de travailler en collaboration avec les vétérinaires, dont la clientèle était souvent enviée par leurs collègues des départements voisins. Par ailleurs, le directeur du service sanitaire était très bien considéré par les éleveurs. Toutes les circonstances étaient donc réunies

---

[64] Degois, « L'avenir de la profession vétérinaire », p. 16.

[65] Crée en 1945, principalement par les gros exploitants céréaliers.

[66] Conseil Général Vétérinaire, *Histoire des Services Vétérinaires Français*, p. 107.

[67] M.Pierre Guillon, Directeur du GDS de Vendée en 1957. Entretien pratiqué le 14 février 2007, La Roche-Sur-Yon.

[68] Témoignage de M. Pierre Guillon, Directeur du GDS de Vendée en 1957. Interview pratiquée le 14 février 2007, La Roche-Sur-Yon, avec Jean-Jacques Benet, Professeur à l'Ecole Nationale Vétérinaire d'Alfort.

pour que puisse se mettre en place le premier plan prophylactique collectif contre la tuberculose bovine, basé sur le dépistage par la tuberculine des animaux contaminés et leur éradication progressive par abattage. La création du GDS s'est inscrite dans une demande globale de modernisation, appuyée par les vétérinaires bien implantés dans cette zone d'élevage, dans le processus global de modernisation de l'agriculture.

En effet, la filière laitière était très développée en Vendée, et ces mesures permirent que soit adopté, en 1955[69], un décret excluant de la consommation les produits au lait cru ne provenant pas d'étables patentées (indemnes de tuberculose). Cependant, dans d'autres départements, où les vétérinaires étaient moins influents, les organisations agricoles revendiquaient pour elles-mêmes la possibilité de mettre en place, sans même les vétérinaires, d'autres opérations prophylactiques, notamment contre la fièvre aphteuse[70]. Les vétérinaires du Syndical National se mobilisèrent bien évidemment contre ce qu'ils considéraient comme une atteinte à leur monopole. Pour les vétérinaires, il devenait urgent de se mobiliser activement et de prendre part aux opérations prophylactiques, avant de s'en trouver écartés :

> « Je voudrais ramener la question de la prophylaxie dirigée [...] Il faut qu'on s'en occupe, l'an dernier, j'ai essayé de vous montrer quelle était la position du monde agricole, je vous ai dit que ces gens-là avaient appris beaucoup de choses, qu'ils entendaient faire cette médecine de santé, la faire le plus tôt possible et au meilleur prix, je vous ai dit aussi que tout ce qui se ferait sans nous se ferait contre nous et nous nous en rendons compte à chaque instant. [...] Je dis que si la prophylaxie peut nous apporter quelque chose et quelque chose de substantiel, il faut s'en occuper et se jeter là-dedans, tout de suite et avec volonté »[71].

Les vétérinaires avaient donc tout intérêt à s'imposer comme les seuls intermédiaires entre les éleveurs et le pouvoir d'État, pour la résolution des questions relatives à l'assainissement des étables. Parallèlement, de nombreuses associations et coopératives virent le jour dans les années 1950 autour de la filière bovine[72], aboutissant pour la première fois à une situation de production excédentaire en 1953[73], qui nécessita alors de développer véritablement des débouchés extérieurs. Cela se passait à la veille de la signature du Traité de Rome, qui allait ouvrir le Marché Commun en 1957.

---

[69] Décret du 21 mai 1955, Relatif aux Laits Destinés à la Consommation Humaine.

[70] ANCAC, Versement du ministère de l'Agriculture, fonds des Services Vétérinaires, Cote : 19880158, Article 66 : Syndicats Vétérinaires, Lettre d'information syndicale, du 30 mai 1952.

[71] Minutes du Congrès de Lille, 10-12 septembre 1953 : M. Pinguet, « La profession vétérinaire devant les problèmes posés par la prophylaxie dirigée », p. 49.

[72] Comme la Société Interprofessionnelle du Bétail et des Viandes (SIBEV), créée en 1953.

[73] Sebillotte, *Les mondes de l'Agriculture*, p.23.

Mais avant d'ouvrir ce marché à la filière bovine française, il devenait nécessaire de s'accorder sur la qualité des denrées exportables, parvenant à une certaine « standardisation » de ces biens[74], afin de pouvoir fixer les prix et de comparer les différents marchés. Comme les vétérinaires, l'État français allait tirer les leçons de l'expérience vendéenne :

> « La lutte contre la tuberculose bovine doit être l'objectif n°1 des mutuelles bovines ; [...] Dans le département de la Vendée, des mutuelles bovines ont entrepris la lutte. [...] Au moment où l'on parle d'organisation du marché agricole sur le plan européen, il nous paraît opportun de généraliser certaines méthodes de lutte contre la tuberculose bovine. Elles ont fait leurs preuves dans certains départements et à l'étranger. Le Danemark exporte des produits laitiers de qualité tiré d'un cheptel exempt de tuberculose. Nous ne pouvons conquérir et garder les marchés agricoles qu'en exportant des produits de qualité. N'est-il pas désolant de voir des acheteurs éventuels se refuser à acquérir le lait français parce qu'ils ne sont pas sûrs que le lait livré soit sain ? »[75].

Dans ce contexte particulier, la lutte contre les maladies du bétail devint réellement une question de priorité nationale. Mais si la loi de 1954 allait conduire à l'éradication de la tuberculose bovine, elle allait également contribuer à la disparition des plus petites exploitations, incapables de satisfaire aux exigences sanitaires.

LA LOI DU 6 DÉCEMBRE 1954 SUR LA PROPHYLAXIE DE LA TUBERCULOSE DES BOVIDÉS ET LE CONTRÔLE DE LA SALUBRITÉ DES VIANDES

L'aménagement apporté à la loi du 7 juillet 1933 peut paraître minime, mais en fait, dans le contexte de la France d'après guerre, il eut un impact majeur sur la restructuration des campagnes : cette loi choisit de maintenir le caractère facultatif de la prophylaxie de la tuberculose bovine. Mais au lieu d'être *individuelle*, c'est-à-dire reposant sur la volonté propre d'un éleveur particulier d'assainir son cheptel, cette prophylaxie ne pouvait être mise en œuvre que de manière *collective*. S'appuyant sur des associations d'éleveurs, cette loi ne s'adressait, dans un premier temps, qu'aux éleveurs ayant intégré les Groupements de Défense Sanitaire (GDS), qui s'étaient peu à peu

[74] Aggeri et Hatchuel, « Ordres socio-économiques et polarisation de la recherche ».

[75] *Journal Officiel*, Assemblée Nationale, Séance du 11 février 1954, annexe n°7750 : Rapport fait au nom de la commission de l'agriculture sur les propositions de lois... tendant à modifier la loi du 7 juillet 1933 sur la prophylaxie de la tuberculose bovine, pp. 147 – 148, p.147 : par M. Pinvidic, député.

développés depuis 1951. Au sein des GDS, les vétérinaires et membres des Sociétés d'Agriculture jouaient un rôle majeur, dispensant leurs savoirs scientifiques. De plus, les membres du gouvernement pouvaient travailler en étroite coopération avec la catégorie d'agriculteurs qu'ils avaient choisi de soutenir. De cette manière, seuls les GDS se chargeaient des mesures prophylactiques (diagnostic à la tuberculine et assainissement progressif des troupeaux, ainsi que modernisation des locaux agricoles), surveillant la bonne marche des opérations et distribuant en retour les indemnités versées par l'Etat. Ainsi, tous les éleveurs appartenant aux GDS s'engageaient à accomplir ces mesures d'assainissement et devaient investir massivement dans l'aménagement des étables, condition *sine qua non* pour recevoir les indemnités prévues par la loi en compensation de l'élimination des animaux réagissants.

A priori, ces mesures ne concernaient donc que les éleveurs qui disposaient déjà de certaines ressources, c'est-à-dire ceux possédant généralement les troupeaux les plus importants et qui avaient choisi *librement* d'intégrer les GDS pour bénéficier des aides de l'État à l'amélioration de leurs exploitations. Mais le deuxième effet de cette loi, plus pernicieux peut-être, se trouvait rédigé dans son article 1er :

> « Lorsque dans une commune, un groupe de communes ou un département, le nombre des animaux soumis aux mesures collectives a atteint 60 % de l'effectif total, le préfet peut rendre obligatoire la prophylaxie et notamment la tuberculination des animaux et la marque des réagissants pour tous les bovidés vivant sur le territoire de la commune, du groupe de communes ou du département ».

Ainsi, sous l'effet de cet article, les petites exploitations se voyaient dans l'obligation d'abattre leur bétail réagissant dès lors que la majorité du bétail de leur commune se trouvait sous l'effet de la loi. Ils n'étaient plus libres du tout de s'y opposer, même si l'application de ces mesures devait mettre en danger la survie de leur exploitation. Plus dramatique encore, les indemnités[76] ne devaient être versées par l'État qu'aux exploitations pour lesquelles l'expertise[77] avait pronostiqué un avenir rentable dans la politique gouvernementale de modernisation rurale. Nous voyons bien comment l'adoption d'une telle loi signait à terme la disparition des petites

---

76 ANCAC, 19880158, Article 46 : Circulaires de 1937, qui s'appliquent à la situation de 1954.

77 Miquel, ibid., p. 269. L'expertise était opérée par les ingénieurs du Génie Rural, des délégués du Crédit Agricole, de la FNSEA et du CNJA, des membres des Chambres d'Agriculture et des Conseillers Généraux.

exploitations auto subsistantes, nécessaire au remodelage du paysage rural et à l'adoption des différentes lois-cadres des années 1960.

La Loi de 1954, définissant les conditions d'application de la prophylaxie collective contre la tuberculose bovine, permit à la profession vétérinaire de devenir un véritable outil de contrôle social : les éleveurs, devinrent ainsi complètement dépendant des savoirs et savoir-faire vétérinaires afin de satisfaire aux normes de productivité qui leur étaient demandées. Si Bertrand Vissac parle de « *sélection humaine* », pour caractériser le soutien par l'État aux jeunes agriculteurs au détriment des petits exploitants auto-subsistants, c'est réellement ce qui allait se passer, avec la mise en place des différentes lois-cadres, mais aussi, plus insidieusement, par la mise en place de lois concernant la police sanitaire des animaux. Dans le contexte particulier de l'après-guerre et de l'expansion des échanges internationaux, une politique nationale – l'assainissement des troupeaux – avec des enjeux internationaux d'exportations, de compétitivité, d'amélioration du niveau de vie des populations, allait ainsi utiliser l'expertise scientifique autour du contrôle des maladies du bétail et l'établissement de normes paramétrées des critères à remplir pour parvenir à assainir les troupeaux, pour justifier l'élimination des exploitations les plus petites et permettre ainsi de faciliter la modernisation des espaces ruraux français. Par la suite, l'application des prophylaxies obligatoires, qui permit de ficher les exploitations et de recenser les bovins, ouvrit la voie à d'autres lois de modernisation, telles que la loi sur l'élevage, en 1966[78].

BIBLIOGRAPHIE ET SOURCES IMPRIMÉES

Abbott, A., *The system of professions : an essay on the division of expert labour*, Chicago, The University of Chicago Press, 1988.

Aggeri, F., Hatchuel, A., « Ordres socio-économiques et polarisation de la recherche dans l'agriculture : pour une critique des rapports science/société », *Sociologie du Travail*, 2003, vol. 45, pp. : 113 - 133.

Aragon, P. M., *Les vétérinaires devant l'opinion, plaidoyer pour une profession méconnue*, Paris, Vigot frères éditeurs, 1937.

Augé-Laribé, M., *Situation de l'Agriculture Française d'après les documents officiels,* Paris, Editions Berger-Levrault, 1945.

Berdah, D., « 'Morte la bête, mort le venin !' Meat, public health and veterinary expertise, 1866 - 1915 » in Cantor, D. et Bonah, C. (eds.), *Meat, Medecine and Human Health*, London, Routledge, à paraître.

[78] Vissac, *Les Vaches de la République*, p. 330.

Berstein, S. et Milza, P., *Histoire de la France au 20e siècle (1945-1958)*, Bruxelles, Editions Complexe, 1999.
Bourdelais, P., *Les Epidémies Terrassées*, Paris, La Martinière, 2003.
Chosson, J.F., « La décennie fondatrice, 1935-1945 » in Boulet M. (éd.), *Les enjeux de la formation des acteurs de l'agriculture, 1760 – 1945*, Actes du Colloque de l'ENESAD, 19-21 janvier 1999, Dijon, Educagri Editions, 2000, pp. 189-197.
Conseil Général Vétérinaire, *Histoire des Services Vétérinaires Français*, Paris, France Quercy, 2006.
Degois, M., « L'avenir de la profession vétérinaire », *Bulletin du Syndicat National des Vétérinaires Français*, Juillet-Août 1948, pp. 9-21.
Duby, G. et Wallon, A. (eds.), *Histoire de la France Rurale*, t.4, Paris, Seuil, 1977.
Flauraud, V., « La JAC dans le Massif central méridional (Aveyron, Cantal) des années 1930 aux années 1960 », *Ruralia*, 2006-18/19. [En ligne : http://ruralia.revues.org/document1401.html]
Friedson, E., *Professional Powers : A Study of the Instiutionalization of Formal Knowledge*, Chicago, University of Chicago Press, 1988 [1986].
Guillou, G., *La tuberculose humaine et la tuberculose bovine*, Conférence à Plesse, Nantes, Impr. De Biroché et Dantais, 1909.
Hubscher, R., *Les Maîtres des Bêtes, Les vétérinaires dans la société française, 18e-20e siècle*, Paris, Editions Odile Jacob, 1999.
Julienne, P., *La tuberculose bovine. Comment s'en débarrasser ?* Paris, Flammarion, 1937.
Karpik, L., *Les avocats, entre l'État, le public et le marché, 13e-20e siècle*, Paris, Gallimard, 1995.
Leclainche, E., *Histoire illustrée de la médecine vétérinaire*, Toulouse, Office du Livre, 1936.
Lynch, E., « Le Parti socialiste et la paysannerie dans l'Entre-deux-guerres : pour une histoire des doctrines agraires et de l'action politique au village », *Ruralia*, 1998-3. [En ligne : http://ruralia.revues.org/document54.html]
Mandereau, L., *De la tuberculisation de l'homme par l'ingestion des viandes phtisiques*, Lyon, L. Bourgeon, 1886.
Miquel, P., *La France et ses Paysans*, Paris, Editions Archipel, 2001.
Nocard, E., *Conférence sur la tuberculose et la tuberculine*, Chartres, Impr. de Duraud, 1895.
Pinguet, M., « La profession vétérinaire devant les problèmes posés par la prophylaxie dirigée », *Bulletin du Syndicat National des Vétérinaires Français*, septembre-octobre 1953, pp. 47 -57.
Railliet, A. et Moulé L., *Histoire de l'Ecole d'Alfort*, Paris, Asselin et Houzeau, 1908.

Sebillotte, M., *Les mondes de l'Agriculture, une recherche pour demain*, Paris, INRA Editions, 1996.

Stanziani, A., *Histoire de la Qualité Alimentaire, 19e-20e siècle*, Paris, Seuil, 2005.

Strauss, A., « Professions in Process », *American Journal of Sociology*, 1961, Vol. 66, n°4, pp. 325-334

Vagnard-Satre, A., *Maladies contagieuses du bétail*, Annecy, Impr. de Dépollier, 1913.

Vissac, B., *Les Vaches de la république, Saisons et raisons d'un chercheur citoyen,* Paris, INRA Editions, 2002.

Zylberman, P., « Making food safety an issue : Internationalized Food Politics and French Public Health from the 1870s to the Present », *Medical History*, 2004, vol. 48, pp. 1-28.

PESTICIDES ET SANTÉ DES TRAVAILLEURS AGRICOLES EN FRANCE AU COURS DES ANNÉES 1950-1960

Nathalie JAS[1]

« Les intoxications professionnelles chez les travailleurs agricoles représentent la rançon majeure du progrès technique de l'agriculture ».
Docteur E. Dervillée, spécialiste de médecine professionnelle agricole, 1958[2].

« Il est curieux de constater combien la guerre chimique faisait peur il y a une vingtaine d'année et avec quelle sérénité on manipule aujourd'hui et disperse en nuages dans les campagnes des substances que les militaires d'alors auraient été satisfaits de posséder ».
Docteur R. Le Breton, médecin hospitalier, toxicologue expert en milieu judicaire, 1960[3].

Prenant acte du développement rapide de l'utilisation des pesticides de synthèse depuis 1945, l'Organisation Mondiale de la Santé s'inquiéta dès le tout début des années 1950 des effets possibles de ces « toxiques » sur la santé humaine. En 1952, le docteur J. M. Barnes, directeur de la 'Toxicology Research Unit', du Medical Research Council britannique, fut chargé par cette organisation de produire un rapport sur lesdits effets. Publié en 1953, ce rapport était des plus optimistes. Afin de faire face à l'essor de l'utilisation d'arsenicaux en agriculture, la plupart des pays occidentaux avaient, au cours des décennies précédentes, développé des législations permettant de garantir l'innocuité de l'emploi des pesticides pour la santé humaine. L'expérience accumulée en la matière leur avait permis de faire face facilement aux menaces pour la santé publique causées par le déploiement des « nouveaux » pesticides. Une partie importante du rapport

1 Nathalie Jas est historienne, maître de conférences à l'Université Paris-Sud, <nathalie.jas@u-psud.fr>

2 Dervillée, *Travail et Pathologie agricoles*, p. 9.

3 Le Breton, « Réflexions sur les empoisonnements », p. 103.

de Barnes était consacrée à la santé au travail des personnes fabriquant des pesticides et à celle de ceux qui les manipulaient dans les exploitations agricoles. L'absence d'accidents majeurs importants constituait, selon lui, une preuve importante de l'efficacité des mesures en vigueur[4]. Cependant, mettant en évidence l'existence, dès la fin des années 1940, d'atteintes graves et générales à la santé de certains groupes professionnels par les pesticides, des travaux historiques très récents portant sur les travailleurs agricoles de certaines régions des États-Unis contredisent les conclusions produites par l'expert international au début des années 1950 : Linda Nash a ainsi décrit et analysé la « marche mortelle » des travailleurs mexicains des orangeraies californiennes des années 1950, 1960[5], et Pete Daniels s'est attaqué aux milliers d'accidents plus ou moins graves, ayant eu lieu entre 1945 et 1970 dans le sud profond américain, et qui affectèrent pour une grande part les travailleurs salariés noirs des plantations de coton[6].

Ces premiers travaux, qui mobilisent la parole d'acteurs, – médecins proches des malades ou victimes elles-mêmes –, qui n'avaient alors pas ou peu été entendus invitent à d'autres enquêtes cherchant tout à la fois à retrouver les atteintes qui ont pu toucher certains travailleurs agricoles pendant ces deux décennies et à mettre à jour les mécanismes par lesquelles ces atteintes ont été rendues socialement invisibles. La France offre un terrain d'investigation intéressant. Au cours des années 1950, 1960, l'intensification de l'agriculture était en effet une priorité de l'État et la consommation en pesticides ne cessa de croître – environ 7% par an[7] – alors que l'industrie phytosanitaire française se développait rapidement. Comment dès lors ce déploiement rapide de l'utilisation des « toxiques en agriculture » affecta-t-il la santé des travailleurs agricoles qui les manipulaient ? Comment les « risques toxiques en agriculture », pour reprendre l'expression alors communément utilisée en médecine professionnelle agricole furent-ils pris en compte et gérés par les divers acteurs impliqués, que ce soit par les travailleurs agricoles eux-mêmes, les industriels, ou diverses administrations et organismes du ministère de l'Agriculture ? En tentant de répondre à ces questions, je mettrai à jour trois mécanismes qui ont pu contribuer à la mise en invisibilité en France des atteintes à la santé des travailleurs agricoles par les pesticides. Aux limites posées par la capacité même des médecins à identifier les pathologies causées par une exposition professionnelle aux pesticides s'ajoutait le fait que la santé au travail n'était pas alors une préoccupation majeure des milieux agricoles français. Au cours des années

[4] Barnes, *Toxic hazards of certain pesticides to man.*
[5] Nash, « The fruits of ill-health », voir aussi Gordon, « Poisons in the Fields ».
[6] Daniel, *Toxic Drift : Pesticides and Health.*
[7] Colas, « L'industrie des pesticides », pp. 14-16.

1960, alors même que divers acteurs du monde médical et agricole tentaient de mettre en place une médecine préventive du travail et un système de réparation des maladies professionnelles dans l'agriculture française, les importantes controverses publiques sur les effets des pesticides sur la santé publique, tournées vers les consommateurs, tendirent à effacer les manipulateurs de la liste des victimes possibles des pesticides.

SAISIR LA RÉALITÉ DES ATTEINTES À LA SANTÉ DES TRAVAILLEURS AGRICOLES PAR LES PESTICIDES

Comme aux États-Unis, l'introduction massive et rapide des « nouveaux pesticides »[8] dans les années 1950, 1960 ne se fit pas, en France, sans dommage pour la santé des travailleurs agricoles. Les traces laissées par ces atteintes sont à chercher dans les productions des toxicologues cliniciens, praticiens hospitaliers, souvent responsables de centres anti-poisons et/ou experts dans des cadres judiciaires, ainsi que dans celles des premiers spécialistes de médecine professionnelle agricole, la spécialité du « risque chimique » en milieu professionnel agricole ayant été officiellement lancée en France en 1955 par la leçon d'agrégation de François Ceccaldi[9]. Ces deux groupes professionnels, proches des malades, étudiaient les pathologies engendrées par une exposition professionnelle aux pesticides, et cherchaient, parfois avec beaucoup de virulence, à attirer l'attention sur ces dernières. Trois types d'atteintes se dégagent de leurs publications qui pouvaient prendre la forme de thèses, d'actes de colloques et d'articles dans des périodiques spécialisés : les intoxications aigües très visibles, les expositions engendrant des maladies chroniques aux effets non vitaux, les expositions répétées à des faibles doses pouvant déboucher sur des maladies pouvant être fatales.

L'essentiel des descriptions et analyses d'atteintes qu'il est possible de trouver dans les publications médicales concernent des intoxications aigües, c'est-à-dire très visibles, dues à des pesticides, les organo-phosphorés – le parathion en particulier, qui provoquent facilement ce type d'intoxication. Comme pour les États-Unis, les cas rapportés provenaient de régions où ce type de pesticides était utilisé en grande quantité pour des cultures nécessitant une main d'œuvre importante – donc avec des possibilités

[8] Fabre et Truhaut, *Toxicologie des produits phytopharmaceutiques* ; Le Nail et Defaucheux, *L'industrie phytosanitaire (1918-1986)* ; *Cahiers des Ingénieurs Agronomes* n° 231; Le Moan, *Problèmes posés par les résidus des pesticides* ; Fourche, *Contribution à l'histoire de la protection phytosanitaire.*

[9] Ceccaldi, « Les intoxications professionnelles ».

d'occurrence et de concentrations de cas plus grandes rendant les intoxications plus facilement repérables. Les régions les plus mentionnées étaient des régions de vignobles ou de cultures fruitières, l'Algérie, le Sud-Ouest et le Sud-Est de la France. Le parathion pénétrant, entre autre, par la peau et les ouvriers travaillant souvent torse nu à cause de la chaleur, les empoisonnements étaient faciles et nombreux. Les intoxications présentées étaient souvent impressionnantes en termes de manifestations symptomatiques, mais se terminaient généralement par un rétablissement *a priori*[10] complet des malades. Cependant, certains cas de lésions permanentes[11] et de décès étaient aussi rapportés. Par exemple celui d'Ould Larbi, 19 ans, mort le 16 juillet 1952, à l'hôpital de Rezilane, en Algérie, à la suite de douze heures d'intenses souffrances : « gastralgies violentes à type de torsion, accompagnée de vomissements, et une dyspnée croissante… colapsus cardio-vasculaire, syndrome asphyxique avec dyspnée bruyante, écume blanchâtre et saumonée à la bouche et aux narines… sueurs abondantes, angoisse, pupilles en myosis », expliquèrent les médecins. S'il fut le seul à mourir, Ould Larbi faisait partie d'un groupe de douze travailleurs agricoles, âgés de 10 à 19 ans, intoxiqués alors qu'ils pulvérisaient un produit à base parathion « dans une propriété de la région de Ferry, dans la plaine du Chéliff, une des régions les plus chaudes d'Algérie ». Les médecins ne purent savoir si les mesures de sécurité obligatoires pour ce type de produits, de la responsabilité de l'employeur, avaient été respectées – ce qui signifiait aussi qu'aucune enquête ne fut menée pour élucider ces intoxications dont une fut mortelle. Ces douze cas d'intoxications, annonçaient les médecins qui les décrivaient, s'ajoutaient à plusieurs centaines d'autres déjà recensées dans la littérature spécialisée[12]. Comme dans les autres pays où des produits à base d'organo-phosphorés étaient utilisés[13], les cas d'intoxication au parathion et à ses dérivés se multiplièrent en France au cours des années 1950 et des années 1960[14]. La fréquence de ce type d'intoxications conduisit rapidement à l'organisation de recherches afin de développer des antidotes efficaces et, au cours des années 1960, les descriptions de cas cliniques d'intoxication au parathion et à

---

[10] Il n'existait aucun suivi des malades pour déterminer éventuellement des effets à long terme.

[11] Voir Amphoux et Fourcade, Contribution à l'étude des intoxications professionnelles.

[12] Michaud *et al.*, « Considérations sur 12 cas ».

[13] Aux États-Unis, par exemple : voir Daniel, *Toxic Drift : Pesticides and Health*. Sur les intoxications au parathion dans les pays en voie de développement, voir par exemple Larbi, *Contribution à l'étude de l'intoxication* et Wright, *The Death of Ramon Gonzalez*.

[14] Amphoux et Fourcade, *Contribution à l'étude des intoxications professionnelles* ; Le Breton, « Réflexions sur les empoisonnements », p. 23 ; Célice et Fournel, « Traitement des intoxications ».

d'autres organo-phosphorés apparaissaient moins en tant que telles mais plutôt dans des comptes-rendus d'expérimentation visant à tester l'efficacité de ces nouveaux traitements[15].

Si les intoxications au parathion étaient les plus visibles dans les années1950 et 1960, d'autres types d'atteintes étaient aussi discutées, montrant que certains médecins pouvaient être confrontés à d'autres pathologies professionnelles qu'ils associaient à des expositions à certains pesticides. Ainsi, un article de fond publié en 1956 qui passait en revue les « dermatoses des ouvriers de l'alimentation et de l'agriculture » affirmait par exemple que les dermatoses d'origine chimique chez les ouvriers agricoles « résultaient de l'utilisation de plus en plus importante des engrais et des parasiticides en agriculture ». Même si les cas décrits pouvaient avoir des manifestations particulièrement importantes, voire entraîner la mort[16], les dermatoses étaient souvent présentées comme un risque fréquent, mais relativement mineur – puisque généralement non vital – de la manipulation de différents types de produits phytosanitaires[17]. Les pesticides étaient aussi décrits comme des substances allergisantes. Un autre article de fond de 1956 portant sur « l'importance des phénomènes d'allergie en pathologie agricole » affirmait ainsi dans la section « sensibilisation à des substances chimiques utilisées en milieu agricole » que « les sensibilisations de cette nature iront en se multipliant : de plus en plus de produits chimiques à noyau sensibilisant [étant] créés pour les besoins de l'agriculture », les auteurs citant des exemples d'« accidents de sensibilisation » chez des agriculteurs ayant manipulés des pyréthrines, du D.D.T ou des sels métalliques[18]. L'année suivante René Pautrizel –professeur en immunologie et expert à l'OMS – , et un ensemble d'autres médecins déposèrent lors des cinquièmes journées scientifiques de la Société Française de Médecine Préventive et Sociale de Vittel un rapport dans lequel ils soulignaient l'importance des pathologies liées à des allergies en milieu professionnel agricole, ainsi que le caractère invalidant qu'elles pouvaient prendre chez certains malades et, par là, le problème social qu'elles pouvaient engendrer[19]. Cette constatation se confirma au cours de la décennie suivante. En 1964, pour les docteurs F. et R. Laborié qui travaillaient dans un laboratoire, situé à Bergerac, rattaché à l'Inra, spécialisé en allergo-immunologie en milieu rural, « l'actuelle et alarmante augmentation des maladies allergiques dans le milieu rural [était] avant tout la conséquence directe de l'emploi grandissant dans les

[15] Célice et Fournel, « Traitement des intoxications »
[16] Joulia et L'Épée, « Dermatoses des ouvriers de l'alimentation ».
[17] Vallet G., *Les intoxications en milieu rural.*
[18] Pautrizel *et al.*, « Importance des phénomènes d'allergie ».
[19] Dervillée, « Travail et pathologie agricoles », p. 57.

exploitations agricoles, pour les terres, les végétaux, pour les animaux domestiques et le cultivateur lui-même, de produits chimiques toujours plus nouveaux et plus nombreux »[20].

Si les médecins spécialisés associaient certains pesticides à des intoxications aigües et à certaines maladies chroniques, ils s'intéressèrent aussi de plus en plus à partir de la fin des années 1950 à un autre phénomène, évoqué pour les arsenicaux dès la fin du dix-neuvième siècle, ainsi que dans les productions des toxicologues français sur les pesticides dès le début des années 1950 : celui des effets à long terme de l'exposition répétée à de faibles doses. Lors du premier colloque de toxicologie agricole ayant eu lieu en France et tenu le 14 juin 1959, à l'Institut National de Médecine Agricole de Tours, le Dr. Le Breton, toxicologue clinicien très renommé, expliquait : « à certains jours les agriculteurs vivent dans des poudres arsenicales ou d'hexachlorocyclochexane [lindane] ou de d.d.t. et l'on n'attirera jamais assez l'attention sur l'action périodique de petites doses de ces corps qui peuvent fort bien déterminer des intoxications chroniques insidieuses ». Le Dr. Le Breton s'interrogeait alors publiquement « pour des substances cancérigènes… ainsi pour les organo-phosphorés… est-on vraiment assuré que les plus petites doses ne déterminent pas des perturbations biologiques dont le retentissement clinique n'aurait pas encore été éclairci par les médecins » ?[21] L'insistance du Dr. Le Breton, fervent partisan d'une utilisation extrêmement réduite et contrôlée des pesticides, n'était pas sans fondement. À partir de 1958, cette possibilité d'atteintes graves à long terme à la santé des travailleurs agricoles par l'exposition répétée à des faibles doses, avait commencé à se concrétiser dans les corps d'un ensemble de vignerons et d'anciens ouvriers agricoles du Beaujolais ainsi que de certains membres de leur famille qui développèrent des cancers typiquement associés à des expositions à l'arsenic[22], dont les effets cancérigènes, étaient bien connus depuis l'entre-deux-guerre – le même phénomène se retrouvant dans d'autres régions viticoles[23]. Cette épidémie, très visible dans certains services spécialisés d'hôpitaux lyonnais, et qui dura pendant une bonne partie des années 1960, conduisit à des enquêtes cliniques auprès des malades, enquêtes qui associèrent les cancers à l'utilisation dans les vignobles du Beaujolais, pendant la seconde guerre mondiale, d'insecticides à base d'arséniate de plomb. Cette utilisation avait déjà engendré des formes d'arsénicisme chronique chez certains vignerons et

[20] Laborié, « Pathogénie des maladies allergiques », p. 26.
[21] Le Breton, « Réflexions sur les empoisonnements ».
[22] Castel, *Le cancer cutané*. Voir aussi Manipoud, « Sur une forme spéciale » ; Bourdin et Saracino, « De l'influence du traitement anti-parasitaire arsenical ».
[23] Voir par exemple L'Épée P. *et al.*, « 12 cas d'intoxication professionnelle ».

ouvriers agricoles de cette région. Mais l'apparition de ces cancers, notamment chez des personnes déjà atteintes d'arsénicisme, quinze à vingt ans après l'exposition, marquait une nouvelle étape dans les atteintes à la santé subies par ces derniers.

Malgré toutes les informations qu'elles apportent, les publications médicales françaises des années 1950, 1960 ne permettent pas de saisir l'ampleur des atteintes à la santé des travailleurs agricoles par les pesticides, ni même simplement toute la variété. Ce dont rendent compte ces publications était conditionné tout à la fois par les centres d'intérêt des auteurs et les objets même qu'ils étudiaient. L'accès des médecins aux atteintes dépendaient de la visibilité de ces dernières et de la possibilité ou non de les associer spécifiquement à une exposition à des pesticides. Les seules sources importantes dont nous disposons pour étudier la réalité des problèmes de santé posés aux travailleurs agricoles témoignent ainsi d'un premier facteur de la mise en invisibilité desdits problèmes, à la fois pendant la période des années 1950, 1960, et pour l'historien qui cherche à les connaître : les possibilités d'identification par les médecins de pathologies liées aux pesticides et provoquées par une exposition professionnelle.

LES MÉDECINS ET L'EXPOSITION PROFESSIONNELLE AUX PESTICIDES EN MILIEU AGRICOLE : DES CONNAISSANCES LIMITÉES

Les médecins impliqués dans la médecine professionnelle agricole et les toxicologues cliniciens étaient extrêmement conscients des limites de leurs connaissances et des possibilités d'en acquérir de nouvelles. Ainsi, en 1964, le docteur Guy Vallet, de l'Institut de Médecine Agricole de Tours, publia une grande étude, sous la forme d'un classeur de plus de 600 pages, dans laquelle, il répertoriait toutes les substances chimiques fertilisantes et phytosanitaires alors utilisées en agriculture, et pour lesquelles il détaillait les effets toxiques possibles sur la santé humaine et les traitements possibles en cas d'intoxication[24]. Or pour nombre de produits les informations étaient finalement lacunaires, notamment pour ce qui concernait les effets à long terme de l'exposition répétée à de petites doses, ces effets devenant pourtant progressivement au cours des années 1950 et 1960 une préoccupation majeure des toxicologues et des médecins s'intéressant aux effets sur la santé des pesticides. Par exemple, Guy Vallet décrivait les phytohormones (dont le 2,4 –D et le 2,4,5 T) comme présentant peu de dangers d'intoxications graves car nécessitant l'ingestion de doses importantes. Tout en soulignant le

[24] Vallet, *Les intoxications en milieu rural.*

caractère controversé de l'information, il appelait cependant à une « *certaine méfiance* » vis-à-vis de ces produits, des expériences de laboratoire ayant montré la capacité de ces derniers à inhiber la croissance de sujets jeunes par des atteintes aux glandes endocrines[25]. Cette méconnaissance des effets des pesticides en milieu professionnel agricole était tel qu'en 1968, le docteur Jean Vacher, pouvait affirmer :

> « le risque toxique en agriculture est loin d'être négligeable. Si les intoxications aigües sont relativement bien connues, les traitements ne sont pas toujours bien codifiés et les applications parfois difficiles. Les intoxications chroniques sont pratiquement ignorées et peu d'études ont été faites en ce domaine. Les effets sur les consommateurs des produits ayant été traités ont fait l'objet de nombreuses études dont les résultats ne sont pas encore complets. S'agissant d'une pathologie nouvelle les intoxications passent souvent inaperçues et ne sont pas diagnostiquées »[26].

Jean Vacher soulignait par là, avec probablement une certaine amertume, deux causes interdépendantes du manque de connaissances médicales sur les atteintes à la santé par les pesticides dans un cadre professionnel agricole. Se combinaient d'une part le fait que ce fut une « pathologie nouvelle », donc méconnue et difficilement identifiable en tant que telle et, d'autre part, la quasi-absence de recherche en matière d'effets – notamment d'effets à long termes –, des pesticides sur la santé des travailleurs agricoles.

L'Institut National de Médecine Agricole de Tours, ouvert en 1958, et dont Jean Vacher fut le premier directeur, avait été créé avec, entre autres, l'objectif d'être le grand lieu de recherche français en matière de pathologies professionnelles agricoles. Un des colloques organisés juste après son ouverture en 1959 et destinés à lancer ledit institut, avait été consacré à la « toxicologie agricole », signalant par là que l'étude des effets sur la santé des travailleurs agricoles des substances chimiques utilisées en agriculture, devaient être une des priorités de la nouvelle institution. Cependant, et cette situation dura au moins pendant toutes les années 1960, quasiment aucun budget ne fut affecté à cette fonction[27], rendant impossible la réalisation de recherches, en particulier sur les risques toxiques en milieu professionnel agricole, risques pourtant considérés comme importants par les spécialistes de médecine agricole. L'absence de recherche dans cette institution spécialisée supposée en conduire, n'était pas compensée par des travaux qui pouvaient être réalisés ailleurs. Les pathologies professionnelles agricoles

---

[25] *Ibid.*, p. 5.
[26] Vacher, *La médecine agricole*, p. 56.
[27] Voir « L'Institut National de Médecine Agricole ».

n'étaient pas des plus attractives et les grandes controverses publiques des années 1960 orientaient l'intérêt des pouvoirs publics et des chercheurs concernés sur les effets des pesticides sur la santé de la masse des consommateurs, c'est-à-dire sur les effets des résidus, plutôt que sur la santé des travailleurs-agricoles ou des usines de production.

Si le Dr Le Breton soulignait déjà en 1959 la difficulté à identifier les intoxications et les effets des pesticides sur la santé des travailleurs agricoles à cause du manque de connaissances des médecins en la matière, son expérience auprès de tribunaux avait attiré son attention sur un autre phénomène, le manque d'intérêt et des médecins et des familles des victimes pour ce type de pathologie. Il expliquait :

> « Il faut bien reconnaître que la mort d'un sujet, par-ci, par là, provoqués par des toxiques comme le parathion ou les organo-mercuriels, n'attirent pas forcément l'attention du médecin ou celle de l'entourage ; la mort est attribuée à une cause quelconque, une déficience cardiaque, une hémorragie cérébrale par exemple. Il est d'ailleurs curieux, s'étonnait-il, de constater avec quelle facilité on trouve la justification de la mort, même d'un sujet jeune jusqu'alors bien portant »[28].

Pour le Dr. Le Breton, plus que le manque de connaissances médicales, c'était surtout les complications causées par une enquête et/ou une autopsie qui conduisaient, consciemment ou non, les médecins et les familles à ne pas envisager la possibilité d'un empoisonnement par un pesticide en cas de mort ou de maladie suspecte. Ce type d'attitude avait pour le Dr. Le Breton deux conséquences néfastes. Bon nombre de décès et d'intoxications sévères dus à des pesticides n'étaient pas reconnus en tant que tels et, par là, restaient ignorés. Corrélativement, il était impossible de produire des informations chiffrées permettant de montrer l'importance des effets des pesticides sur la santé des travailleurs agricoles, et par là de d'obtenir la mise en place de législations plus adaptées. Cependant, pour Le Breton, en 1959, et il insistait avec véhémence sur ce point, « on n'[avait] pas le droit d'affirmer l'absence d'accidents par les pesticides sous prétexte que les statistiques officielles [étaient] encore vierges de pareils cas ». En 1968, alors même que l'Institut National de Médecine Agricole de Tours avait déjà une dizaine d'année d'existence, et que le Dr Le Breton avait espéré qu'il permettrait de combler certaine des lacunes en matière de reconnaissance des effets des pesticides sur la santé des travailleurs agricoles, Jean Vacher, le Directeur de cet institut, tenait encore un discours similaire à celui que produisait l'expert toxicologue clinicien neuf ans plutôt : « le nombre exact des cas d'intoxication est impossible à connaître compte tenu de cette

---

[28] Le Breton, « Réflexions sur les empoisonnements », p. 25.

absence de diagnostic et de déclarations ou de statistiques inexistantes ou imparfaites »[29].

La nouveauté des intoxications causées par les pesticides de synthèse en milieu agricole comme la difficulté à produire des connaissances médicales et épidémiologiques sur ce type de pathologies, (difficulté accrue par le manque de moyens financiers accordés à ce type de recherches et l'ignorance ou le désintérêt des médecins de campagne pour ces pathologies), n'étaient pas les seuls éléments permettant d'expliquer l'impossibilité pour les médecins les plus concernés à saisir la diversité et l'importance des effets des pesticides sur la santé des travailleurs agricoles. Cette impossibilité s'ancrait aussi dans la très grande faiblesse de la prise en charge de la santé au travail en milieu agricole au cours des années 1950 et 1960.

LES FAIBLESSES DE LA PRISE EN CHARGE DE LA SANTÉ AU TRAVAIL EN MILIEU AGRICOLE

Au cours des années 1950 et 1960, la prévention et la réparation des atteintes à la santé des travailleurs agricoles par les pesticides étaient prises en charge par trois types de mesures qui, toutes, présentaient des déficiences importantes.

L'État français a réglementé très tôt l'utilisation des produits phytosanitaires en agriculture. Un décret loi, promulgué en juillet 1916 organisait déjà la vente, la détention et l'utilisation des substances « vénéneuses » en agriculture. Certaines des mesures prises visaient à protéger les travailleurs agricoles des effets de la manipulation des pesticides, dont des arsenicaux. Créée en 1934, la « Commission des Toxiques » qui avait pour fonction d'étudier et de prévenir les effets possibles des pesticides sur la santé, fut intégrée au système de l'homologation, mis en place par le régime de Vichy en 1943, et qui obligeait à ce que tout produit phytosanitaire reçut une autorisation de mise sur le marché avant d'être effectivement mis en vente. Au cours des années 1950, 1960, cette commission produisit presque une centaine de textes réglementaires visant à encadrer le déploiement des « nouveaux pesticides » en agriculture afin de protéger la santé publique. Nombre de ces textes précisaient les informations à apporter sur les emballages, les conditions de stockage, les conditions de manipulation et d'utilisation par les travailleurs

[29] Vacher, *La médecine agricole*, p. 56.

agricoles pour les pesticides considérés comme les plus dangereux, au moins en ce qui concerne la toxicité aigüe[30].

Pour les spécialistes de médecine professionnelle, cette législation restait « timide »[31], pour reprendre l'adjectif utilisé en 1959 par le docteur Étienne Dervillée, alors chef du Service de Sécurité de l'Institut National de Médecine Agricole de Tours. Parmi les déficiences les plus importantes que ces médecins notaient, se trouvaient le caractère limité des informations qui devaient être apportées obligatoirement sur les emballages, le manque d'information à destination des travailleurs agricoles, le manque de formation de ces derniers quant aux manières d'utiliser les pesticides en limitant les risques pour leur santé. Plus grave encore, ces spécialistes considéraient que les mesures préventives prévues par la législation n'étaient pas appliquées. Ces derniers dénonçaient tout à la fois le non-respect de l'étiquetage par les fabricants et le non-respect par les travailleurs agricoles des précautions de base en termes de stockage, d'hygiène corporelle, de port de protections et de nettoyage des outillages souvent obligatoires, qui auraient dû être associées à la manipulation des pesticides. Ils dénonçaient aussi, le caractère souvent inadapté des outillages utilisés pour manipuler des toxiques. Ces médecins insistaient enfin sur le fait que les négligences dues à l'ignorance ou l'incurie des travailleurs agricoles étaient la cause de nombreux accidents, hors cadre professionnel, pour les personnes vivant sur les exploitations dont les enfants[32].

Même s'il est indéniable que les analyses des médecins s'inscrivaient dans des stratégies de promotion difficile de la toxicologie clinique ou de nouvelles disciplines telles que la médecine professionnelle agricole ou de l'allergo-immunologie, un ensemble d'éléments semblent indiquer que les médecins effectuaient un état des lieux plutôt fidèle des conditions dans lesquelles s'effectuaient les manipulations de pesticides dans l'agriculture française au cours des années 1950, 1960. Il s'agit notamment de la solide expérience de terrain de nombre de ces médecins, les cas cliniques décrits, les problèmes évoqués lors de certaines séances de la Commission des Toxiques (notamment en matière d'étiquetage) ; des campagnes récurrentes du Service de la Protection des Végétaux de Lyon – le plus important de France – afin de rappeler les précautions à prendre et les obligations légales des exploitants en matière de protection de la santé lors de la manipulation

---

[30] Fourche, *Contribution à l'histoire de la protection phytosanitaire,* et Jas, « Pesticides and Public Health in France ».

[31] Dervillée, « La réalité du risque toxique en agriculture ».

[32] Michaud, Thiodet et Deyme, « Considérations sur 12 cas », Dervillée, *ibid.*, Amphoux et Fourcade, *Contribution à l'étude des intoxications professionnelles* ; Le Breton, « Réflexions sur les empoisonnements ».

des pesticides par les travailleurs agricoles[33] ; ou encore des résultats d'une enquête menée au début des années 1960, montrant que 20 % des producteurs approvisionnant les Halles de Paris n'avaient pas conscience de manipuler des produits dangereux et que 50 % d'entre eux ne prenaient aucune précaution lors des manipulations de pesticides[34].

Les déficiences des mesures produites par l'homologation en matière de prévention des atteintes à la santé des travailleurs agricoles fournissaient des arguments aux médecins pour que fusse développé un système de médecine préventive agricole[35]. Au cours des années 1950, 1960, il n'existait pas en France de médecine du travail en agriculture. La loi du 11 octobre 1946 qui avait institué les services médicaux du travail ne concernait pas les travailleurs agricoles. Deux difficultés se combinaient. Premièrement, le travail agricole présentait des caractéristiques très différentes du travail en usine, auquel étaient habitués les spécialistes de médecine professionnelle – multiplicité des tâches à effectuer dans une journée, et donc la grande diversité des risques et des pathologies auxquelles pouvaient être confrontées un travailleur agricole, travail en extérieur dans des conditions extrêmement variables et non contrôlables, absence d'horaires fixe, absence de différenciation entre le milieu de travail et l'espace domestique. Ces spécificités nécessitaient de développer une médecine professionnelle particulière, dite « agricole », permettant tout à la fois de déterminer les risques spécifiques au milieu agricole, de même que les moyens de les repérer et de les prévenir. Or, en 1950, cette médecine était inexistante en France. Au cours des années 1950, elle fit l'objet d'une promotion de la part de l'Académie de Médecine, et les premiers médecins véritablement spécialisés dans ce domaine apparurent, développant, sous la houlette de Jean Vacher, l'Institut National de Médecine Agricole de Tours, dont la mission principale fut, de fait, de former des médecins (une centaine par an, à partir de 1959) capables de travailler pour la Mutualité Sociale Agricole. Deuxièmement, comme toutes les lois sociales votées au sortir de la seconde guerre mondiale, la loi du 11 octobre 1946, avait été pensée pour des milieux professionnels fonctionnant sur la logique du salariat de masse. Or, en France, dans les années 1950, 1960, deux tiers des travailleurs agricoles n'étaient pas des salariés, mais des travailleurs non salariés, chefs

[33] Archives non classées du Service de la Protection des Végétaux de Lyon, Dossier Pitioux. Ce fond très riche est déposé au Musée Henri Queuille à Neuvic (Corrèze).

[34] Szakvary, *Les résidus des produits dits phytosanitaires*.

[35] Dervillée, « Travail et pathologie » ; Amphoux, *Contribution à l'étude des intoxications professionnelles* ; Calvet, *Contribution au projet d'organisation de la médecine du travail agricole* ; Vernier, *Essai d'évaluation des examens de santé*. Pour une synthèse, cf. Vacher, *La médecine agricole*.

d'exploitation et « aides familiaux », membres de la famille du chef d'exploitation[36]. L'intensification de l'agriculture et la diminution rapide des actifs en agriculture, le vieillissement de la population active et la faiblesse du salariat posaient le problème du financement des lois « sociales », les chefs d'exploitation n'étant pas prêts à supporter les coûts qu'engendraient ce type d'« assurances » ou n'en ayant pas les moyens. Face à l'assurance maladie ou les allocations familiales, la mise en place de la médecine préventive n'apparaissaient pas comme une priorité.

Dans ce double contexte d'une structure de l'emploi et du travail rendant difficile le financement et l'organisation d'une médecine préventive agricole, et du peu de médecins spécialisés, la mise en place d'un système de médecine préventive agricole prit du temps. En 1962, les grands principes de la future loi étaient acquis, ainsi les services médicaux du travail jouaient déjà un rôle préventif, et devaient protéger les travailleurs agricoles contre les altérations causés à la santé dans le cadre de leur travail ; la médecine préventive du travail était en principe obligatoire pour l'ensemble des travailleurs agricoles, employeurs, salariés, exploitants, membres non salariés de la famille ; enfin la Mutualité Sociale Agricole devait être chargée de l'organisation des services. Mais la loi ne fut pas votée tant que ne fut pas solutionné le problème du financement des services médicaux du travail. Edgar Pisani refusait en effet que le ministère de l'Agriculture les subventionnât, ce que demandaient les différents syndicats d'agriculteurs. Edgar Faure, qui lui succéda au début de l'année 1966 accepta le principe du subventionnement et la loi ne fut votée que le 26 décembre 1966. Le décret d'application ne fut promulgué que le 8 juillet 1968, et la mise en place des services de médecine préventive du travail pour l'agriculture par les Mutualités Sociales Agricoles ne commença qu'au cours de l'année 1969[37]. Au début des années 1970, l'organisation de ces services ne semble cependant pas avoir signifié un meilleur repérage des pathologies professionnelles dues aux pesticides : les examens pratiqués lors des visites ne concernaient pas spécifiquement ces pathologies et nombre de travailleurs exposés, dont les travailleurs saisonniers et les travailleurs OMI échappaient à ce contrôle[38].

La réparation des maladies professionnelles causées par les pesticides ne permit pas plus de contribuer à repérer, prendre en charge et indemniser les victimes. Si un système de réparation des maladies professionnelles avaient

---

[36] Vacher, *La médecine agricole*, p. 13.

[37] Gross-Chabert, « La Mutualité Sociale Agricole », p. 225-260 ; Calvet, *Contribution au projet d'organisation de la médecine du travail agricole,* p. 13-40 ; Vernier, *Essai d'évaluation des examens de santé,* p. 5-10.

[38] Vernier, *Essai d'évaluation des examens de santé.*

été initié pour le commerce et l'industrie par un texte datant d'octobre 1919, l'agriculture ne disposait encore d'aucun système équivalent au sortir de la seconde guerre mondiale. Cette asymétrie était particulièrement visible pour les maladies causées par l'utilisation de certains produits chimiques dans un cadre professionnel comme ceux à base d'arsenic ou de parathion qui, au début des années 1950, pouvaient faire l'objet de réparation dans le cadre du régime instauré pour le commerce et l'industrie en 1919, mais qui n'étaient absolument pas prises en charge lorsqu'elles survenaient dans un cadre de travail agricole[39]. Un décret daté du 17 juin 1955[40] créa finalement un début de système de prise en charge de certaines maladies professionnelles pour l'agriculture. Quatorze tableaux furent produits couvrant des atteintes causées par sept types de zoonoses, six types d'intoxications et un type de lésions cutanées. Outre certaines intoxications provoquées par deux types de solvants, le tétrachlorure de carbone et le sulfure de carbone et par le mercure, certains empoisonnements par trois types de pesticides pouvaient être indemnisés : les arsenicaux, les pesticides à base de parathion et certains herbicides à base de phytohormones (2-4 D, 2, 5 T).

Si ce décret fut bien accueilli à sa promulgation, il ne fut pas ou très peu utilisé au cours des années 1950 et 1960. Son champ d'application était des plus limité. Il ne concernait au départ que les salariés agricoles, alors même que l'essentiel des travailleurs en agriculture n'avaient pas ce statut mais celui de chef d'exploitation ou d'aides familiaux, la réparation des maladies professionnelles fut étendue à ces catégories en décembre 1966. Le nombre des produits concernés était extrêmement réduit par rapport au nombre de substances alors en circulation et reconnues comme pouvant provoquer des maladies professionnelles. Seules les intoxications aigües, c'est-à-dire se manifestant très rapidement, étaient prises en comptes. Les effets à long terme n'étaient absolument pas considérés[41]. Enfin, la mise en œuvre des mesures de réparation reposaient sur « la conscience professionnelle et la bonne volonté des médecins de campagne » pour reprendre l'expression du docteur Étienne Dervillée[42]. Or ces médecins n'étaient formés ni à l'identification de ce type de pathologies, ni aux procédures administratives – compliquées – à suivre[43]. Par ailleurs les maladies professionnelles ne faisaient pas partie de leur priorité. Les médecins de campagne devaient

---

39 Michaud, Thiodet et Deyme, « Considérations sur 12 cas », p. 359.

40 « Le Code Rural et les maladies professionnelles », et Dervillée, *Travail et Pathologie agricoles*, p. 106-130.

41 Castel, « Cancer Cutané », p. 101-102.

42 Dervillée, *Travail et Pathologie agricoles*, p.109.

43 Vacher, *La médecine agricole*, p. 94-96.

alors faire face à la mise en place « des lois sociales en agriculture » qui transformaient profondément et rapidement leur travail[44].

Ainsi, comme l'ont montré tout un ensemble de travaux en sciences sociales anglo-saxons[45] et, certains travaux français[46] l'existence de régulations *ad hoc* ne garantit en rien que la santé de nombre de travailleurs ne fussent pas sacrifiée au profit du développement de certaines industries. De la même manière, dans la France des années 1950, 1960, la non mise en œuvre des mesures de régulation existantes, l'absence d'un système de médecine professionnelle et le non fonctionnement du système de réparation des maladies professionnelles ont contribué à la mise en invisibilité sociale et la non prise en charge des pathologies professionnelles causées par les pesticides en agriculture, même pour les plus visibles, notamment pour certains types de produits (organo-phosphorés, arsenicaux) pour certains types de cultures (vignes, fruitières, maraîchères, cultures florales). Ces phénomènes étaient renforcés par le fait que les problématiques de santé au travail apparaissaient à la plupart des acteurs du monde agricole comme très secondaires. La priorité était alors de bâtir un système social – assurances maladie, maternité, vieillesse, invalidité – pour les non salariés, alors majoritaires dans l'agriculture. Cette absence de systèmes capables de produire, ne ce serait-ce qu'un début de données sur les empoisonnements par les pesticides dans un cadre professionnel agricole, facilita, dans le cadre des grandes controverses des années 1960 sur les effets néfastes des pesticides, la négation de l'existence d'atteintes à la santé chez les manipulateurs de pesticides.

LES AGRICULTEURS DANS LES « CAMPAGNES PRESSES CONTRE LES PESTICIDES CANCÉRIGÈNES » : DES ATTEINTES À LA SANTÉ NIÉES, UN STATUT AMBIGÜ

Dès le début des années 1950, alors même que la tendance générale témoignait plutôt d'un enthousiasme pour les pesticides, les effets nocifs possibles sur la santé humaine et la nature de ces derniers purent aussi être dénoncés de manière virulente dans certains journaux « grand public » [47]. Au cours des années 1960, sous l'effet croisé de la réception du best-seller international *le Printemps Silencieux* de Rachel Carson, et d'interrogations

[44] Perrève, *La Burle*.
[45] Barca, « Health, Labor and Social Justice » et le périodique *International Journal of Occupational and Environmental Health*.
[46] Voir Thébaud-Mony, *Travailler peut nuire gravement à votre santé*.
[47] Voir par exemple Birre, « Les pesticides font de nos paysans des cultivateurs de la mort ».

plus larges sur la qualité des produits alimentaires issus de l'agriculture intensive et des industries agro-alimentaires, les interrogations et les critiques sur les pesticides, notamment sur leurs effets cancérigènes, s'intensifièrent.

Ces campagnes de presse proposaient trois types de représentation des agriculteurs. Certains articles, qui attiraient l'attention sur les risques d'intoxication aigüe, présentaient les agriculteurs comme les premiers exposés et, par là, les premiers à être potentiellement touchés par les pesticides. Ainsi, en 1968, dans un supplément du *Coopérateur de France* – organe du Laboratoire Coopératif, créé en 1959 et qui défendait les intérêts des consommateurs – intitulé « Pest-, insect-, herb-, hom- icides ? », les mises en garde et les conseils afin de se protéger des effets des pesticides s'adressaient-ils autant à la ménagère qu'aux agriculteurs. Un article entier, intitulé « Agriculteurs : danger », était consacré spécifiquement à ces derniers. Il soulignait l'ignorance dans laquelle se trouvait bon nombre de manipulateurs de pesticides et les informations déficientes apportées par les fabricants aux utilisateurs, tout en montrant l'existence de « négligences et d'imprudences » de la part des agriculteurs, qui n'auraient pris aucune précaution pour se protéger lors des manipulations, ou qui auraient mis en danger la vie d'autrui en, par exemple, abandonnant les emballages vides des pesticides dans les décharges publiques au lieu de les brûler comme ils étaient tenus de le faire[48]. Dans d'autres articles, dont la focale était les résidus et la santé des consommateurs, la santé des manipulateurs n'était absolument pas prise en considération et l'agriculteur était surtout présenté comme un irresponsable jouant avec la santé des consommateurs. Ainsi, en février 1966, dans un article, publié dans le magazine *Lecture pour tous*, intitulé « du poison dans nos aliments », l'auteur appelait les agriculteurs à respecter scrupuleusement « les indications portées sur les sacs d'insecticides », expliquant que :

> « la présence ou l'accumulation de substances dangereuses dans les aliments résultait de deux tendances. D'une part, les agriculteurs forcent inutilement la dose afin de mieux se garantir contre les dommages que peuvent subir les cultures..., d'autre part, ils sont tentés également – toujours en vue d'une meilleure conservation – de traiter des fruits et légumes peu de temps avant leur cueillette, contrairement aux indications qui prescrivent un délai minimum de sécurité »[49].

---

[48] Gaussel, « Pest-, insect-, herb-, hom- icides ? ».
[49] Liprand, « Du poison dans nos aliments ».

Un troisième type d'articles décrivait des agriculteurs ayant fait le choix radical de changer de type d'agriculture, d'abandonner les techniques de l'agriculture intensive, et de se tourner vers l'« agriculture biologique », présentée comme seule apte à produire des aliments de bonne qualité, non nocifs pour la santé. À la fin des années 1960 et au début des années 1970 certains médias, de la presse locale[50] à la presse nationale[51], semblent ainsi avoir été fascinés par l'agriculture biologique naissante : les agriculteurs qui choisissaient ce type d'agriculture étant célébrés parce qu'ils contribuaient à préserver la santé des consommateurs. Par opposition, les agriculteurs pratiquant l'agriculture intensive et utilisant de grandes quantités de pesticides étaient montrés du doigt et accusés d'empoisonner le consommateur.

Ainsi, les « campagnes de presse contre les pesticides cancérigènes » des années 1960, si elles pouvaient discuter des atteintes à la santé des manipulateurs de pesticides, offraient surtout l'image d'un agriculteur au mieux inconscient, au pire peu scrupuleux et irresponsable, à l'origine, par ses pratiques, de risques variés pour sa santé et celle d'autrui. Une quatrième image des manipulateurs de pesticide fut construite par ceux qui, dans ces controverses publiques, défendirent les pesticides : industriels, représentants importants du Service de la Protection, représentants de certains secteurs agricoles. La défense des pesticides s'organisaient autours d'un pilier important : le système de régulation français, l'homologation, « extrêmement stricte » aurait garanti d'une part qu'aucun pesticide dangereux, en particulier cancérigène, ne fut en circulation dans le pays et que leur condition d'utilisation aient été telles qu'elles empêchassent les accidents[52]. Dans cette logique, les atteintes à la santé des manipulateurs par les pesticides disparurent. La santé de ces derniers ne pouvait être menacée, puisque les pesticides ne présentaient, en France au moins, aucun danger et l'absence d'atteintes à la santé des manipulateurs constituait la preuve de l'innocuité des produits phytosanitaires pour les consommateurs bien moins exposés que les manipulateurs. Les défenseurs des pesticides reconnaissaient tout au plus des « accidents », en nombre réduit, sous-entendant qu'ils auraient pu être évités par un respect des mesures de sécurité et, par là, qu'ils étaient de la responsabilité des victimes. Ainsi, Henri Siriez, le très puissant « administrateur civil » du Service de la Protection des Végétaux, dans une lettre datée de 1967 et destinée à servir de modèle aux réponses à adresser « aux nombreuses lettres » manifestant des inquiétudes vis-à-vis des effets

---

[50] Voir par exemple, V. G., « Une entreprise baugeoise ».
[51] Voir par exemple, Pivot, « Les Aliments malades de la peste ».
[52] Jas, « Pesticides and Public Health in France ».

sur la santé des pesticides que recevaient alors les services du ministère [53], affirmait que le « premier congrès européen des centres de lutte contre les poisons » organisé par Jean Vacher à l'Institut National de Médecine Agricole de Tours en septembre 1964 – dont je n'ai retrouvé aucune trace – aurait montré l'« infime pourcentage des cas d'intoxication ou de réanimation, imputables aux traitements chimiques agricoles par rapport à ceux que provoquent médicaments, lessives, détergents, encaustiques, produits de beauté, détachants, et d'autres produits n'ayant aucune destination agricole ». « Encore, soulignait Siriez, s'agit-il d'intoxications et non de cas de cancers, qui seraient imputables à ces divers produits ».

Si les contre-attaques des défenseurs des pesticides pouvaient avoir pour destinataire le « grand public », ces derniers s'inquiétaient surtout des univers agricoles et industriels. Il s'agissait de rassurer les cadres et techniciens des industries, des services du ministère de l'Agriculture, des organisations et organismes d'encadrement de l'agriculture, ainsi que les agriculteurs eux-mêmes[54]. Les archives d'Henri Siriez[55] témoignent de deux types d'activités. D'une part la presse spécialisée était surveillée. S'il arrivait que des articles critiquant les pesticides fussent publiés, Siriez ou des Inspecteurs de la Protection des Végétaux s'arrangeaient pour publier rapidement dans la même revue, un article contrecarrant les affirmations de l'article précédant. Par ailleurs, Siriez et certains représentants des industries écrivaient beaucoup dans des périodiques agricoles spécialisés. Dans ces publications, se retrouvait l'affirmation véhémente selon laquelle le système d'homologation français aurait protégé efficacement la santé publique, l'absence de preuve scientifique de la dangerosité de nombreux pesticides, et la négation – directe ou indirecte par leur oubli – d'atteintes à la santé des manipulateurs et donc *a fortiori* des consommateurs. Le fond Siriez révèle ainsi la sérieuse documentation que ce dernier avait constituée autours des nombreux débats sur les pesticides qui agitèrent le Congrès américain au cours des années 1960. En 1967, Siriez décida de publier dans la grande revue française de protection des végétaux, *Phytoma*, un article présentant le rapport d'une commission parlementaire américaine publié l'année précédente[56]. Arguant que la publication de la traduction de ce rapport aurait été trop volumineuse, Siriez expliqua qu'il ne pouvait n'en présenter que les principaux arguments. Siriez ne reprit que les éléments du rapport allant dans le sens de l'absence d'effets importants des pesticides sur la santé

[53] Archives Nationales CAC 16 SPV 4.
[54] Pour des exemples voir Siriez, « Pesticides agricoles et santé humaine » et le n° 231 du *Cahier des ingénieurs agronomes* consacré aux pesticides en 1968.
[55] AN CAC Siriez (16 SPV 1-24)
[56] Siriez, « Le problème des pesticides ».

publique. Parmi les grands oublis de Siriez se trouvait une recommandation importante du rapport américain : la nécessité de mettre en place un système de surveillance de la santé des personnes les plus exposées aux pesticides parmi lesquelles les travailleurs agricoles.

Dans certains dossiers, dont celui de l'amiante[57], le déplacement des controverses vers la santé environnementale a pu contribuer à attirer l'attention sur les atteintes, pourtant graves et anciennes, à la santé des travailleurs que les produits concernés avaient pu provoquer. Dans les cas des pesticides, en France, dans les années 1950, 1960, on assista à un scénario très différent, dû probablement à l'absence de revendication organisée de la part des travailleurs agricoles. La mise en visibilité publique des effets nocifs possibles des pesticides sur la santé, au travers du développement de campagnes de presse et de controverses publiques, contribua au contraire, à nourrir les phénomènes d'invisibilité des atteintes causées par ces produits sur les travailleurs agricoles. Focalisant en grande partie sur la santé environnementale – celle de la masse des consommateurs –, les campagnes de presse dénonçant les pesticides ont eu tendance à oublier les travailleurs agricoles ou à désigner les agriculteurs comme responsables de la mise en danger de la santé publique, alors que les défenseurs des pesticides considéraient le manipulateur de pesticides comme indemne de toute atteinte.

DE L'INVISIBILITÉ DES ATTEINTES À LA SANTÉ DES TRAVAILLEURS AGRICOLES

Une des preuves apportées par Barnes dans son rapport de 1953 de l'efficacité des mesures de régulation était l'absence d'intoxications graves au parathion alors même que ce pesticide était reconnu comme hautement toxique. Barnes, médecin, toxicologue internationalement reconnu, ignorait-il vraiment les nombreux « accidents » que le parathion avait déjà provoqués ? Il est difficile de répondre à cette question. Mais la non-prise en compte des empoisonnements les plus visibles causés par les pesticides dans les exploitations agricoles et la confiance en la capacité de la régulation à prévenir les effets néfastes sur la santé n'était alors pas le propre de Barnes. Cette attitude était partagée par toutes les personnes clefs des systèmes nationaux visant à garantir l'innocuité des pesticides pour la santé publique que Barnes avait rencontrées afin de rédiger son rapport. Ces systèmes étaient généralement intégrés aux ministères de l'Agriculture, qui

---

[57] Voir Henry, Amiante : un scandale improbable.

travaillaient alors à l'intensification de l'agriculture. Le conflit d'intérêt entre protection de la santé et intensification de l'agriculture, – conflit d'intérêt qui constituait un des arguments majeurs des controverses publiques américaines sur les pesticides des années 1960 – a non seulement contribué à assujettir la protection de la santé publique à une forme de développement de l'agriculture, mais a aussi engendré la mise en place de systèmes non formels, ayant pour objectif de rendre invisibles les atteintes à la santé, tout autant au niveau des travailleurs agricoles eux-mêmes – ou de ceux des industries –, que de ceux qui ont encadré l'intensification de l'agriculture ou des consommateurs. Au cœur de ces systèmes se trouvaient la capacité à écarter et, à faire en sorte que ne soient pas vraiment entendus, ceux qui, comme certains toxicologues cliniciens ou spécialistes de médecine professionnelle agricole de la France des années 1950 et 1960, ont pu repérer et témoigner de l'existence d'atteintes visibles à la santé, et de la probabilité de l'existence d'autres atteintes moins directement perceptibles. Ainsi, ces spécialistes n'ont pas été intégrés dans les appareils de l'État officiellement destinés à protéger la santé publique -au sein de la Commission des Toxiques, cette dernière n'était défendue que par des toxicologues « expérimentaux », pharmaciens de formation, éloignés des malades par leur pratiques, et très liés aux industries phytosanitaires-, ou ont été cantonnés aux marges -le système de réparation des maladies professionnelles comme celui de la médecine préventive agricole ne disposaient d'aucun moyens d'action. Au final, cette mise à l'écart des plus grands témoins des atteintes à la santé par les pesticides de synthèse a largement contribué à la mise en invisibilité et à la non prise en compte des victimes nombreuses du déploiement de ces produits en agriculture dans la France des années 1950, 1960 aux premiers rangs desquelles se sont, sans doute aucun, trouvés nombre de travailleurs agricoles.

BIBLIOGRAPHIE ET SOURCES IMPRIMÉES

Cahiers des Ingénieurs Agronomes, 1968, n° 231.

« L'Institut National de Médecine Agricole », *Accidents du Travail et Maladies Professionnelles en Agriculture, Chambres d'Agriculture*, Supplément au n° 324, 15 Septembre 1965, p. 22-23.

« Le Code Rural et les maladies professionnelles », *Archives de Médecine Professionnelle*, 1955, vol. 16, cah. 4, p. 512-517.

Amphoux, P., *Contribution à l'étude des intoxications professionnelles agricoles par les insecticides*, Montpellier, Thèse de médecine 1959.

Amphoux, P., Fourcade, J., « Contribution à l'étude des intoxications agricoles par les insecticides organo-phosphorés dans la région languedocienne », in *Colloque de toxicologie agricole, 14 juin 1959,*

Tours, Institut National de Médecine Agricole, Paris, Le Concours Médical, 1960, pp. 30-31.

Barca, S., « Health, Labor and Social Justice: Environmental Costs of Italian Economic Growth, 1958-2000 », [communication en ligne http://www.yale.edu/agrarianstudies/papers/26italiangrowth.pdf]

Barnes, J., *Toxic hazards of certain pesticides to man*, Genève, World Health Organisation, 1954.

Bourdin, J. S., Saracino R. T., « De l'influence du traitement anti-parasitaire arsenical de la vigne sur le développement de certains cancers cutanés », in *1er Congrès International de Médecine Agricole 6-12 Juillet 1961*, Paris, Le Concours Médical, 1963, pp. 117-119.

Bouguerra, M. L., « Problèmes et perspectives de la lutte acaricide », in Essaid, A. (éd.) *La lutte anti-acridienne*, Paris, John Libbey Eurotext ; Montréal, Aupelf-Uref, 1991, pp. 239-266.

Birre, A., « Les pesticides font de nos paysans des cultivateurs de la mort », *Points de Vue – Images du Monde*, Décembre 1955, p. 16-17

Calvet, M.-L., *Contribution au projet d'organisation de la médecine du travail agricole dans la région de Toulouse*, Thèse pour le doctorat en médecine, Toulouse, Faculté mixte de médecine et de pharmacie, 1962.

Castel, L., *Le cancer cutané sur arsénicisme chronique professionnel chez les viticulteurs du Beaujolais*, Lyon, Thèse pour le doctorat en médecine, 1964.

Ceccaldi, F., « Les intoxications professionnelles chez les travailleurs agricoles, Leçon d'agrégation », *Le Concours Médical*, 28 janvier 1956, pp. 356-364.

Celice, J. et Fournel, J., « Traitement des intoxications par les insecticides organophosphorés », in *1er Congrès International de Médecine Agricole 6-12 Juillet 1961*, Paris, Le Concours Médical, 1963, pp. 114-117.

Colas, J., « L'industrie des pesticides », *Cahiers des Ingénieurs Agronomes*, 1968, n° 231, pp. 14-16.

Daniel, P., *Toxic Drift : Pesticides and Health in the Post-World War II South*, Baton Rouge, Louisiana State University Press, 2005.

Dervillée, E., *Travail et Pathologie agricoles dans le cadre de la région du Sud-Ouest de la France*, Bordeaux, Thèse pour le doctorat, 1958.

Dervillée, E., « La réalité du risque toxique en agriculture », in *Colloque de toxicologie agricole, 14 juin 1959, Tours, Institut National de Médecine Agricole*, Paris, Le Concours Médical, 1960, pp. 15-17.

L'Épée, P. *et al.*, « 12 cas d'intoxication professionnelle par l'arséniate de plomb apparues dans une même commune rurale », in *1er Congrès International de Médecine Agricole 6-12 Juillet 1961*, Paris, Le Concours Médical, 1963, pp. 112-114.

Ervard, D., *La médecine du travail agricole dans le département du Lot*, Toulouse, Thèse pour le doctorat en médecine, 1974.

Fabre, R. et Truhaut, R., *Toxicologie des produits phytopharmaceutiques*, Paris, Sedes, 1954.

Fourche, R., *Contribution à l'histoire de la protection phytosanitaire dans l'agriculture française (1880-1970)*, 2. vol., Lyon, Thèse de doctorat en histoire contemporaine, 2004.

Fuchs, S., « La Réparation des maladies professionnelles dans l'agriculture : Études sur la législation et la pratique dans divers pays » in Institut National de Médecine Agricole de Tours, *1er Congrès International de Médecine Agricole – Tours 6-12 juillet 1961*, Paris, Le Concours Médical, 1963, pp. 9-11.

Gaultier, M., Fournier, E. et Gervais, P., « Les intoxications par les pesticides dix-mois d'activité d'un centre antipoison » in Institut National de Médecine Agricole de Tours, *Ier Congrès International de Médecine Agricole, Tours 6-12 juillet 1961*, Paris, Le Concours Médical, 1963, pp. 105-109.

Gaussel, A., dossier « Pest-, Insect-, Herb-, Hom-…icides ? », *Coopérateur de France*, 1968, Supplément au n° 406 (25 juin).

Gordon, R., « Poisons in the Fields: The United Farm Workers, Pesticides and Environmental Politics », *The Pacific Historical Review,* 1999, vol. 68, cah. 1, pp. 51-57.

Gross-Chabbert, C., *La Mutualité Sociale Agricole : son histoire à travers les textes (1919-1981)*, Paris, Association pour l'étude de l'Histoire de la Sécurité Sociale, 1991.

Henry, E., *Amiante : un scandale improbable : Sociologie d'un problème public*, Rennes, Presses Universitaires de Rennes, 2007.

Jas, N., « Pesticides and Public Health in France before and after Silent Spring », *History and Technology*, 2007, vol. 23, cah. 4, pp. 369-388.

Joulia et L'Épée, « Dermatoses des ouvriers de l'alimentation et des ouvriers agricoles », *Archives des Maladies Professionnelles*, 1956, vol. 17, cah. 3, pp. 175-179

Laborié, F. et Laborié, R., « Pathogénie des maladies allergiques en milieu agricole » in Institut National de Médecine Agricole de Tours, *IIème Congrès International de Médecine Agricole, Bad Kreuznach (République Fédérale Allemande) 4-9 mai 1964*, Paris, Le Concours Médical, 1964, pp. 24-27.

Larbi, M., *Contribution à l'étude de l'intoxication par le parathion en Algérie*, Alger, Thèse de médecine, 1968.

Le Breton, R., « Réflexions sur les empoisonnements provoqués par les pesticides », in *Colloque de toxicologie agricole, 14 juin 1959, Tours, Institut National de Médecine Agricole*, Paris, Le Concours Médical, 1960, pp. 21-26.

Le Breton, R. et Garat, J., « Contribution du laboratoire au diagnostic de quelques intoxications par insecticides » in Institut National de Médecine

Agricole de Tours, *Ier Congrès International de Médecine Agricole – Tours 6-12 juillet 1961*, Paris, Le Concours Médical, 1963, pp. 98-105.

Le Moan, G., *Problèmes posés par les résidus des pesticides dans l'alimentation*, Paris : Palais de la Découverte/Université de Paris, 1964.

Le Nail, F. and Defaucheux, Y. (1986), *L'industrie phytosanitaire (1918-1986) : soixante-huit ans d'organisation syndicale en France*, Boulogne, UIPP, 1986.

Liprand, J., « Du poison dans nos aliments », *Lecture pour Tous*, Février 1966, pp. 4-8.

Manipoud, A.-L., *Sur une forme spéciale d'arsénicisme chronique d'origine professionnelle chez les viticulteurs du Beaujolais*, Thèse pour le doctorat en médecine, Lyon, 1943.

Menard, E., « Aspects particuliers de l'allergologie en milieu agricole » in Institut National de Médecine Agricole de Tours, *Ier Congrès International de Médecine Agricole, Tours 6-12 juillet 1961*, Paris, Le Concours Médical, 1963, pp. 62-63.

Michaud, P., Thiodet, J. et Deyme, H., « Considérations sur 12 cas, dont 1 mortel d'intoxication professionnelle par le Parathion », *Archives de Maladies Professionnelles*, 1954, vol. 15, cah. 5, pp. 356-359.

Nash, L., « The fruits of Ill-Health: Pesticides and Workers' Bodies in Post-World War II California », in Mitman, G., Murphy, M., Sellers, C. (eds.), dossier « Landscapes of Exposure: Knowledge and Illness in Modern Environments », *Osiris*, 2004, 19, pp. 203-219.

Paty, E., *La médicine du travail agricole dans les coopératives fruitières*, Bordeaux, Thèse pour le doctorat en médecine, 1974.

Pautrizel, R., L'Épée, P., Rivasseau, A. et Rivasseau-Coutant, A., « Importance des phénomènes d'allergie en pathologie agricole », *Archives des Maladies Professionnelles*, 1956, vol. 17, cah. 6, pp. 576-580.

Perrève, P., *La Burle*, Esperluette, Montferrat, 1994.

Pivot, A., « Les Aliments malades de la peste », *Le Figaro Littéraire*, janvier 1971, n°30, pp. 9-11.

Rioufol, F., *La réglementation des produits antiparasitaires à usage agricole*, Toulouse, Thèse de doctorat en droit, 1974.

Roussy, G. et Héraux, A., « Les cancers professionnels », *La Presse Médicale*, 24 décembre 1927, n° 103, pp. 19-24.

Siriez, H., « Pesticides agricoles et santé humaine », *La Forêt Privée*, Mars-Avril et Mai-Juin 1964, pp. 72-84.

—, « Le problème des pesticides devant le parlement américain », *Phytoma*, Février 1967, pp. 35-41

Szakvary, A., *Les résidus des produits dits phytosanitaires sur les fruits et légumes : les incidences possibles – enquêtes auprès des producteurs*, Paris, Foulon, 1965

Thébaud-Mony, A., *Travailler peut nuire gravement à votre santé, Paris*, La découverte, 2007.

Thenaisy, M., *Étude des examens de santé précliniques réalisés par le service de médecine préventive de la Mutualité Sociale Agricole de la Sarthe durant les années 1972-73*, Tours, Thèse pour le doctorat en médecine, 1975.

V. G., « Une entreprise vaugeoise originale : les cultures maraîchères biologiques », *Le Courrier de l'Est*, 30 Juillet 1965.

Vacher, J., *La médecine agricole*, Paris, P.U.F., 1968.

Vallet, G., *Les intoxications en milieu rural : les produits fertilisants et phytosanitaires*, Tours, Institut National de Médecine Agricole, 1964.

—, « Les intoxications par les herbicides récents » in Institut National de Médecine Agricole de Tours, *IIème Congrès International de Médecine Agricole – Bad Kreuznach (République Fédérale Allemande) 4-9 mai 1964*, Paris, Le Concours Médical, 1964, pp. 5-9.

Viel, G., « Les dépôts et résidus de pesticides », in *Colloque de toxicologie agricole, 14 juin 1959, Tours, Institut National de Médecine Agricole*, Paris, Le Concours Médical, 1960, pp. 18-20.

Vernier, P., *Essai d'évaluation des examens de santé biologiques précliniques réalisés par le service de médecine préventive de la Mutualité Sociale Agricole de la Sarthe*, Tours, Thèse pour le doctorat en médecine, 1973.

Wright, A., *The Death of Ramon Gonzalez: The Modern Agricultural Dilemma*, Austin, University of Texas Press, 2005.

VIANDE, HORMONES ET EXPERTISE SANITAIRE AUX USA ET EN FRANCE

L'AFFAIRE DU DISTILBÈNE (1955-84)

Jean-Paul GAUDILLIÈRE[1]

INTRODUCTION

« Une monumentale erreur médicale » : c'est avec cette manchette inhabituellement spectaculaire que *Le Monde* titrait la page médicale de son édition du 16 février 1983. Consacrée aux « enfants du distilbène », celle-ci présentait une enquête réalisée par deux gynécologues auprès des femmes de la MGEN[2]. Cette étude épidémiologique concluait à l'existence d'un nombre important d'anomalies des organes de la reproduction chez les filles nées de femmes qui avaient été traitées par le distilbène (ou diéthylstilbestrol, DES), un estrogène de synthèse alors prescrit pour réduire le risque de fausses couches.

Les résultats de la première enquête française sur les effets du DES paraissaient alors qu'aux États-Unis, cette hormone artificielle étaient depuis douze ans au centre d'une controverse publique. C'est en effet en 1971 que l'équipe du Dr. Arthur Herbst, un gynécologue travaillant au Massachussetts General Hospital de Boston, avait annoncé la mise en évidence d'une série tout à fait anormale de cas de cancer du vagin chez des adolescentes dont le seul point commun significatif était que leurs mères avaient été traitées par le DES[3]. La recherche de cas similaires organisée d'abord par le service de

---

[1] Jean Paul Gaudillière est historien des sciences biomédicales à l'Inserm (Centre de recherche médecine, science, santé et société, Cermes) et Directeur d'études à l'EHESS, <gaudilli@vjf.cnrs.fr>.

[2] Escoffier-Lambiotte, « Une monumentale erreur médicale ».

[3] Herbst *et al.*, « Adenocarcinoma of the vagina ».

santé de l'état de New York, puis à l'échelon nationale par le *National Cancer Institute*, révéla en quelques mois plusieurs dizaines de ces cancers exceptionnels mais aussi l'existence, chez des milliers de « filles DES », de ces malformations génitales plus tard retrouvées dans l'enquête française[4]. En novembre 1971, pressée par le scandale public, la *Food and Drug Administration*, l'agence responsable de la délivrance des autorisations de commercialisation des médicaments aux États-Unis, changea les indications du DES pour exclure la prescription aux femmes enceintes avant de modifier, sous la pression du Parlement, ses exigences en matière de tests de toxicité et son système de repérage des effets secondaires des agents thérapeutiques.

La crise du DES est un bon exemple de ces affaires qui, tout au long du 20e siècle, ont contribué à changer les formes de régulation du médicament[5]. Mais la trajectoire de cette hormone est aussi intéressante du point de vue de l'histoire de la recherche agricole d'après guerre puisque le DES médical avait un double en médecine vétérinaire. La même molécule était en effet largement utilisée dans l'élevage, en parallèle aux antibiotiques, comme substance capable d'accélérer la croissance des animaux. Aux États-Unis, son usage dans les aliments du bétail était tout à fait légal, mais controversé. Les discussions scientifiques et politiques concernant son utilisation vétérinaire et son pouvoir carcinogène débutèrent en effet dès son introduction dans les élevages et durèrent plus de vingt ans[6]. Leur intensification durant la seconde moitié des années 70, en lien avec la catastrophe médicale, amena en 1979 la FDA à interdire tous ses usages agricoles.

En France, le DES n'était pas une molécule inconnue des éleveurs, mais son utilisation était officiellement réservée à la médecine vétérinaire, au traitement et à la prévention des maladies du bétail. Même si les quantités ingérées étaient très loin des tonnages de granulés supplémentés vendus aux fermiers américains, une fois ses effets cancérigènes chez les humains mis en évidence, on aurait pu penser que son utilisation, et plus généralement celle des anabolisants agricoles, aurait aussi été mise en cause. Pourtant, en 1984, à l'initiative du ministre de l'Agriculture (Michel Rocard), le gouvernement socialiste entreprit de libéraliser l'utilisation des estrogènes comme supplément de croissance. La liste des substances jugées suffisamment peu toxiques pour bénéficier d'une autorisation de mise sur le marché excluait certes le DES, à cause de sa toxicité reconnue pour les fœtus

---

[4] Apfel, *To Do No Harm. DES and the Dilemmas of Modern Medicine* ; Meyers, *DES, the Bitter Pill*.

[5] Daemmerich, *Pharmacoplitics ;* Marks, *The Progress of Experiment*.

[6] Marcus, *Cancer From Beef*.

humains. Elle faisait toutefois une large place aux hormones stéroïdes, incluant plusieurs estrogènes, la progestérone et la testostérone. Pour les experts conseillant la direction de la qualité au ministère de l'Agriculture, ces substances naturelles étaient moins dangereuses que les anabolisants de synthèse car il s'agissait de régulateurs naturels, facilement métabolisés. Durant la préparation de la loi, les effets carcinogènes des estrogènes, au cœur de la controverse américaine, furent à peine été évoqués, la question de l'existence d'un risque sanitaire étant rapidement écartée au nom du fait que les doses d'hormones susceptibles de passer dans la viande destinée à la consommation humaine étaient si faibles qu'aucune comparaison avec les concentrations d'estrogènes naturellement présentes dans le corps humain ou avec celles administrées à titre thérapeutique.

Le contraste entre la façon dont les autorités sanitaires françaises et américaines ont géré le risque de cancer associé aux traitements hormonaux du bétail est d'autant plus frappant que la configuration du débat sur la « viande aux hormones » s'est inversée depuis les années 80 Aujourd'hui, la discussion a lieu à front renversé puisque l'Europe, désormais plus soucieuse de précaution que les États-Unis, a globalement interdit les traitements hormonaux tandis que les États-Unis ont admis sans difficulté l'usage de l'hormone de croissance et des nouveaux anabolisants de synthèse. On peut donc se demander comment et pourquoi la viande aux hormones est devenue dans les années 70 l'objet d'une « affaire » aux États-Unis tandis qu'en France le problème est resté une question secondaire, traitée comme un risque négligeable par les experts, évoqué de temps à autre dans l'espace public, mais sans que cela ait beaucoup de conséquences sur la régulation des pratiques agro-industrielles.

La comparaison de la trajectoire du DES agricole proposée ici est centrée sur les formes prise par le débat public dans les deux pays. Basée sur une recherche non terminée, cette première analyse vise à éclairer trois enjeux : a) la dynamique de « mise en affaire » et ses rapports à la longue durée des usages de la molécule ; b) les liens entre pratiques agricoles et pratiques médicales et la façon dont ils ont (ou non) été problématisés ; c) les relations entre conduite de l'expertise et formes de gestion du risque sanitaire et environnemental.

LE DISTILBÈNE AGRICOLE, L'INVENTION D'UN ADJUVANT DE CROISSANCE

Le DES a été pour la première fois été synthétisé en 1936 à l'initiative du chimiste et pharmacologue britannique Charles Dodds pour le compte du *Medical Research Council*. Molécule sans parenté de structure avec les estrogènes mais dotée d'effets biologiques similaires, le DES a d'autant plus rapidement menacé le marché des hormones naturelles, préparées à partir de tissus animaux prélevés dans les abattoirs, qu'il était facile à fabriquer, peu coûteux, et non protégé par un brevet. A partir de la fin des années 30, il a été utilisé pour toutes les indications justifiant la prescription d'estrogènes : infertilité, troubles du cycle sexuel, aménorrhée, voire – malgré les réticences des gynécologues – pour traiter des symptômes douloureux associés à la ménopause[7].

Les usages agricoles datent du milieu des années 50 lorsqu'un groupe de spécialistes de nutrition animale du *Iowa State College* dirigé par W. Burroughs mit en évidence la capacité du DES à accélérer la croissance des bovins lorsque quelques dizaines de mg étaient chaque jour ajoutés aux rations alimentaires[8]. Immédiatement breveté par les chercheurs de l'université, ce procédé fut ensuite cédé à la firme pharmaceutique Lilly sur la base d'une licence exclusive d'exploitation. La technique connut un succès considérable. En deux ans, le nombre de bovins nourris aux préparations contenant du DES atteignait 6 millions. Lilly avait obtenu sans trop de difficulté de la FDA un permis de commercialisation pour les aliments enrichis en DES : la molécule était déjà connue comme médicament et les résultats de tests fournis par Burroughs laissaient penser que le DES était éliminé très rapidement des tissus. En conséquence, la FDA jugea que le respect d'un délai de quelques jours entre la fin de l'alimentation supplémentée et l'abattage suffirait à garantir l'absence de distilbène dans les carcasses. La carence fut fixée à 48 heures. En 1956, Pfizer proposa une autre voie d'administration du DES : par le biais d'implants placés sous la peau. Ceux-ci permettaient une diffusion régulière du médicament sans qu'interviennent les pertes massives de substance dues à l'élimination fécale. D'après les chercheurs de la firme, le procédé était plus économique tout en réduisant les concentrations mesurées dans les tissus, ce qui du même coup facilitait l'élimination complète avant abattage[9]. De plus, pour des raisons inconnues, la viande obtenue de cette façon était considérée comme plus tendre et moins riche en graisses qu'avec l'administration par voie orale.

La question du rôle cancérigène du DES agricole fut soulevée pour la première fois la même année, lors d'une réunion de l'association des chimistes analytiques travaillant pour les institutions publiques américaines.

---

[7] Gaudillière, « *Better Prepared than Synthesized* ».

[8] Sur les premières étapes de l'utilisation agricole du DES, voir Marcus, *Cancer from Beef.* Office Memorandum FDA-NDA 9757 et 9770 – Stilbestrol Premix for Steer Feeding, June 1955, archives FDA, 88-82-57, Box 21, vol. 280.

[9] « Implanting stilbestrol brings good results », 1956 ; « New tests results with hormone » 1956 ; National Research Council, *Hormonal Relationship and Applications*.

W.E. Smith, un médecin de santé publique new-yorkais y présenta le DES comme « un risque de cancer ». Son intervention fut reprise par le *New York Times*, suscitant des démentis immédiats de Lilly et Pfizer[10]. Cette mise en garde s'appuyait sur des expériences déjà anciennes.

Une première controverse sur les effets secondaires possibles de l'utilisation du DES en médecine humaine avait en effet accompagné sa mise sur le marché en 1936, impliquant biochimistes, gynécologues et chercheurs de l'industrie[11]. Comme tous les estrogènes connus, le DES se révéla provoquer la formation de tumeurs mammaires chez les souris de laboratoire à des doses variant selon la susceptibilité des races utilisées. Cette discussion fut particulièrement vive en Allemagne où la compétition entre firmes productrices de DES (Bayer alors au sein d'IG Farben) et firmes spécialisées dans la purification des hormones « naturelles » (Schering) était particulièrement vive. Le problème fut alors résolu selon un registre purement professionnel. La question du pouvoir carcinogène des estrogènes fut tranchée entre experts médicaux, sans intervention de l'administration sanitaire, sur la base des expérimentations pharmacologiques. Les relations entre doses et effets » établies en transposant les données toxicologiques obtenues chez la souris suggéraient en effet que les concentrations nécessaires pour déclencher la formation de tumeurs chez les patientes étaient bien plus élevées que les concentrations nécessaires aux effets thérapeutiques. Bonne définition des doses et des indications, délivrance sur ordonnance et information des médecins prescripteurs suffiraient donc à l'élimination de ce qui n'était pas encore un risque, mais plutôt un danger impossible à dissocier de l'efficacité thérapeutique.

Contrairement à la situation des années 40, dans l'Amérique des années 70 le cancer était devenu un enjeu politique majeur. Cible de mobilisation des fondations, des agences de recherche, des institutions politiques et des médias, cette pathologie avait remplacé les grandes maladies infectieuses dans la hiérarchie des grands fléaux. Les débats sur les facteurs à l'origine de l'augmentation d'incidence de certaines formes de cancer, par exemple du cancer du poumon, sont récurrents durant cette période ; de même que les interrogations sur les liens entre prévalence des cancers et industrialisation, urbanisation, pollution et changements des modes de vie. La transformation des utilisations agricoles du DES en problème de santé publique n'est donc pas un phénomène isolé. Elle prend place dans une configuration plus générale de débat permanent sur les « facteurs » de carcinogenèse.

---

[10] « Hormones and cancer ».

[11] Gaudillière, « Hormones at Risk ».

L'adoption, en 1956-57, par le Congrès, de la clause dite « Delanay » (du nom du député démocrate qui en avait la proposition), c'est-à-dire d'une loi sur les additifs alimentaires spécifiant que tout composé ayant démontré son pouvoir carcinogène dans les expériences pratiquées sur les animaux de laboratoire devait être interdit des produits destinés à l'alimentation humaine est une manifestation caractéristique de cette culture du risque de cancer. Au cours des auditions d'experts préalables au débat parlementaire, les représentants de la FDA avaient longuement insisté sur le fait que – pour l'agence - l'amendement Delanay « inapplicable ». Les experts de l'industrie agro-alimentaire avaient plaidé dans le même sens, voyant dans une formulation aussi stricte une menace contre l'emploi de tous les additifs alimentaires : la variété des modèles et des conditions expérimentales permettrait toujours de trouver une situation où une substance donnée serait inductrice de tumeurs. Discutée dans un contexte marqué par les premières interrogations publiques sur les effets de l'industrialisation agricole et en particulier sur l'emploi massif du DDT, cette mesure radicale fut votée à une très large majorité[12]. Cette décision changeait radicalement le cadre de discussion des pratiques agro-alimentaires puisque la nouvelle loi rendait possible une intervention préventive fondée non sur la fixation de seuils et de doses limites, mais sur la modélisation qualitative de la formation de tumeurs.

La première discussion publique sur l'application de la Clause Delanay au DES eut lieu dès 1959. L'alerte avait été lancée par des producteurs de visons qui se plaignaient de la féminisation de leurs mâles reproducteurs, incriminant le DES contenu dans les carcasses de poulets qu'ils utilisaient pour nourrir leurs animaux. La FDA et le Département de l'Agriculture entreprirent une campagne de mesure des résidus de DES dans les poulets destinés à l'alimentation humaine. Les concentrations finalement trouvées furent jugées si élevées, le rythme de production des poulets si rapide que la solution retenue dans le cas des bovins et qui aurait consisté à imposer un délai de carence avant la mise en vente fut rapidement écartée. Pressée par un secrétaire d'État à la santé favorable à une application stricte de la clause Delanay, la FDA interdit totalement l'usage du DES dans l'engraissement des poulets[13].

Au cours des dix années suivante, le Congrès américain discuta régulièrement des additifs cancérigènes. Les auditions parlementaires des années 60 révèlent une distribution relativement stable des rôles. Les

---

[12] « Bill on Food Additives Gains », 1958 ; U.S. Congress « An Act to Prohibit the Use *in* Food of Additives Which Have Not Been Adequately Tested to Establish Their Safety ».
[13] « Halt Sale of Chicken Treated with Stilbestrol », 1959.

industriels (en particulier l'American Feed Manufacturers Association, l'association des producteurs d'aliments pour bétail), les organisations de fermiers, le ministère de l'Agriculture et la direction de la FDA étaient favorables à l'abolition de la Clause au profit d'une loi plus souple. Celle-ci devrait aller dans le sens d'un traitement des substances au cas par cas, d'une fixation de seuils de concentration et d'un contrôle renforcé des quarantaines. La majorité des experts techniques allaient dans le même sens, qu'il s'agisse des nutritionnistes et vétérinaires des collèges d'agriculture, des chimistes de l'industrie chimique ou des toxicologues du service de santé publique. En 1962, cette alliance obtint l'adoption d'un amendement dit « DES » qui autorisait les additifs cancérigènes à condition qu'aucune trace ou résidus ne soit retrouvée dans les viandes de consommation. Les partisans du maintien de la clause se trouvaient du côté du « public », incluant une partie de la presse, les organisations de femmes et de consommateurs (en particulier le *Center for the Study of Responsive Law* créé par R. Nader), certains experts du *National Cancer Institute* et la majorité des députés s'intéressant aux questions de santé. L'opposition entre utilisateurs et consommateurs de DES ne recoupait les clivages politiques traditionnels que dans la mesure où les décennies soixante et soixante-dix sont celles où les démocrates tentèrent de prendre appui sur les mouvements de la société civile et firent souvent écho aux demandes des consommateurs. En 1961, dans son message sur l'état de l'Union, le Président J.F. Kennedy évoquait ainsi les quatre droits fondamentaux des consommateurs qu'il entendait faire reconnaître par une charte spécifique: le droit à la sécurité, le droit d'être informé, le droit de choisir, le droit d'être entendu[14].

LA CONJONCTION ENTRE CRISE MÉDICALE ET CRISE AGRICOLE AUX USA

En avril 1971, Arthur Herbst (gynécologue au Massachussetts General Hospital de Boston) publiait dans le *New England Journal of Medicine* son premier rapport sur une série de cas de cancers vaginaux dits à cellules claires, normalement très rares, observés en moins d'un an chez six patientes très jeunes (moins de 25 ans). L'enquête rétrospective réalisée par son groupe insistait que le fait que ces cancers étaient statistiquement associés à un seul facteur : le traitement des mères de ces adolescentes par le DES. En moins d'un an cette alerte gynécologique devint un scandale national ; une « affaire » discutée dans la presse, justifiant plusieurs auditions au Congrès, l'intervention de la FDA et la mise en place par le Public Health Service

---

[14] « Kennedy's Message to Congress ».

d'un programme national de surveillance[15]. L'acceptation par la grande majorité des acteurs du système de santé, y compris les compagnies pharmaceutiques, de la causalité entre prise de DES pendant la grossesse et cancers du vagin, autrement dit de l'existence d'un risque iatrogène, tient pour partie à l'augmentation rapide du nombre de cas détecté. Mais elle a aussi pour origine les modalités d'expertise, c'est-à-dire la construction politique et administrative du risque DES.

L'accident thérapeutique a, dès le début de la crise, été considéré comme la conséquence d'une prescription non justifiée du DES. Initialement non prévue dans la demande d'autorisation de mise sur le marché acceptée par la FDA en 1941, l'indication « prévention du risque d'avortement au cours de la grossesse » faisait l'objet de publications contradictoires[16]. En pratique, elle était toutefois devenue, en nombre de femmes traitées, le premier motif d'usage du DES. Après 1971, cette évolution est devenue, dans l'espace public, le symbole d'un défaut de contrôle du marché par une FDA jugée trop proche des industriels et trop respectueuse du consensus entre professionnels. Soumise aux pressions des parlementaires, l'agence du médicament a alors dû exclure la grossesse des indications légales, changer les notices des fabricants, créer un bulletin d'information pour diffuser les alertes pharmacologiques auprès l'ensemble des médecins, soutenir la création d'un nouveau centre national de recherches toxicologiques.

Cette lecture de l'affaire médicale a été entretenue par l'existence d'autres scandales que les partisans d'une réforme du marché du médicament ont mis en rapport avec l'apparition des cancers « DES ». Parmi ceux-ci : l'affaire de la thalidomide (un tératogène comme le DES à l'origine de plusieurs milliers de cas de malformations graves en Europe), les accidents cardio-vasculaires provoqués par les pilules fortement dosée en estrogènes (un autre exemple d'effet iatrogène des hormones stéroïdes pris pour cible par le Women Health Movement alors issu des mobilisations féministes), enfin les problèmes déjà rencontrés dans les utilisations agricoles du DES lui-même[17].

La conjonction entre crise agricole et crise médicale représente une spécificité de la construction américaine du problème et elle a eu un rôle déterminant dans la radicalisation des interventions régulatrices. Plusieurs types de considérations ont motivé les rapprochements entre les deux DES. Premièrement, les firmes impliquées étaient les mêmes. Deuxièmement, les

---

[15] Bonah et Gaudillière, « Faute, accident ou risque ? ».

[16] Bell, *The Synthetic Compound Diethylstilbestrol ;* Dickemann « Does the administration of DES ».

[17] Dunlap, *DDT, Scientists, Citizens and Public Policy* ; Hays, *Beauty, Health and Permanence* ; Proctor, *Cancer Wars* ; Marks, *Sexual Chemistry* ; Morgen, *In Our Own Hands.*

modèles et outils de mesure utilisés pour en objectiver les effets étaient communs : l'essai biologique faisant appel à des souris particulièrement sensibles à l'induction de tumeurs mammaires fut utilisé à la fois pour mettre en évidence le composé dans les carcasses et pour étudier son pouvoir carcinogène. Surtout, la FDA était une agence étatique en charge de l'ensemble de la régulation, depuis l'AMM des médicaments à usage humain jusqu'au contrôle des additifs et colorants en passant par la délivrance des autorisations de commercialisation des produits vétérinaires. En dépit des différences de marchés, d'expertise, de disciplines ou de propriétés biologiques, il y a donc eu, dans l'espace public une seule crise « DES ». En témoigne non seulement les articles de presse qui mentionnent presque toujours les deux problèmes, mais surtout ces auditions au Congrès (il y en eut plus de dix entre 1971 et 1978) qui eurent un impact considérable sur le sort de la molécule.

Un exemple caractéristique est la façon dont le responsable de la commission parlementaire interrogea Arthur Herbst lors des auditions du début novembre 1971, les premières après la révélation des « clusters » de cancers vaginaux :

> L. Fountain (Représentant démocrate) : « Dr. Herbst, je fais ici référence à la conclusion de votre témoignage écrit, page 5 plus précisément, dans laquelle vous n'estimez pas possible de définir avec certitude la plus petite dose ou l'exposition la plus courte au DES susceptible de mettre en danger un fœtus du sexe féminin. Maintenant je voudrais discuter l'application de cette conclusion à l'usage du DES dans la nutrition animale. (...) Est-ce que votre conclusion selon laquelle vous ne pouvez pas définir avec certitude la plus petite dose ou l'exposition la plus courte présentant un risque pour un fœtus du sexe féminin s'applique aussi aux résidus de DES dont les quantités retrouvées dans des foies de bovins varie entre 2 et 100 parties par milliards ?
> Dr. Herbst : « Je ne crois pas que nous sachions. C'est pourquoi j'estime ne pas pouvoir définir une dose limite. Il est certain que le DES utilisé à des fins thérapeutiques l'est à des doses très supérieures à celles qui seraient ingérées dans les conditions auxquelles vous faites référence. Mon opinion est toute simplement que nous n'avons pas assez de données pour le moment. (...) Il est tout à fait possible que les quantités que vous mentionnez n'aient pas d'effet. Cependant, il est possible qu'elles en aient et c'est pour moi un sujet de préoccupations.
> Rep. Fountain : « J'ai crû comprendre que l'utilisation du DES dans l'élevage a exclusivement des objectifs économiques. Si on a à l'esprit l'ordre de grandeur des quantités de résidus de DES qui ont été trouvées dans les foies et en tenant compte du fait que l'usage du DES fait au public une économie de 3,85 $ par an et par personne (...) êtes-vous de l'opinion que cette économie justifie l'utilisation d'une substance cancérigène dans l'alimentation du bétail ?

Dr. Herbst. « Eh bien, c'est une question difficile (...) Je dirais que, comme médecin et comme individu intéressé par cette question, je considère comme prudent qu'une femme enceinte ne mange pas la moindre nourriture contenant la moindre quantité de DES»[18].

La conjonction entre les deux crises a confirmé les soupçons touchant le DES agricole tout en changeant l'ampleur des risques révélés par l'alerte médicale. Cette synergie a en particulier radicalement changé la signification de l'équivalent agricole de l'événement cancer vaginal : la détection, à partir de 1971, par les services du ministère de l'Agriculture, de résidus de DES dans un nombre croissant de carcasses d'abattoirs. Elle a aussi changé les cadres de l'expertise. Lors des premières auditions organisées par les commissions parlementaires chargées de l'expertise du problème DES, le commissionnaire Charles Edwards, alors responsable de la FDA, commença par s'opposer au rapprochement entre DES agricole et DES médical, soulignant, au nom de la raison pharmacologique, les différences de dosage entre médicament et supplément nutritionnel ainsi que leur faiblesse en regard des quantités d'estrogènes naturellement trouvés dans les organismes animaux et humains. Lors des mêmes débats, un autre cadre fut proposé par les cancérologues et épidémiologistes des *National Institutes of Health* qui mettaient en avant l'idée selon laquelle une seule molécule peut suffire à provoquer une mutation carcinogène, rappelaient que de nombreuses expérimentations mettaient en doute l'existence d'un seuil de carcinogenèse, et insistaient sur la nécessité de prendre des précautions compte tenu de la réalité des effets indésirables du DES. Pressés par la dynamique des auditions et la majorité démocrate, les experts de la FDA se sont progressivement ralliés à l'idée d'un risque alimentaire DES et à l'argumentation insistant sur la nécessité de protéger la santé publique contre les intérêts économiques de l'industrie de l'alimentation. Si – au nom des indications médicales autres que la grossesse – un retrait pur et simple du DES du marché pharmaceutique ne fut jamais sérieusement envisagé, la FDA a progressivement éliminé tous les usages agricoles de la molécule. En 1972, elle interdit son introduction dans les rations et les granulés ; en 1973, les implants furent mis hors la loi ; en 1979, tout usage vétérinaire disparaissait.

[18] US Congress, *Regulation of DES*. Testimony of Dr. Arthur Herbst, Washington DC, Government Printing Office, 1971, p. 8.

UN PROBLÈME SANS AFFAIRE : LE DES AGRICOLE EN FRANCE

En France, les gynécologues ont commencé à prescrire le DES après 1945. Produite par une demi-douzaine de firmes (contre plus de 300 aux USA), la molécule n'a pas reçu beaucoup d'attention. Une demi-douzaine d'articles seulement lui est consacrée dans la presse médicale entre 1945 et 1965[19]. Lorsqu'ils évoquent son pouvoir carcinogène, ces textes adoptent la perspective pharmacologique. Ils considèrent que ces effets sont indissociables de l'efficacité physiologique du DES : celui-ci est un carcinogène parce que c'est une substance à effet estrogène. Cet effet secondaire inévitable mais on peut en contrôler l'ampleur par l'ajustement des doses et la prise en compte de ces contre-indications qui accroissent, de façon importante, le risque de cancer. D'un point de vue réglementaire, la situation pharmaceutique était comparable à ce qu'elle était aux États-Unis avant 1971. Comme tout médicament mis sur le marché après 1941, le distilbène avait bénéficié d'un visa d'exploitation délivré par le Comité scientifique des spécialités. Les indications retenues étaient similaires à celles acceptées par la FDA : désordres du cycle sexuel, ménopause, cancer de la prostate. L'ampleur des prescriptions aux femmes enceintes est difficile à évaluer du fait de l'absence, dans les années 60 et 70, de tout système d'enregistrement de la consommation de médicament. Une enquête épidémiologique rétrospective effectuée dans les années 80 estime qu'il était comparable aux pratiques américaines[20].

Les usages agricoles ont par contre sans doute été beaucoup plus limités qu'aux États-Unis. Le DES ayant le statut de médicament, il ne pouvait pas être ajouté aux rations alimentaires industrielles et devait être administré par les vétérinaires. Absent de la littérature de recherche, le DES anabolisant fait cependant l'objet de quelques thèses vétérinaires dans les années 60. Celles-ci sont consacrées à la discussion des publications américaines et recommandent une introduction raisonnée dans l'agriculture française[21]. Ces commentaires insistent sur l'augmentation de productivité induite par les estrogènes. Ils s'interrogent sur les mécanismes physiologiques responsables de l'accélération de croissance et laissent totalement de côté la question des tumeurs. Le DES français n'était pas plus visible dans la presse professionnelle. Les rares articles qui lui sont consacrés dans une revue comme *L'élevage* ne mentionnent les adjuvants de croissance que dans le

---

[19] Gaudillière, « De la faute au risque iatrogène ».

[20] Spira, « Administration du DES durant la grossesse : un problème de santé publique »

[21] Bouillon, *Hormones naturelles et production de viande* ; Pellerin, *Les stéroïdes anabolisants et leur utilisation*; Traoré, *Perspectives d'emploi des anabolisants.*

contexte de l'agriculture industrielle américaine[22]. Les choses changent durant la décennie 1971-1981. Visibilité accrue et mention des dangers du DES semblent un écho de la crise américaine. L'évolution est perceptible à la fois dans la presse, dans les interventions du ministère de l'Agriculture et dans les publications des vétérinaires.

Dès le milieu des années 60, la presse généraliste avait commencé à s'interroger sur l'industrialisation agricole, sur la nourriture « qui n'a plus de goût », sur les effets des multiples traitements chimiques qui pourraient transformer nos aliments quotidiens en « poison ». Dans un des premiers articles du genre, *Libération* présentait avec inquiétude la totalité des produits autorisés insistant sur l'absence d'un système de contrôle digne de ce nom. Le quotidien notait, à propos des hormones :

> « Après avoir toléré l'emploi des estrogènes dans l'élevage du bétail, notamment pour le chaponnage artificiel des poulets, on s'est aperçu que cette pratique n'était pas sans danger pour l'homme et on l'a interdite. La FDA aux USA avait d'abord autorisé ce traitement. Un bulletin destiné aux éleveurs français écrivait alors : 'Lorsqu'on connaît la haute autorité morale et scientifique de la FDA, laquelle a pris la responsabilité d'autoriser officiellement l'usage des carno-stimulateurs hormonaux on ne peut qu'être pleinement rassuré' »[23].

En 1971, un dossier du *Nouvel Observateur* consacré aux additifs et pesticides faisait lui aussi référence à la situation américaine : « L'élevage aux hormones est interdit en France, mais le contrôle reste théorique. Aux États-Unis, on évalue à huit poulets sur dix le nombre des animaux traités, sans compter les poulets cancéreux découverts par Ralph Nader »[24].

À partir de1971, la « veau aux hormones » est discuté à partir de ce que l'on pense en être les effets sur la qualité de la viande, tout particulièrement le fait qu'une belle escalope perdait tant d'eau à la cuisson qu'elle se transformait en un morceau minuscule et fade. Le problème est tenu pour la conséquence de fraudes puisque les traitements hormonaux pour augmenter la productivité sont interdits. En fait, la réglementation était ambiguë. Le DES et les stéroïdes sexuels étant des médicaments vétérinaires, il n'y avait sur le marché français aucune préparation de granulés enrichis. Les modalités d'utilisation en médecine vétérinaire étaient toutefois parfaitement libres, relevant de la liberté du praticien. Celui-ci pouvait donc distribuer à ses clients des produits « estrogènes » en l'absence de toute pathologie, par

---

22 « Production industrielle de viande bovine aux USA ».
23 « Du poison dans votre assiette ».
24 « Les poisons de la table ».

exemple pour prévenir les infections. Un contrôle ne pouvait intervenir qu'à l'abattage, là où les services de la répression des fraudes étaient censés garantir l'absence de substance toxique dans les viandes destinées à la consommation humaine. Par conséquent, même si les abattoirs ne disposaient en pratique d'aucun moyen de détecter la présence de DES dans les carcasses, l'existence de traitements hormonaux a été considérée comme la preuve d'un défaut de surveillance vétérinaire[25].

En attendant une étude des archives de la DGAL, il est difficile de savoir comment les effets potentiellement toxiques des estrogènes ont été appréhendés par l'administration agricole. La presse met en avant trois types de réactions officielles. La première est la commande de rapports. Avant la mise en évidence des cancers humains, l'expertise des effets toxiques potentiels des additifs a été confiée aux nutritionnistes[26]. En 1966, par exemple, A. François, alors directeur de recherche à l'Inra, rédige, pour l'Académie de médecine, un rapport sur la présence de résidus médicamenteux dans les aliments dont la cible principale est l'emploi des antibiotiques mais qui mentionne aussi les hormones. En 1971, le même A. François remet aux services du ministère de l'Agriculture un texte sur les changements de pratique alimentaire à l'origine de la croissance du marché des aliments industriels. Admettant que les traitements subis par ces produits introduisent de nouveaux risques sanitaires, l'auteur préconise non seulement la mise en place d'un examen préalable à autorisation mais aussi l'adoption d'une loi plus restrictive sur les produits vétérinaires et le traitement des animaux de boucherie[27]. Second changement, les vétérinaires des services départementaux ont renforcé la surveillance de sorte qu'on voit apparaître, dans les années 70, la mention d'enquêtes conduites dans des élevages suspectés d'utiliser des implants importés[28]. En 1972, un éleveur et un vétérinaire du Sud-ouest sont, par exemple, inculpés pour utilisation illégale de produits estrogènes. L'ensemble du troupeau du premier était « implanté » alors que les traitements « doivent, en principe, être réservés aux animaux malades »[29].

La troisième réaction consiste en une adaptation de la réglementation qui témoigne d'une nervosité nouvelle de l'administration agricole. En 1973, deux arrêtés précisent les conditions d'utilisation des estrogènes, spécifiant

---

[25] « Qualité des aliments : offensive accrue contre les fraudeurs » ; « Le contrôle de la pharmacie vétérinaire » ; « Trois inspecteurs vétérinaires seulement pour Rungis ».
[26] François, « L'utilisation des antibiotiques dans l'alimentation animale ».
[27] Cité dans « Les poisons de la table ».
[28] « Aliments le goût se perd » ; « Savez-vous ce que vous mangez ? » ; « Viandes : excès d'abattoirs ».
[29] « Un éleveur et un vétérinaire sont inculpés ».

que seuls les vétérinaires peuvent les administrer sur ordonnance dûment détaillée et d'autre part que les inspecteurs des abattoirs sont mandés à imposer le retrait de la consommation humaine de tout animal suspect de traitement non thérapeutique.[30] Au printemps 1974, le ministre de l'Agriculture estimait devoir répondre explicitement aux « campagnes relatives aux dangers présentés par la consommation d'animaux de race bovine engraissés avec l'aide d'estrogènes ou d'antibiotiques. » Les inquiétudes de la presse et du grand public sont tenues pour très exagérées et la législation française suffisamment protectrice :

> « Si de nombreux pays à très haut niveau d'hygiène alimentaire, dont les États-Unis, utilisent encore dans l'alimentation animale des estrogènes, ces substances ne sont autorisées en France qu'à titre thérapeutique, administrées sous la peau par un vétérinaire dans des conditions précises...(les décrets)...mettent le consommateur français à l'abri du seul danger que pourrait représenter, bien que la question reste controversée, les résidus du DES et autres estrogènes artificiels »[31].

La situation qui se rapproche le plus des débats américains est celle du printemps 1976 où la publication d'une nouvelle série d'articles sur les additifs alimentaires fait écho aux initiatives d'un mouvement consommateur naissant, en particulier à une menace de boycott de la viande bovine brandie par la Fédération nationale des unions de consommateurs.[32] Le ministère décide alors d'une intervention qui a aussi l'avantage de mettre en lumière les attributions de sa nouvelle direction de la qualité, issue du regroupement des services des labels, vétérinaires et de la répression des fraudes. Il dépose un projet de loi interdisant tout usage agricole des estrogènes et de leurs analogues.[33] Le texte qui deviendra la « loi Ceyrac » est condamné par la plupart des organisations de producteurs. La Confédération Nationale de l'Élevage estime, par exemple, que les estrogènes naturels doivent pouvoir être utilisés librement :

> « Les estrogènes de synthèse, type DES, laissent effectivement des résidus dans les viandes provenant d'animaux traités. Les estrogènes naturels sont résorbés par l'organisme des animaux traités lorsqu'ils sont administrés dans certaines conditions (...) Sur le plan scientifique, la différence est donc grande entre les estrogènes naturels et les estrogènes de synthèse. Par ailleurs, il semble établi que le traitement des veaux par les estrogènes naturels permet de rendre leur

---

[30] *L'élevage* n° de janvier, d'avril et de mai 1974.
[31] *Journal officiel*, 25 mai 1974.
[32] *Que Choisir*, mars 1976.
[33] *Journal Officiel*, 15 septembre 1976.

élevage plus rentable en raison d'une plus grande immunité contre les maladies, d'un gain de croit important et d'une meilleure valorisation bouchère »[34].

Un dernier indice d'une importation à bas bruit de la controverse américaine est l'apparition dans les publications vétérinaires de résultats d'expérimentation qui prennent pour cible les effets du DES sur l'appareil reproducteur, une question qui n'avait jusqu'alors fait l'objet d'aucune étude de laboratoire. Une bonne illustration en est fournie par le travail du groupe de R. Fernando à l'École vétérinaire d'Alfort. Celui-ci est directement lié à la mise en cause du DES agricole puisqu'il s'agissait d'une modélisation de la toxicité du DES à l'aide de rongeurs nourris avec de la viande provenant de bovins implantés[35].

Critiquant les expériences d'administration directe du DES qui faisaient référence dans la discussion américaine, Ferrando et ses collègues défendaient une méthode dite de la « toxicité relais ». L'objectif n'était plus de tester les effets de la substance dangereuse en inoculant des doses croissantes de cette dernière mais d'observer des rats nourris avec le foie ou la viande d'animaux d'élevage traités par le DES. Présenté comme une façon de tenir compte de la complexité des phénomènes physiologiques, ce choix visait à rapprocher l'expérience de la situation de consommation humaine :

> « Entre les aliments des animaux sauvages ou domestiques et l'homme, qui utilise telle ou telle partie de ces animaux pour sa nourriture quotidienne, l'organisme animal représente un relais métabolique. L'importance de ce relais, pourtant considérable paraît avoir été souvent négligée, sinon ignorée. L'examen des potentialités toxiques d'une substance chimique destinée, soit à améliorer les performances des animaux d'élevage, soit à les protéger des influences néfastes d'infections ou d'infestations sévissant à l'état endémique, est indispensable. Cette étude poursuivie sur des animaux de laboratoire, assure paradoxalement plus la sécurité des élevages que celle des consommateurs. Le relais peut tout changer »[36].

C'est sur cette base que le groupe d'Alfort se convainquit de la nocivité du DES et de l'absence de risque des stéroïdes « physiologiques ». La distinction entre estrogènes naturels et substances de synthèse a joué un rôle fondamental dans l'expertise locale du DES. Elle est mentionnée dans la plupart des publications issues d'Alfort et constitue une spécificité de l'approche des zootechniciens français. La relation entre estrogènes

[34] « Les estrogènes et les campagnes anti-veau ».
[35] Ferrando et Boivin, « Influence sur la fécondité du rat » ; Ferrando, « Toxicité relais de la viande et du foie de veau ».
[36] Truhaut et Fernando, « Résultats de 8 ans de recherches ».

artificiels et estrogènes naturels a aussi été très longuement discutée dans les expertises réalisées par le Congrès des États-Unis ou par les tribunaux qui eurent à traiter des plaintes déposées par les industriels de l'agro-alimentaire contre les décisions de la FDA[37]. Dans ce contexte, les vétérinaires et endocrinologues partisans d'un usage raisonné du DES, ont défendu l'idée que les deux types de substances étaient équivalentes. Toute discussion sur les doses dangereuses devait tenir compte de leur concentration globale dans l'organisme ou les aliments. De plus, il n'y avait aucune raison d'interdire spécifiquement le DES puisqu'on ne pouvait éliminer les estrogènes naturels, présents dans des quantités très supérieures à celles que l'on administrait aux animaux. Les partisans d'une interdiction, en particulier les experts de la FDA, soutenaient de leur côté que le DES n'était pas un estrogène comme les autres, ni chimiquement ni physiologiquement. La différence justifiait un traitement spécifique. Les vétérinaires français ont adopté la même logique, opposant eux les effets (biologiques) des hormones naturelles et ceux des anabolisants artificiels. Mais l'argument visait à préserver l'usage des premières en dissociant leur sort de celui d'un DES destiné à rester interdit. De façon caractéristique, R. Vuillaume, professeur de nutrition animale à l'École vétérinaire d'Alfort, écrivait en 1975 :

> « Mais en se plaçant sur le plan de l'hygiène alimentaire, il existe entre les hormones et les estrogènes artificiels une différence fondamentale. Alors que les premières, nous l'avons dit, sont rapidement détruites ou éliminées par l'organisme, les substances artificielles laissent des « résidus » qu'on retrouve dans les viandes et produits d'origine animale. Ces résidus retiennent tout particulièrement l'attention des hygiénistes car ils peuvent ne pas être détruit dans le tube digestif des consommateurs (c'est le cas du DES) et éventuellement présenter des dangers »[38].

POURQUOI, EN FRANCE, LE PROBLÈME AGRICOLE ET LA CRISE MÉDICALE N'ONT-ILS PAS ÉTÉ COMBINÉS ?

Compte tenu de cette visibilité des hormones agricoles, des interrogations sur les conséquences de l'industrialisation agricole et des références à la crise américaine, on aurait pu s'attendre à ce que, dans les années quatre-vingt, lorsque la crise médicale émergea en France, le problème DES devienne une affaire publique, rapproche les deux types d'utilisation et

---

[37] Gaudillière, « De la faute au risque iatrogène ».
[38] Vuillaume, « Des viandes aux hormones », p. 63.

aboutisse à un renforcement de la réglementation agricole. Comme on l'a souligné en introduction, c'est le contraire qui s'est produit.

Importé tardivement, l'événement indésirable médical a été abordé par le biais d'une redéfinition des normes de bonne pratique, sans débat public. En 1977, le premier signe d'un changement de perspective sur les dangers du DES est une modification, à l'initiative des industriels, des indications répertoriées dans le Vidal. La grossesse est ainsi devenue une contre-indication du DES. Ce n'est qu'en 1983, après la publication de l'enquête gynécologique organisée par la MGEN auprès de ses adhérentes, que les patientes « DES » sont devenues un fait médical. Les évènements qui suivirent cette alerte comportent une importante dimension de mobilisation publique. Comme aux États-Unis, il y a eu création d'une association des « filles DES », discussion dans les médias, plainte judiciaire contre les firmes pharmaceutiques. Dans l'espace public, l'affaire n'a toutefois débouché sur aucune controverse sur la nature des risques ; d'une part parce que le danger thérapeutique a été défini sur la base des études américaines associant DES, cancers vaginaux et malformations reproductives sans extension aux autres indications de la molécule ; d'autre part parce que la relation entre les effets iatrogènes du DES et les hormones agricoles n'est jamais devenue une cible de la régulation.

Les critiques de l'emploi des estrogènes dans l'agriculture sont restées si limitées qu'une législation revenant sur l'interdiction de 1976 et autorisant les adjuvants de croissance a pu être adoptée en 1984. La pièce maîtresse du nouveau dispositif était la distinction entre le DES qui est totalement interdit, et les autres anabolisants qui pourraient être autorisés pour des usages laissés à l'appréciation des professionnels, à partir du moment où ils feraient l'objet d'autorisation de mise sur le marché établie après examen d'un dossier toxicologique et vétérinaire[39]. Les six substances autorisées dans le cadre de cette loi incluaient plusieurs estrogènes, la progestérone et la testostérone[40].

---

[39] *Journal Officiel*, 17 mai 1984.
[40] *L'élevage bovin*, novembre 1984.

On peut donc résumer l'affaire américaine et le problème français par le tableau suivant (Tableau 1) :

LE DES AGRICOLE	AUX USA	EN FRANCE
ACTEURS FAVORABLES AUX TRAITEMENTS HORMONAUX DU BÉTAIL	Éleveurs, producteurs d'aliments, zootechniciens, presse professionnelle, élus républicains	Éleveurs, zootechniciens, presse professionnelle
CRITIQUES DES TRAITEMENTS HORMONAUX	Associations de consommateurs, mouvements féministes, presse grand public, élus démocrates	Associations de consommateurs, presse grand public
REGISTRES DE PREUVE DE L'EXPERTISE PUBLIQUE	Forte controverse : toxicologie (relations doses/effets) et analyse économiques contre études épidémiologiques	Sans controverse : toxicologie et modélisation physiologique
AUTORITÉ RÉGULATRICE ET MODE D'INTERVENTION	Agence mixte, agricole et médicale ; 1ère phase : gestion raisonnée (doses limites et délais de carence) ; 2ème phase : interdiction.	ministère de l'Agriculture : 1ère phase : usage thérapeutique seulement, répression des fraudes ; 2ème phase : permis de commercialisation
ACTIONS JUDICIAIRES	Très nombreuses : industriels contre FDA ; patientes contre firmes pharmaceutiques	Rares : administration contre éleveurs ; depuis 1995, patientes contre industriels
MOBILISATION ASSOCIATIVE	Forte : campagne de presse, plaintes, lobbying politique ; alliance entre mouvement féministe, associations de consommateurs et environnementales	Faible : menace de boycott de la viande par les associations de consommateurs ; communiqués de « DES France »
ARÈNES DOMINANTES	Médiatique, politique et judiciaire	Réglementaire et professionnelle

Comment comprendre la dissociation complète entre l'affaire médicale et la question agricole qui caractérise la scène française ? Une première interprétation consiste à insister sur les rôles joués par les différents acteurs du débat public. Si, comme le tableau le rappelle, on retrouve des deux côtés de l'Atlantique le même type de groupes et d'alliances, la façon dont ils sont intervenus et leurs poids respectifs sont difficilement comparables. Ainsi, si le mouvement consommateur et les associations de patientes se sont, en France comme aux États-Unis, préoccupés des effets DES le parallèle s'arrête là. La menace de boycott de la « viande aux hormones » brandie par l'Union des Fédérations de Consommateurs est restée symbolique tandis qu'une stricte séparation s'instaurait avec « DES France » qui s'occupait exclusivement du DES médical. Surtout, à la différence de leurs homologues américaines, les organisations de la société civile française n'ont pas investi le terrain de l'expertise. Elles ont pris pour cible les firmes et leurs intérêts économiques tout en laissant aux médecins et aux vétérinaires le soin d'évaluer les risques et conditions d'utilisation des molécules. Le même constat vaut pour l'implication du Parlement, marginale par rapport aux discussions menées au sein du ministère de l'Agriculture et sans comparaison avec celle du Congrès.

La gestion française du DES agricole fait ainsi apparaître une configuration d'expertise plus étroitement professionnelle dans laquelle cancers gynécologiques et risques induits par les traitements du bétail ont été traités selon des registres différents par des groupes distincts de spécialistes. Aux États-Unis, ce lien a été construit dans l'espace public, mais il a aussi été étayé et relayé par les institutions et communautés scientifiques impliquées dans l'objectivation et la gestion des risques sanitaires. L'hypothèse défendue ici est donc que la disjonction française est au moins autant le produit des structures politiques que des cibles et des outils caractérisant la régulation de l'innovation biotechnologique en France.

En l'état de l'historiographie, cette proposition appelle deux commentaires. Le premier concerne le rôle privilégié des vétérinaires dans l'attribution des autorisations de mise sur le marché après 1984. Si l'on prend pour étalon l'évolution des enseignements dans les écoles vétérinaires, la culture des principaux conseillers du ministère de l'Agriculture pour les questions de production animale semble avoir été dominée par la bactériologie et la physiologie générale sans que ceux-ci disposent d'une formation à la toxicologie ou aux analyses pharmacologiques[41]. On peut alors comprendre que les plaidoyers en faveur d'un usage contrôlé des anabolisants aient moins fait appel aux arguments sur les faibles doses,

[41] Hubscher, *Les maîtres des bêtes.*

arguments qui reviennent comme un leitmotiv aux États-Unis, qu'à la modélisation du devenir des hormones. Dans le débat français, la distinction la plus importante a ainsi été celle qui opposait hormones artificielles et hormones naturelles. Les premières ont été caractérisées comme mal connues et sources de dangers tandis que les secondes étaient bien connues, à l'origine de transformations proches des processus biologiques normaux. De plus, parce qu'elles étaient déjà utilisées par les organismes animaux, ces dernières semblaient être plus facilement métabolisées que les hormones de synthèse. Dans un plaidoyer de 1980 pour une modification de la loi de 1976, R. Fernando écrivait ainsi : « Ces expériences (de toxicité relais) montrent que les composés stéroïdiques naturels hormones mâles ou femelles, ou de leurs dérivés, paraissent dénués de dangers pour le consommateur. Cet usage facilite l'élevage. Il évite des interventions thérapeutiques multiples, souvent coûteuses et polluantes. L'utilisation des anabolisants non stéroïdiques de la catégorie du DES présente au contraire de graves inconvénients »[42]. Cette distinction a sans doute joué un rôle d'autant plus important au début des années quatre-vingt qu'elle était aussi mise en avant par le comité vétérinaire de la Communauté Européenne[43].

La seconde remarque concerne non pas le registre de preuve acceptable mais les modalités d'intervention de l'autorité régulatrice. Le dispositif français faisait des vétérinaires les experts de référence du ministère de l'Agriculture non seulement à cause de leurs connaissances en physiologie ou en zootechnie, mais aussi à cause de leur fonction administrative dans la répression des fraudes et la surveillance des viandes. Ce cadrage – administratif, plutôt que scientifique ou directement politique – du problème de la viande aux hormones a renforcé la perspective d'un usage raisonné. Dans le même texte, R. Vuillaume caractérisait le désordre des années 70 de la façon suivante :

> « Beaucoup d'éleveurs n'ont pu se résoudre à abandonner une pratique sans laquelle la rentabilité de leur élevage devenait catastrophique et, devant le refus des vétérinaires de procéder à des traitements qui leur étaient désormais interdits, se sont laissés séduire par les offres de colporteurs qui vendaient – et souvent administraient eux-mêmes – des produits importés frauduleusement. Alors que les vétérinaires n'avaient eu recours qu'à des produits hormonaux dont ils connaissaient l'innocuité pour les consommateurs, les colporteurs n'ont pas hésité à répandre sur le marché des substances artificielles (DES, hexestrol) qu'ils se procuraient au meilleur prix ; qu'ils injectaient en solution

42 Ferrando, « Les anabolisants stéroïdiques ».

43 *Anabolisants en production animale*, Symposium international tenu à l'Office International des Épizooties, Paris, 15-17 février 1983.

intramusculaire pour que la trace n'en soit pas perçue par l'inspecteur sanitaire à l'abattoir ; mais qui produisaient des résidus, parfois importants, au point d'injection, et dont le danger devenait extrêmement sérieux »[44].

La défense d'un usage contrôlé était d'autant plus convaincante qu'elle pouvait prendre appui sur l'existence du corps des vétérinaires inspecteurs, sur leur capacité à définir des conditions d'usage qui soient à la fois raisonnable d'un point de vue sanitaire et débouchent sur une surveillance réalisable d'un point de vue administratif.

CONCLUSION

Compte tenu des caractéristiques résumées dans le tableau ci-dessus, en particulier des éléments qui la distinguent de l'affaire américaine, la trajectoire française du DES agricole confirme cette idée selon laquelle la régulation des innovations biotechnologiques a été, dans ce pays, dominée par un modèle professionnel qui n'a que très tardivement été complété ou associé à d'autres formes de régulation[45]. La notion de profession renvoie, dans le contexte de l'histoire agricole de la seconde moitié du 20e siècle, à deux acceptions différentes. La première concerne l'organisation « professionnelle » des producteurs : ces associations par produits et syndicats agricoles qui, dans l'après-guerre, jouent un rôle croissant dans l'organisation des marchés, dans la négociation des mesures de politique publique et, parfois, dans la mise en œuvre des innovations techniques[46]. Seule la seconde nous intéresse ici, elle renvoie à l'existence d'une profession d'expert des questions d'élevage bénéficiant d'un monopole d'exercice justifié par leur savoir spécialisé identifié à la possession d'un diplôme. Ce qui importe dans le statut des vétérinaires est moins la nature libérale ou non de leur activité que cette délégation d'expertise par laquelle l'État accordait aux spécialistes formés dans ses écoles la capacité à contrôler les prescriptions de médicaments, les autorisations de commercialisation, les décisions d'abattage, les mises en quarantaine et les traitements prophylactiques.

La régulation professionnelle exercée par les vétérinaires est ainsi proche de celle pratiquée par les pharmaciens dans le domaine du médicament

---

44 Vuillaume, « Oui aux anabolisants sans risque », pp. 11-12.

45 Gaudillière et Joly, « Appropriation et régulation des innovations biotechnologiques » ; Gaudillière, *La médecine et les sciences*.

46 Pour l'exemple de la loi sur l'élevage voir Vissac, *Les vaches de la République* ; Rémondet et Joly, en préparation.

(Tableau 2). Les différences tiennent moins aux cibles (contrôle de la contagion et des traitements) ou aux outils d'intervention (liste de produits autorisés, pratiques réservées, recommandations des sociétés savantes) qu'aux formes de savoir et aux relations avec l'administration. Dans le cas des vétérinaires, la législation sur le contrôle des épizooties et le contrôle de la qualité des viandes a, dès le début du siècle, débouché sur la création d'un corps d'experts fonctionnaires qui n'a jamais vu le jour dans le domaine de la santé humaine[47].

Une des conséquences de cette longue durée des liens entre régulation professionnelle et État a été une très grande homogénéité sociale des pratiques d'expertise ainsi qu'une absence de discussion publique des enjeux techniques. Après l'alerte de 1971, cet enclavement professionnel et administratif a rendu très difficile la mise en équivalence des deux DES et l'émergence d'une régulation consumériste du risque DES. Inversement, on peut considérer qu'aux États-Unis, cette affaire est la première à avoir fait des interventions des usagers et de la controverse scientifique publique les composantes d'un nouveau mode de régulation, bien avant les mobilisations sur la recherche thérapeutique contre le Sida ou la discussion sur les OGM.

---

[47] Berdah, ce volume ; Murard et Zylberman, *L'hygiène de la République*.

Tableau 2. De la profession aux usagers : quatre modes de régulation du médicament

	PROFESSIONNELLE	ADMINISTRATIVE	INDUSTRIELLE	CONSUMÉRISTE-CIVIQUE
ENJEUX, VALEURS	Compétence, compliance	Accès, efficacité, santé publique	Productivité, qualité, rentabilité	Choix et autonomie des individus, qualité de vie
ACTEURS PIVÔTS	Sociétés savantes, comités d'experts	Agences sanitaires, comités	Entreprises, groupes d'intérêts	Groupes d'usagers, victimes, associations de patients
RÉGIME DE PREUVE	Pharmacologie, bonnes doses et indications	Statistique, essai clinique contrôlé	Chimie, contrôle de qualité Études de marché, analyses coûts-bénéfices	Épidémiologie d'observation, analyses bénéfice-risque
OUTILS POUR L'INTERVENTION	Pharmacopée, vade-mecum thérapeutiques, recommandations, ordonnances	Procédures de mise sur le marché, avis publics, étiquetage obligatoire	Essais standards, publicité scientifique, notices et emballages	Dispositifs d'enregistrement des effets indésirables, jurisprudence, articles de presse
ARÈNE PRIVILÉGIÉE	Académique	Réglementaire	Économique	Médiatique, politique

BIBLIOGRAPHIE ET SOURCES IMPRIMÉES

Articles de presse et anonymes

« Aliments le goût se perd » *L'Express*, 15 mars 1971.
« Bill on Food Additives Gains », *New York Times*, 14 Août 1958.
« Du poison dans votre assiette », *Libération*, 11 déc. 1963.
« Halt Sale of Chicken Treated with Stilbestrol » *Feedstuffs*, 12 déc. 1959, Vol. 31, p. 96.
« Hormones and cancer », *New York Times*, 29 janvier 1956.
« Implanting stilbestrol brings good results » *Successful Farming*, Mai 1956, Vol. 54, p. 140.
« Kennedy's Message to Congress on Protection for Consumers » *New York Times*, 16 mars 1961.
« Le contrôle de la pharmacie vétérinaire : enfin ou encore ? » *Le Monde*, 18 avril 1975.
« Les estrogènes et les campagnes anti-veau » *L'Élevage*, oct. 1976 , p. 23.
« Les poisons de la table », *Le Nouvel Observateur*, 29 nov. 1971.
« New tests results with hormone pellets », *Farm Journal*, Déc. 1956, Vol. 80, p. 18.
« Production industrielle de viande bovine aux USA », *L'Élevage*, janvier 1973.
« Qualité des aliments : Offensive accrue contre les fraudeurs », *Le Figaro*, 17 mars 1976.
« Savez-vous ce que vous mangez ? », *L'Express*, 11 nov. 1978,
« Trois inspecteurs vétérinaires seulement pour Rungis », *France-Soir*, 1er mars 1973.
« Un éleveur et un vétérinaire sont inculpés pour utilisation illégale de produits estrogènes », *Le Monde*, 27 nov. 1972.
« Viandes : excès d'abattoirs », *Le Monde*, 10 sept. 1980.

Ouvrages et articles

Apfel, R. J., Fisher, S. M., *To Do No Harm. DES and the Dilemmas of Modern Medicine*, New Have, Yale University Press, 1984.
Bell, S. *The Synthetic Compound Diethylstilbestrol (DES) 1938-1941 : The Social Construction of a Medical Treatment*, PhD Thesis, Brandeis University, 1981.

Bonah, C. et Gaudillière, J.-P., « Faute, accident ou risque ? La régulation des évènements indésirables du médicament à l'aune des affaires Stalinon et Distilbène », *RFAS*, sous presse.

Bouillon, R. *Hormones naturelles et production de viande*, Thèse, École Nationale Vétérinaire d'Alfort, 1963.

Daemmerich, A., *Pharmacopolitics. Drug Regulation in the United States and in Germany*, Chapel Hill, University of North Carolina Press, 2004.

Dickemann, W. J. *et al.*, « Does the administration of DES during pregnancy have therapeutic value ? » *American Journal of Obstetrics and Gynaecology*, 1953, 66, pp. 1062-1081.

Dunlap, T. R., *DDT, Scientists, Citizens and Public Policy*, Princeton University Press, 1981.

Escoffier-Lambiotte, Dr., « Une monumentale erreur médicale. Les enfants du distilbène », *Le Monde*, 16 février 1983.

Ferrando, R., « Toxicité relais de la viande et du foie de veau recevant des implants d'hormones. Premiers résultats » *Comptes Rendus de l'Académie des Sciences*, Série D, 1971, vol. 273, pp. 1224-1227.

—, « Les anabolisants stéroïdiques et non stéroïdiques et l'élevage », *Bulletin de l'Académie Nationale de Médecine*, 1980, 164, pp. 568-572.

Ferrando, R. et Boivin, R., « Influence sur la fécondité du rat de la viande provenant de veaux implantés au DES », *Comptes Rendus de l'Académie des Sciences*, Série D, 1972, 274, pp. 251-253.

François, A. C., « L'utilisation des antibiotiques dans l'alimentation animale », *Bulletin de l'Académie Nationale de Médecine*, 1966, 11, pp. 13-26.

Gaudilliere, J.-P., « Better Prepared than Synthesized. Adolf Butenandt and Schering AG : Turning Sex Steroids into Drugs », *Studies in History and Philosophy of the Biological and the Biomedical Sciences,* 2005, 36, pp. 612-644.

—, « Hormones at Risk : Cancer and the Medical Uses of Industrially Produced Sex Steroids in Germany, 1930-1960 », in Schlicht, T. et Ströhler, U. (eds), *Risk and Safety in Medical Innovation*, London, Routledge, pp. 148-169.

—, *La médecine et les sciences, 19-20e siècles*, Paris, La Découverte, 2006.

—, « De la faute au risque iatrogène : les crises distilbène en France et aux États-Unis », programme MIRE « Évènements indésirables », rapport de recherches, décembre 2007.

Gaudillière, J-P. et Joly, P.-B., « Appropriation et régulation des innovations biotechnologiques. Pour une comparaison transatlantique », *Sociologie du travail,* 2006, 48, pp. 330-349.

Hays, S. P., *Beauty, Health and Permanence : Environmental Politics, 1955-1985*, Cambridge University Press, 1987.

Herbst, A. L., Ulfelder, H., Poskanzer, D. C., « Adenocarcinoma of the vagina: Association of maternal stilbestrol therapy with tumor appearance in young women », *New England Journal of Medicine*, 1971, 284, pp. 878-881.

Hubscher, R., *Les maîtres des bêtes. Les vétérinaires dans la société française, 18-20e siècle*, Paris, Odile Jacob, 1999.

Marcus, A. I., *Cancer From Beef. DES, Federal Food Regulation and Consumer Confidence,* Baltimore, The Johns Hopkins University Press, 1986.

Marks, H., *The Progress of Experiment. Science and Therapeutic Reform in the United States, 1900-1990*, Cambridge, Cambridge University Press, 1997.

Marks, L., *Sexual Chemistry : A History of the Contraceptive Pill*, New Haven, Yale University Press, 2001.

Meyers, R., *DES, the Bitter Pill*, New York, Putnam, 1986.

Morgen, S., *In Our Own Hands : The Women's Health Movement in the US*, New Brunswick, Rutgers University Press, 2002.

Murard, L. et Zylberman, P., *L'hygiène de la République*, Paris, Fayard, 1996.

National Research Council, Committee on Animal Nutrition, Subcommittee on Hormones, *Hormonal Relationship and Applications in the Production of Meat, Milk and Eggs*, Washington DC, National Academy of Science, 1959.

Pellerin, J., *Les stéroïdes anabolisants et leur utilisation en thérapeutique vétérinaire*, Thèse, École Nationale Vétérinaire d'Alfort, 1968

Proctor, R., *Cancer Wars*, New York, Basic Books, 1985.

Spira, A. *et al.*, « Administration du DES durant la grossesse : un problème de santé publique », *Revue d'Epidémiologie et de Santé Publique*, 1983, 31, pp. 249-272.

Traoré, F., *Perspectives d'emploi des anabolisants en animaliculture*, Thèse, École Nationale Vétérinaire d'Alfort, 1971.

Truhaut, R. et Fernando, R., « Résultats de 8 ans de recherches sur l'évaluation toxicologique des additifs à l'alimentation animale par la méthode dite de toxicité directe », *European Journal of Toxicology*, 1976, 9, pp. 413-422.

U.S. Congress, « An Act to Protect the Public Health by Amending the Federal Food, Drug and Cosmetic Act to Prohibit the Use in Food of Additives Which Have Not Been Adequately Tested to Establish Their Safety », *US Statutes*, 1958, pp. 1784-1789.

US Congress, House of Representatives, Intergovernmental Relations Subcommittee of the Committee on Government Operations, *Regulation of*

DES. Its uses as a Drug for Humans and in Animal Feeds, Hearings of November 11th, 1971.

Vissac, B. (avec la contribution de B. Leclerc), *Les vaches de la République,* Paris, Inra Éditions, 2002.

Vuillaume, R., « Des viandes aux hormones », *L'élevage*, mars 1975, pp. 63-66.

Vuillaume, R., « Oui aux anabolisants sans risque », *L'élevage bovin,* décembre 1983, pp. 11-12.

DU PRODUCTIVISME A L'AGRICULTURE DURABLE

LES VICISSITUDES DE LA PRISE EN COMPTE DES RÉSISTANCES VARIÉTALES DANS LA SÉLECTION DU BLÉ

François HOCHEREAU[1]

INTRODUCTION

Inscrite en 1989, la variété *Renan* concrétise un programme d'amélioration génétique du blé tendre lancé par des chercheurs de l'Inra à partir des années 60[2], pour sélectionner des variétés résistantes aux maladies. Depuis 1996, des variétés comme *Balthazar* (1996)[3], *Oratorio* (1996), *Cezanne* (1998), *Virtuose* (1998), *Farandole* (1999), *Caphorn* (2001) et tout récemment *Koreli* (2006) lui ont emboîté le pas, aidées en cela par les modalités d'inscription au catalogue du CTPS (Comité Technique Permanent de la Sélection des espèces et variétés et de la certification des semences)[4], qui octroient un bonus aux variétés tolérantes aux maladies[5]. Un obtenteur privé rapporte ainsi :

---

[1] François Hochereau est sociologue, chargé de recherche à l'Inra, unité SenS-IFRIS, <francois.hochereau@grignon.inra.fr>.

[2] Doussinault *et* al., « Évolution de la variabilité génétique ».

[3] Les années entre parenthèses correspondent à l'année d'inscription de la variété au catalogue français (européen pour *Farandole*) des variétés. Cf. Dossier Variétés, *Perspectives agricoles*.

[4] Créé en 1942, le CTPS est un organe consultatif du Ministère chargé de l'Agriculture qui associe tous les partenaires de la filière des variétés et des semences (chercheurs, instituts techniques, producteurs de semences, coopératives, meuniers,..). Il définit les règles d'homologation des innovations variétales avant autorisation de mise sur le marché

[5] Mistou, « Blé tendre ».

> « Dans les années 80, le choix des variétés par les producteurs était d'abord dicté par la productivité. Aujourd'hui, les résistances commencent à être davantage prises en compte dans le but de limiter les intrants »[6].

L'intérêt de l'Amélioration des Plantes pour la prise en compte des résistances variétales n'est cependant pas nouveau. Dès 1908, Émile Schribaux, un des tous premiers généticiens français[7], écrivait déjà :

> « Une variété parfaite doit être adaptée au milieu vivant. Cette condition domine toutes les autres de très haut. Quel intérêt une plante excellente à tous égards, présenterait-elle, si elle ne résistait pas au milieu vivant et non vivant, si elle ne résistait pas à la chaleur, au froid, aux insectes, aux champignons qui sévissent ? »[8].

La généralisation des intrants chimiques (engrais dans les années 60 et 70, fongicides à partir des années 70) va fortement réduire cette préoccupation historique des sélectionneurs (et des agriculteurs) pour l'Interaction Génotype Milieu (nous utiliserons désormais le sigle IGM), car leur introduction dans les cultures permet de s'affranchir des contraintes du milieu sur le développement du rendement des plantes. L'intensification des cultures qui en découle n'est pas cependant sans s'accompagner de controverses, au sein même du Comité Technique Permanent de la Sélection des plantes cultivées (CTPS)[9], entre les promoteurs de la lutte chimique contre les maladies et ceux qui se soucient de maintenir un programme de lutte biologique. C'est ainsi que des coopérations inédites en généticiens et agronomes de l'Inra, puis avec les sélectionneurs privés vont s'établir dans le cadre du développement d'un programme d'Amélioration des Plantes basé sur la résistance aux maladies.

Notre texte explicite la trajectoire que suit l'évaluation de l'IGM au sein du paradigme de la « variété-lignée pure », très bien décrit par Christophe Bonneuil et Frédéric Thomas[10], qui constitue le cadre cognitif et normatif de la modernisation de l'agriculture durant les Trente Glorieuses. Si le développement d'un tel modèle productiviste se caractérise au départ par une prééminence quasi indiscutée de la recherche publique sur la sélection

---

[6] Interview de Philippe Lonnet dans le dossier « Variétés » de *La France Agricole* du 3 août 2001, p. 34.

[7] Professeur à l'Institut National Agronomique, il deviendra le directeur de la station centrale d'amélioration des plantes, lors de la création de l'IRA (ancêtre de l'Inra) en 1921.

[8] Mayer, « L'amélioration des plantes », p. 10.

[9] Créé en 1942, c'est un organe consultatif du Ministère de l'Agriculture qui associe tous les partenaires de la filière des variétés et des semences, en définissant les règles d'évaluation des nouvelles variétés en vue de leur autorisation de commercialisation.

[10] Bonneuil et Thomas, *Gènes, pouvoirs et profits*, chap. 2 section 2.1.

privée, les débats deviennent plus vifs, à partir des années 70 et surtout 80, sur les contours à donner à l'Amélioration des Plantes. Ces controverses nous semblent s'inscrire dans le moment de basculement, entre un mode « Colbertiste » de polarisation des recherches par l'État et un mode « Corporatif » où le pouvoir de la Profession s'accroît[11].

Notre histoire montre le rôle moteur que continue cependant de jouer l'Inra dans l'orientation des recherches, en privilégiant l'incidence des maladies sur le rendement des cultures. Cette nouvelle polarisation des recherches amorce en fait un tournant environnemental de la sélection du blé, qui prendra la forme de la création de variétés « rustiques » capables de concilier productivité et bas niveaux d'intrants chimiques.

LA CONSTRUCTION SCIENTIFIQUE DE LA SÉLECTION VÉGÉTALE PAR L'INRA

Initiée par Louis de Vilmorin en 1856, la méthode de sélection généalogique des variétés céréalières relève jusqu'à la seconde guerre mondiale essentiellement du secteur privé, où elle s'apparente plus à un art qu'à une science.[12] A la suite d'Émile Schribaux, les premiers travaux des généticiens de l'IRA (Institut de Recherches Agronomiques) s'attachent à rationaliser les techniques de sélection utilisées. Ces transformations sont dues pour une bonne part à l'influence de Charles Crépin[13] qui améliore l'appréciation des caractéristiques variétales, notamment celles des géniteurs à mobiliser dans les croisements pour obtenir les qualités attendues[14]. A la différence des sélectionneurs privés, les scientifiques de l'IRA se soucient de la faculté d'adaptation des plantes aux milieux de culture, ce qui conditionne la régularité de leur rendement sur différentes années et dans différents sols et climats. Cela oriente leur travail de sélection, comme l'explique l'un d'eux :

> « J'ai travaillé à la station d'Amélioration des Plantes de Clermont de 1932 à 1945. Le travail, c'était la recherche de géniteurs en se servant des critères de résistances aux maladies et de résistance au froid. Enfin, toutes les

[11] Bonneuil et Thomas, *Gènes, pouvoirs et profits*, chap. 5 section 2.2.

[12] Entretien de Jacques Huet par D. Poupardin, *Archorales*, tome 3, INRA, Paris, p. 89-106.

[13] Il deviendra le premier directeur de l'Inra.

[14] Mayer, « L'amélioration des plantes ».

caractéristiques possibles. Cette étude faite, on faisait des croisements entre les géniteurs et on faisait de la sélection »[15].

L'exemple le plus caractéristique de cette combinaison de qualités d'adaptation complémentaires réside dans la création de la variété de blé *Étoile de Choisy* qui contribue fortement au progrès génétique apporté par l'Inra aux sélectionneurs privés. Cette variété innovante comprend, dans sa généalogie, un blé (*Mouton à Épis Roux*) sélectionné pour sa résistance au froid, un blé (*K3*) sélectionné pour sa faible sensibilité à la rouille noire (maladie du blé) et à la verse, ainsi qu'un blé italien (*Ardito*) particulièrement bien adapté pour la zone Sud (du fait de sa précocité)[16]. Inscrite en 1950, elle restera durant très longtemps le premier blé cultivé du Sud du Bassin Parisien au Sud de la France. Sous l'impulsion de Charles Crépin et de Jean Bustarret[17], le Comité Technique Permanent de la Sélection des plantes cultivées (CTPS) pousse à la généralisation de nouvelles méthodes d'évaluation plus rigoureuses des variétés en voie de commercialisation. Des seuils de résistance aux maladies, au froid et à la verse sont imposés à partir de 1950.[18] Un réseau national d'expérimentation au champ est mis en place, avec une diversité d'implantations en France, afin d'évaluer l'adaptation des variétés aux différentes conditions pédoclimatiques susceptibles d'être rencontrées. L'imposition de ces nouveaux critères d'inscription oriente fortement le travail des sélectionneurs de blé, puisque des maladies comme la rouille noire ou le charbon, très pénalisantes dans les années 1950, disparaissent progressivement pour ne plus constituer, à la fin des années 1960, un facteur de risque pour les cultures.

Mais, ce qui caractérise le nouveau réseau national d'expérimentation, c'est l'apparition d'un critère d'inscription sur le rendement, les variétés n'étant jusqu'alors évaluées que sur des critères de fixité et d'homogénéité de la plante. Un des protagonistes de sa mise en place explique :

> « Une variété devait être une variété lignée pure pour être admise au catalogue. Il nous fallait vérifier que tous ces épis avaient les mêmes caractères et puis ensuite vérifier que leurs descendances étaient identiques entre elles. A partir de 1950, on a pensé à prendre en compte des critères agronomiques pour l'inscription des

---

[15] Entretien de Robert Mayer par Denis Poupardin, Archorales, CAC-Archives Nationales (n° 20060199, art 29), Noisy-le-Roi, 30 novembre 1995.

[16] Simon, « L'amélioration des plantes aux premiers temps de l'Inra », p. 264

[17] Proche collaborateur de Charles Crépin, celui-ci est à l'origine du concept de la variété-lignée pure, publié en 1944 dans un article intitulé « Variétés et variations ». Cf. Bonneuil et Thomas, *Gènes, pouvoirs et profits*, chap. 2.

[18] Archives du CTPS (GEVES), Section Céréales, Procès verbal du 19 juin 1950. Ce document, ainsi que les autres compte-rendus du CTPS cités dans cet article, a été consulté dans les locaux du Geves avec l'aimable autorisation de sa direction.

variétés. Chaque caractère était affecté d'un coefficient. Et, bien sûr, celui du rendement était très fort »[19].

Ce critère va faire l'objet d'une réévaluation constante, tout au long des années 50[20], avec l'adoption, comme seuil de référence à atteindre, des variétés témoins qui sont les variétés les plus cultivées (c'est-à-dire les plus productives)[21]. Il s'agit en l'occurrence d'indexer les critères d'inscription au progrès technique (en l'occurrence, l'accroissement de productivité). Si l'imposition de critères d'inscription plus sévères sur les maladies[22] suscite des résistances fortes de la part des sélectionneurs privés, l'introduction du rendement comme critère majeur de l'inscription variétale emporte l'adhésion de la plupart d'entre eux. Il faut cependant attendre que les tests statistiques de validation des essais de rendement soient fiabilisés[23], pour que des variétés commencent à être écartées du fait d'un rendement insuffisant[24]. De 1957 à 1980, le rendement du blé en France progresse ainsi de plus de 1,2 q/ha par an[25]. Toutefois, la réalisation de ce rendement reste soumise à de nombreux aléas que les essais variétaux mettent en évidence[26]. En 1955, des attaques très virulentes de rouille jaune conduisent à durcir le système de notation de cette maladie du blé, avec un renforcement du dispositif d'expérimentation associé[27]. Ce même dispositif est revu à la hausse deux ans plus tard lors d'une nouvelle attaque généralisée d'un nouveau parasite[28].

---

[19] Entretien Michel Simon par D. Poupardin, Archorales, CAC-Archives Nationales (n° 20060199, art 24), 16 novembre 1995.

[20] Archives du CTPS (GEVES), Section Céréales, Procès verbal du 4 novembre 1954, du 3 octobre 1955 et du 29 septembre 1959. L'application du protocole complet d'inscription en 1955 conduit ainsi deux ans après à la première élimination d'une variété pour mauvais rendement (Procès verbal du 24 juillet 1957).

[21] Archives du CTPS (GEVES), Section Céréales, Procès verbal du 3 octobre 1955.

[22] Les sélectionneurs vont ainsi s'opposer avec succès à la révision à la hausse de l'exigence de résistance à la rouille jaune, en maintenant le témoin (variété Vilmorin 23) utilisé jusqu'alors. Archives du CTPS (GEVES), Section Céréales, Procès verbal du 20 juillet 1954.

[23] C'était alors les débuts de l'introduction des tests de Fischer dans les réseaux d'essais culturaux, il s'en est suivi une phase d'apprentissage pour homogénéiser les résultats d'essai afin de pouvoir les comparer statistiquement.

[24] Préconisé lors de la réunion CTPS du 19 juin 1950, l'évaluation du rendement n'est mise en œuvre qu'à partir de 1955 (Archives du CTPS (GEVES), Section Céréales, Procès verbal du 21 juillet 1955) pour n'être effective qu'en 1957 avec la première élimination d'une variété pour mauvais rendement (Procès verbal du 24 juillet 1957).

[25] Guyonnet, « De nouvelles ressources ».

[26] de Fosseux *et al.*, « Détermination de la valeur agricole ».

[27] Archives du CTPS (GEVES), Section Céréales, Procès verbal du 21 juillet 1955.

[28] Archives du CTPS (GEVES), Section Céréales, Procès verbal du 24 juillet 1957.

L'IMPOSITION PROGRESSIVE DU RENDEMENT COMME CRITÈRE ABSOLU DE LA SÉLECTION DU BLÉ

Cet équilibre entre rendement et maladies reste cependant précaire puisque, dès le début des années 60, les notes éliminatoires, liées aux trop fortes sensibilités aux maladies, sont supprimées[29]. Le critère de rendement devient dès lors incontournable, comme l'explique le responsable de l'expérimentation de l'époque :

> « Il y avait des variétés qui passaient l'inscription grâce à leur bon comportement aux maladies, mais leur rendement moyen faisait qu'elles n'étaient jamais cultivées ensuite. Réciproquement, des variétés qui pouvaient l'être, du fait d'un bon rendement, étaient refusées car trop sensibles. Les sélectionneurs nous ont demandé de revoir les critères d'inscription pour mieux valoriser les variétés les plus productives »[30].

Les années 60 se caractérisent ainsi par un poids croissant donné au rendement. Dès 1961, le seuil d'inscription passe de 52 points à 56 points ; cela renforce le poids des gros coefficients, comme le rendement (35)[31] ou la résistance à la verse (facteur limitant du rendement) (10). En 1965, le coefficient du rendement passe de 35 à 38, alors que le poids accordé aux résistances aux maladies reste constant (6 pour la rouille jaune) ou diminue (rouille noire, de 8 à 6 et charbon, de 4 à 3)[32]. Le renforcement des seuils de rendement, et surtout la référence systématique à des témoins de productivité implantés dans chaque lieu d'essai du Réseau National d'Expérimentation, contribuent à formater les représentations individuelles et collectives de la bonne variété à sélectionner.

Les résultats d'essais variétaux montrent en effet que les variétés très productives, adaptées au départ pour les terres riches, se montrent très performantes dans les terres plus pauvres. Les chercheurs de l'Inra en concluent qu'il est possible d'introduire des variétés à gros rendements, dans des sols à faible potentiel, sous réserve d'une fertilisation rationnelle, « avec l'espoir de récoltes plus rentables qu'avec la culture peu soignée des blés[33] qui passent pour être peu exigeants, mais qui n'ont qu'une faible

---

[29] Archives du CTPS (GEVES), Section Céréales, Procès verbal du 22 septembre 1959.

[30] Entretien de Michel Simon par l'auteur, mai 2007.

[31] Les chiffres entre parenthèses renvoient au coefficient affecté au caractère associé (rendement, verse,..).

[32] Archives du CTPS (GEVES), Section Céréales, Procès verbal du 29 avril 1965.

[33] Les « blés de pays » constituent alors l'archétype des blés adaptés à certains types de sols mais faiblement productifs. Le dispositif expérimental déployé par l'Inra est de facto un outil d'élimination progressif de ces variétés de pays ; cf. Bonneuil et Thomas, *Gènes, pouvoirs et profits*, chap. 2 section 3.

production »[34]. Il ne s'agit donc plus tant de sélectionner des variétés adaptées à leurs milieux de culture que d'identifier des variétés qui parviennent à maintenir un bon niveau de rendement un peu partout. Les chercheurs de l'Inra sont alors très moteurs pour aligner les seuils de productivité sur les variétés les plus productives de l'époque, ce qui encourage l'élimination d'un plus grand nombre de variétés[35]. Cette évolution est entérinée, à la fin des années 60, par l'évolution du protocole d'inscription des variétés qui supprime la distinction entre zone 1 (Nord et Bassin Parisien) et Zone 2 (Ouest et Centre Plaines)[36], puis, ultérieurement, par la création d'une catégorie d'inscription supplémentaire de variétés à très haut rendement[37].

La diffusion des nouvelles variétés productives inscrites désormais au catalogue du CTPS sous-tend cependant d'optimiser les conditions de culture leur permettant d'atteindre le meilleur rendement. A la suite de premières expérimentations effectuées sur ces variétés, Pierre Jonard[38] préconise une véritable révolution technologique de la culture du blé, basée sur l'adoption de règles de décision rationnelles sur le choix de la date et de la densité de semis, ainsi que sur les modalités de fertilisation azotée, par opposition à l'empirisme qui prévalait jusqu'alors (notamment dans la culture des variétés de pays). Ces règles particulières associées à la culture des céréales vont rapidement constituer la base de l'enseignement et de la vulgarisation agricole, sous la dénomination de *Phytotechnie.* A titre d'exemple, la Direction des Services Agricoles du Bas Rhin, actant du retard pris par les agriculteurs de la plaine d'Alsace en matière de fertilisation, engage un vaste programme d'expérimentation de 1959 à 1962. Il s'agit pour elle d'augmenter les doses d'engrais pratiquées pour adapter les conduites de cultures aux nouvelles variétés productives (Cappelle est ainsi passée de 10% de la sole de blé en 1954 à 60% en 1958)[39]. L'Inra apporte alors un

[34] Cotte et du Créhu, « Expérimentation des céréales », p. 686.

[35] Archives du CTPS (GEVES), Section Céréales, Procès verbal du 20 octobre 1967. En même temps, cette élimination reste en partie négociée avec les sélectionneurs dans le cadre du CTPS.

[36] Nouveau protocole d'inscription « blé tendre », Archives du CTPS (GEVES), Section Céréales, Procès verbal du 10 janvier 1969.

[37] Une catégorie C, correspond à des blés fourragers à faible valeur boulangère mais à haut rendement, est ainsi créée. Archives du CTPS (GEVES), Section Céréales, Procès verbal du 10 juillet 1972.

[38] Jonard, « Étude critique de quelques techniques culturales ».

[39] Archives de M Malabre, « La vulgarisation agricole en 1959 et 1961 », Direction des Services Agricoles, Bas Rhin, CAC-Archives Nationales (n° 19900161, art 25)

concours déterminant à la mise en place de telles expérimentations dans les différentes Directions de Services Agricoles[40].

L'effort d'expérimentation concerne plus particulièrement la fertilisation azotée qui peut être variable selon les types de blés. Les nouvelles variétés à paille rigide permettent en effet des apports d'azote plus élevés sans risque de verse, et donc une productivité accrue. Le responsable du Service de l'Expérimentation à l'Inra nous explique :

> « Dans les années soixante, on a conduit des expérimentations sur la verse, on jouait sur l'azote avec des essais comparatifs avec plusieurs doses d'azote, ce qui permettait d'affiner la note de sensibilité à la verse. Après, on a fractionné l'apport d'engrais selon la méthode Coïc[41]. C'est là qu'on s'est rendu compte des différences d'absorption de l'azote »[42].

L'arrivée des premières variétés demi-naines (porteuses d'un gène de nanisme)[43] marque une forme d'apogée de ce travail sur la fertilisation azotée. En effet, dès lors que la verse ne constitue plus un facteur limitant du rendement (la taille des blés étant passée d'1m50 à 80cm), les doses d'azote peuvent être fortement augmentées, d'autant plus que les premiers régulateurs de croissance[44] apparaissent dès 1967. A partir de 1970, le CTPS se penche donc sur un remaniement de son protocole expérimental, afin de tenir compte de la faculté de ces variétés à supporter des doses d'engrais et des densités de semis accrues[45]. Mais le constat s'impose rapidement, qu'au-delà d'un optimum, l'apport d'azote supplémentaire favorise un développement démesuré des maladies. L'adoption des premiers "fongicides"[46] dans les essais permet toutefois de s'en affranchir, ce qui induit une relance de l'expérimentation d'apports complémentaires d'azote combinés à des fongicides[47]. L'amélioration de l'efficacité de ces derniers, associée à la diffusion d'un bilan azoté optimisant l'alimentation des plantes

---

[40] Comptes-rendus de M Gessat du 30 décembre 1961 et de J Prats du 26 janvier 1962, Service d'Application de la Recherche à la Vulgarisation (section grandes cultures), Inra, Archives de J. Rébischung, CAC-Archives Nationales (n° 19900161, art 5).

[41] Coïc, « La nutrition et la fertilisation azotée du blé ».

[42] Entretien de Michel Simon par l'auteur, mai 2007.

[43] Le blé *Courtot* a été inscrit au catalogue français des variétés et semences en 1974, à partir de deux gènes de nanisme croisés par la station Inra de Clermont en 1963, à partir d'un blé mexicain issu du travail de Norman Borlaug (Révolution Verte). Cf. Paquet, « Étude de quelques problèmes ».

[44] Il s'agit d'intrants chimiques régulant la croissance des tiges et donc l'apport d'engrais supplémentaires.

[45] Archives du CTPS (GEVES), Section Céréales, Procès verbal du 08 janvier 1970.

[46] Les premiers désherbants sont homologués en 1970 et la première autorisation de vente de fongicides intervient en 1972. Cf. Perspectives agricoles, *Histoire du blé.*

[47] Archives du CTPS (GEVES), Section Céréales, Procès verbal du 24 octobre 1972.

en engrais[48], entérine, à la fin des années 70, un tournant majeur dans l'intensification des conduites de cultures, qui se caractérise par l'usage systématique d'intrants chimiques.

Les opérations *Blé Conseil*, lancées par le Ministère de l'Agriculture de 1979 à 1981, pour améliorer les rendements grâce à l'apport des nouvelles techniques de production du blé,[49] vont constituer un levier important de la diffusion des intrants azotés et phytosanitaires. De telles opérations visent à « conduire le plus grand nombre d'agriculteurs à utiliser les techniques jugées bonnes par l'ensemble des organismes compétents en matière de production du blé ». Entre 1979 et 1980, « les surfaces ayant reçu un fongicide ont ainsi beaucoup augmenté : 62% contre 40% en 1979 »[50].

LE DÉVELOPPEMENT D'UNE RECHERCHE INNOVANTE À L'INRA SUR LES RÉSISTANCES VARIÉTALES

Le CTPS se montre cependant réservé à la généralisation de ces nouveaux intrants chimiques dans la conduite des essais[51]. Craignant de développer des conditions d'expérimentation artificielles, susceptibles d'altérer l'évaluation du potentiel réel des plantes, ce comité maintient la conduite des essais non traités qui prévalait jusqu'alors. Dès la fin des années 60, Camille Moule, professeur à l'École Nationale d'Agronomie de Rennes et président du CTPS, a ainsi encouragé la mise en place d'un programme d'amélioration du blé tendre sur les résistances aux maladies. Gérard Doussinault est le premier chercheur recruté dans le cadre de ce programme, dont il assurera en fait la réalisation. Formé à l'Inra de Versailles, ce dernier s'appuie d'abord sur les travaux précurseurs de son laboratoire de cytologie du blé[52]. Il montre ensuite que le géniteur (VPM) conçu à Versailles présente des résistances à d'autres maladies du blé, comme l'Oïdium, les Rouilles et partiellement à la Septoriose[53].

---

48 Rémy et Hebert, « Le devenir des engrais azotés ».

49 Pecquet, « Les débuts de blé conseils »,

50 Jannot, « Blé conseils et l'évolution des techniques », cit. p. 29 et p. 31.

51 Compte-rendu de la commission "expérimentation" (fumure azotée, fongicide), Archives du CTPS (GEVES), Section Céréales, Procès verbal des 28 novembre 1972 et 18 décembre 1973.

52 Ce laboratoire a ainsi réalisé avec succès des croisements interspécifiques d'une espèce sauvage (*Aegilops Ventricosa*) vers le blé, en lui transférant des gènes de résistance au piétin verse (maladie du blé). Cela s'est concrétisé par la création du géniteur VPM. Cf. Maîa, « Obtention de blés tendres résistants »,

53 Doussinault *et al.*, « Utilisation des géniteurs V.P.M. ».

Mais c'est avec la création, en 1976, de la variété de blé *Roazon*, première variété à présenter des résistances intrinsèques aux maladies du blé, que son travail trouve un premier aboutissement. Cette variété est obtenue grâce à une collaboration étroite avec une cytogénéticienne (Françoise Dosba, recrutée également par Camille Moule en 1972) et un phytopathologue de Rennes (Jean Marc Lemaire), comme le raconte Gérard Doussinault :

> « Alors que je me plaçais au niveau de la sélection au champ, Françoise Dosba observait les chromosomes et leurs combinaisons et Jean Marc Lemaire se situait au niveau de l'agent pathogène. C'est à leur contact que j'ai acquis les techniques pathologiques (et la connaissance des manipulations génétiques) »[54].

Toutefois, comme le remarque un ancien proche collaborateur de Gérard Doussinault :

> « Les sélectionneurs privés étaient réticents à l'époque d'utiliser la variété Roazon dans leurs programmes de sélection, argumentant que les gènes de résistance dont elle était porteuse avaient un effet négatif sur le rendement »[55].

La diffusion généralisée des fongicides au début des années 80 limite l'intérêt des résistances variétales. A la suite de quoi, les pressions se font plus vives au CTPS, pour que les variétés soient évaluées avec des traitements fongicides. Mais les chercheurs de l'Inra continuent de résister en arguant du « risque de s'engager vers l'inscription généralisée de variétés n'extériorisant leur productivité que grâce aux traitements, et donc de s'orienter vers une agriculture onéreuse »[56]. L'analyse de la relation entre résistance variétale et productivité devient rapidement un problème majeur car, en autorisant des rendements accrus, les intrants chimiques fragilisent les plantes qui deviennent plus sensibles aux maladies[57]. Ce thème va susciter des collaborations inédites entre sélectionneurs publics et privés, comme le raconte Gérard Doussinault :

> « Au début des années 80, un premier contrat a été signé entre l'Inra et le Club des 5 (UNCAC (Serasem), Desprez, Benoist, Verneuil (Vilmorin), Rustica

---

[54] Entretien Gérard Doussinault par D. Poupardin, *Archorales*, CAC-Archives Nationales (n° 20060199, art 141), Inra de Rennes, 10 mars 1997.

[55] Entretien de Maxime Trottet (Inra) par l'auteur, septembre 2006. Ce généticien a été recruté en 1973 à l'Inra de Rennes pour assister Gérard Doussinault dans la sélection de variétés résistantes aux maladies.

[56] Archives du CTPS (GEVES), Section Céréales, Procès verbal du 22 octobre 1982.

[57] La lutte génétique contre les maladies (par introduction de gènes de résistance) est ainsi vue comme un complément d'une lutte chimique (par fongicides) pas toujours efficaces. Cf. Lescar, « Où en est la lutte contre les maladies ».

(groupe Elf))[58]. Là, nous avons appris à travailler ensemble autour d'un travail sur la résistance aux maladies, mais avec une volonté de transfert sous la forme de variétés commerciales (et donc productives) »[59].

Grâce à cette collaboration, les stations d'Amélioration des Plantes de l'Inra bénéficient de financements accrus de la part du secteur privé pour créer des géniteurs porteurs de résistances variétales[60]. Ces mêmes stations renforcent aussi leur coordination mutuelle en harmonisant les notations de leurs essais respectifs. La synthèse des informations recueillies est alors placée sous la responsabilité d'un ingénieur, pour coordonner les expérimentations et caractériser plus finement les lieux d'essais[61].

L'« ENRÔLEMENT » DES SÉLECTIONNEURS PRIVÉS POUR CRÉER DES VARIÉTÉS RÉSISTANTES

Initiée en 1981, la collaboration entre l'Inra et le Club des 5 s'était donnée pour objectif de les aider à mieux caractériser la présence de maladies dans leurs lieux d'essais, grâce à la mise au point d'un protocole d'observation plus précis et d'un système de notations au champ, qui soit objectif[62]. L'apparition des premières souches de champignons résistantes aux fongicides, en 1983[63], renforce logiquement l'intérêt des sélectionneurs pour les résistances variétales. La seconde étape[64] de la collaboration intègre ensuite l'objectif de réaliser différents croisements entre le matériel végétal, mis en commun par l'Inra et les sélectionneurs privés, afin de créer des variétés multi-résistantes dont *Renan* (1989) constituera ultérieurement le modèle. Mais le résultat le

---

[58] Impulsé par l'État en octobre 1980, la création d'un tel club vise à fédérer les principaux sélectionneurs de blé autour d'un partenariat étroit avec l'Inra, dans le souci de mettre en commun les travaux de recherche en amont, afin de conforter la position de leadership de ces entreprises nationales. Le programme de travail étalé sur neuf ans (1983-92) portera sur la pathologie et la résistance aux maladies, afin de réduire les coûts de production (charges en fongicides), ainsi que sur l'adaptation de ces blés aux divers besoins des industries de transformations. Cf. Grall et Levy, *La guerre des semences,* p. 278.

[59] Entretien Gérard Doussinault par D. Poupardin, *Archorales*, CAC-Archives Nationales (n° 20060199, art 141), Inra de Rennes, 10 mars 1997.

[60] Groupe « résistance aux parasites », réunion du Club des 5-Inra, Paris, 10 décembre 1981.

[61] G. Doussinault, Projet de l'affectation de M. Rauzy pour la mise en commun des travaux du réseau interstation, Groupe Céréales à paille, Inra, 19 février 1982.

[62] Groupe « résistance aux parasites », réunion du Club des 5-Inra, Paris, 10 mai 1983.

[63] L'analyse de la récolte 1982 par des chercheurs de l'Inra démontre ainsi l'apparition de souches résistantes du piétin verse (maladie du blé) aux fongicides alors utilisés pour la traiter. Cf. Cavelier et Leroux, « La résistance du piétin-verse ».

[64] État d'avancement, « amélioration pour la résistance aux maladies », Convention Inra-Club des 5, janvier 1985.

plus tangible de l'effort de l'Inra, pour que la sélection végétale ne s'inféode pas aux traitements fongicides, réside dans l'aménagement du protocole d'inscription du CTPS, à la fin des années 80. Dès 1983, Gérard Doussinault en a exprimé le principe :

> « Il faut orienter la sélection vers la résistance, en particulier envers les parasites nouveaux. Il faudrait donc bonifier quant on observe une réaction favorable à un parasite dominant (par exemple la rouille brune en 1983), et pénaliser si la variété ne peut exprimer son rendement que grâce au traitement (fongicide) »[65].

Toutefois, sous la pression des sélectionneurs, le comité du CTPS doit accepter le principe d'un recours systématisé à des traitements fongicides pour évaluer les variétés, en s'alignant sur les pratiques culturales des agriculteurs[66]. La mise en place du nouveau protocole d'expérimentation va cependant faire l'objet d'un compromis entre les « pro-traitements » et les « anti-traitements »[67], sur la base du maintien d'une conduite sans traitement, ceci afin de maintenir l'exigence d'une résistance intrinsèque des plantes aux maladies. Gérard Doussinault joue alors un rôle majeur dans la définition de ce double protocole (avec et sans traitements)[68], en proposant une grille d'évaluation qui prenne en compte l'écart des rendements obtenus en situation traitée et non traitée[69]. Cette proposition originale soulève aussitôt la réprobation de nombreux sélectionneurs[70].

Mais, Gérard Doussinault a préparé le terrain, en s'impliquant activement dans le groupe d'experts chargés de définir les nouvelles règles d'évaluation de la valeur agronomique, en y impliquant notamment un pathologiste et un représentant de la protection des végétaux[71]. La connaissance fine des milieux agricoles et l'expertise technique que tous lui reconnaissent, au

[65] Archives du CTPS (GEVES), Section Céréales, Procès verbal du 28 octobre 1983.

[66] L'usage systématisé de fongicides dans les essais variétaux devient en effet rapidement incontournable, sous la pression des sélectionneurs privés. Archives du CTPS (GEVES), Section Céréales, Procès verbal du 19 juillet 1985.

[67] Les scientifiques de l'Inra (Frantz Rapilly, Jean Koller,..), interpellés sur la généralisation des traitements, soulèvent le fait que leur efficacité dépend de circonstances qui échappent au contrôle de l'expérimentation, comme l'existence d'un parasite prédominant, le moment de l'infestation en fonction du stade de développement de la plante ou encore l'occurrence d'une épidémie. In Compte-rendu de la réunion du CTPS du 28 octobre 1983.

[68] Protocole de mise en place des essais spéciaux et des observations sur les maladies du blé, Essais du CTPS, Inra-GEVES, janvier 1988.

[69] Archives du CTPS (GEVES), Section Céréales, Compte-rendu de la réunion du groupe Pathologie Céréales du CTPS du 11 février 1988.

[70] Archives du CTPS (GEVES), Section Céréales, Procès verbal des 22 juillet et 21 octobre 1988.

[71] CTPS, Règlement technique d'examen des variétés nouvelles de céréales à paille en vue de leur inscription au catalogue officiel français, sept. 1989, annexe 33.3 B.

travers des partenariats scientifiques qu'il a établi avec les sélectionneurs (cf. ci-dessus) et les agronomes (cf. ci-après), lui permettent alors d'imposer l'introduction de l'écart de rendement en situation traitée et non traitée[72]. Si les nouvelles règles d'inscription adoptées en 1988-89[73] incitent à la création de variétés résistantes aux maladies, leur impact sur la sélection variétale reste au départ faible (les variétés étant jusqu'alors évaluées sans traitements). Il faudra attendre l'arrivée de la nouvelle PAC (1992), avec une chute des prix du blé estimé à 35%,[74] pour qu'une réelle mobilisation s'opère sur de tels objectifs de sélection. Mais l'ITCF (Institut Technique des Céréales et des Fourrages) constate cependant qu'il

> « n'existe pas pour l'instant de variétés tolérantes permettant de réduire, voire de supprimer les traitements. Si *Renan* avait donné quelques espoirs en ce sens, son niveau de potentiel (de rendement) est resté trop faible en 1990 et 1991 »[75].

La chute des prix du blé et l'arrivée de mesures agri-environnementales, induites par la nouvelle PAC de 1992, va toutefois maintenir, et même renforcer, les collaborations initiées depuis 10 ans, entre l'Inra et le Club des 5, pour sélectionner des variétés capables de cumuler des résistances durables[76] (c'est-à-dire peu susceptibles d'être contournées par les parasites).

LE RENOUVELLEMENT DES RECHERCHES SUR LES INTERACTIONS GÉNOTYPE-MILIEU (IGM)

Ce que questionne l'articulation délicate entre rendement et résistances variétales est une meilleure compréhension des IGM. Si l'amélioration de la résistance aux maladies s'accompagne souvent d'une diminution du potentiel de rendement, ce n'est pas systématique (certaines variétés très productives possédant elles-aussi des gènes de résistances)[77]. Ce constat a conduit des chercheurs de l'Inra à initier des collaborations pluridisciplinaires, dès les années 70, pour étudier les possibilités d'intensification des rotations de

---

[72] CTPS, Règlement technique d'examen des variétés nouvelles de céréales à paille en vue de leur inscription au catalogue officiel français, sept. 1989, annexe 33.3 B.

[73] Archives du CTPS (GEVES), Section Céréales, Procès verbal du 20 juillet 1989.

[74] Chominot, « Esquisse de commentaire ».

[75] Masson et Morel, « Le choix des variétés ».

[76] Les pathologistes appellent cela une résistance horizontale caractérisée par la présence de plusieurs gènes de résistances mineurs, par opposition à la résistance verticale basée sur la présence d'un gène majeur de résistance plus efficace que les précédents mais plus facilement contournable par les parasites. Cf. Fouilloux, « Comment sélectionner ».

[77] Doussinault, « Comment sélectionner une résistance durable ».

culture et leurs conséquences en termes de développement de parasites.[78] Ce n'est cependant qu'au cours des années 80, qu'un partenariat étroit se tisse entre les généticiens de la station de Rennes et les agronomes de l'INAPG[79] pour apprécier les différences variétales, en termes de rendement et de réponse aux parasites, afin de fournir des éléments permettant d'affiner les critères de sélection[80].

Centrée depuis longtemps sur l'analyse physicochimique des sols et leur apport aux cultures, l'agronomie a progressivement évolué, au cours des années 70, vers une « écologie appliquée à la production du peuplement des plantes cultivées et à l'aménagement des terrains agricoles »[81]. Il s'agit en quelque sorte d'identifier les points successifs du développement des cultures, en s'interrogeant sur les états du milieu (conditions écologiques) et du peuplement végétal (rendement), ainsi que les effets des techniques (histoire culturale) sur les deux. Cette « étude de la plante au champ » revendiquée dorénavant par certains agronomes[82] rejoint, d'une certaine façon, la biologie de la plante entière en lien avec son environnement, telle qu'elle se développe au Département de Génétique et d'Amélioration des Plantes (DGAP) de l'Inra[83], celle-ci se plaçant au carrefour de l'écologie et de la biologie cellulaire. La thèse de Josette Masle[84] constitue la principale illustration de cet ancrage de l'agronomie dans l'écophysiologie. Formée par Michel Sebillotte, professeur d'agronomie à l'INAPG, elle collabore avec les généticiens de la station d'Amélioration des Plantes de Rennes, tout au long des années 80. L'un d'eux raconte :

> « Début 80, sont arrivés des travaux agronomiques sur le peuplement du blé, qui détaillaient comment se forment les talles, les feuilles, les épis. On s'est alors interrogé sur le moyen de faire des diagnostics plus précis de ce qui pouvait limiter le développement du blé. On savait que les maladies étaient un facteur limitant et on cherchait à avoir des variétés résistantes (à la maladie et au fongicide) »[85].

Sous la houlette de Jean Claude Rémy (directeur du département d'Agronomie de l'Inra de 1983 à 1985) et de Gérard Doussinault (responsable

---

[78] Cette collaboration, impulsée par l'ONIC (Office National Interprofessionnel des Céréales), a associé des agronomes de Rennes, de Laon et de Toulouse, des pathologistes et des généticiens de Versailles et de Rennes. Cf. Inra, *Les rotations céréalières intensives*.

[79] Institut National d'Agronomie de Paris Grignon.

[80] Doussinault G., 1987, Rapport d'activité, Inra.

[81] Henin, « Les acquisitions techniques en production végétale ».

[82] Sebillotte, « Apprendre, Chercher, Innover », p. 17

[83] DGAP, Numéro spécial sur la biologie de la plante entière.

[84] Masle, *L'élaboration du nombre d'épis.*

[85] Entretien de Maxime Trottet par l'auteur, juillet 2004.

du *Groupe Céréales*[86] du DGAP), un groupe de travail, associant des spécialistes d'aspects complémentaires de l'écophysiologie des céréales, est créé entre des agronomes de Grignon (J. Masle, J.M. Meynard, J.M. Machet) et des généticiens de Rennes (G. Doussinault, L. Saur, P. Pluchard). Il s'agit d'identifier, à partir d'une expérimentation multi-locale, les facteurs limitants du rendement, d'en dater l'intervention et d'en hiérarchiser les conséquences[87]. Le colloque d'Écophysiologie du blé de Versailles (1985), impliquant de façon plus large des agronomes, des généticiens, des pathologistes constitue un lieu de valorisation des travaux engagés dans ce petit groupe de travail. Le travail de Josette Masle intègre alors le souci de Gérard Doussinault de prendre en compte la variabilité génétique[88], tandis que celui-ci se forme en retour aux méthodologies d'analyse de l'élaboration du rendement[89]. A la suite d'échanges initiés entre expérimentateurs, agronomes, généticiens et biométriciens[90] sur l'intérêt de développer des approches pluridisciplinaires qui permettraient de mieux valoriser les résultats des essais, Gérard Doussinault lance un programme d'expérimentation sur l'évaluation des Interactions Génotype-Milieu (IGM). Pour ce faire, il recrute un jeune agronome (Christophe Lecomte), en lui confiant la mission suivante :

> « L'objectif initial que l'on s'est fixé est de caractériser le milieu dans lequel l'essai a été conduit pour interpréter les résultats des variétés. (...) L'analyse fine de l'élaboration de leur rendement et des contraintes qu'elles ont subies doit

---

[86] L'animation scientifique du DGAP est alors, pour une large part, déléguée aux groupes « espèces » (Maïs, Tournesol, Céréales à paille,..) qui regroupent le travail des différentes stations d'amélioration des plantes autour de l'évaluation des innovations variétales expérimentées dans le réseau d'essais interstation. Cf. B. Schweisguth (directeur du DGAP), lettre du 2 septembre 1986.

[87] Doussinault, 1987, Rapport d'activité, Inra.

[88] Doussinault *et al.*, « Variabilité d'expression ».

[89] Masle *et al.*, « Méthodologie pour l'analyse ».

[90] L. Felix (Service d'Expérimentation), « Esquisse pour une réflexion pluridisciplinaire sur le thème Génotypes-Milieux », lettre adressée à B. Schweisguth (directeur du DGAP).

Cet ingénieur du Service d'expérimentation (en charge des essais du CTPS) s'interroge en effet sur l'intérêt d'associer des généticiens et des agronomes pour établir des classements (Lieux x Années) et (Génotypes x Milieux), en distinguant les facteurs du milieu physique, ayant introduit des variations sensibles sur les plantes, et les composantes du rendement, spécifiques aux types variétaux mis en comparaison.

J.-C. Rémy (directeur du département d'Agronomie), lettre adressée à J.-B. Denis (biométricien de l'interaction Génotype Milieux), 18 novembre 1986. Celui-ci exprime l'intérêt de mieux caractériser les propriétés des génotypes et des milieux, en suggérant des collaborations entre la biométrie (J.-B. Denis), l'agronomie (E. Triboï et la génétique (M. Rousset).

Ces lettres figurent dans les archives personnelles de G. Doussinault.

permettre d'expliquer partiellement le comportement des variétés à sélectionner »[91].

Ce jeune ingénieur se tourne alors vers une méthode développée à l'INAPG, qui repose sur un diagnostic agronomique des facteurs limitants de ce rendement, tels qu'ils sont apparus dans les différents milieux de culture[92]. Jean Marc Meynard, qui en est le principal concepteur, a aussi été un participant actif du groupe écophysiologie du blé, constitué par Gérard Doussinault avec les agronomes de l'INAPG[93]. Le recours à un tel diagnostic agronomique suppose cependant l'adoption d'un protocole de collecte de données assez lourd, car il s'agit d'observer et mesurer tout ce qui risque de jouer sur le rendement du blé[94]. Le *Groupe Céréales* du DGAP décide en conséquence de créer un nouveau groupe de travail, dénommé "Écophysiologie", pour construire des indicateurs et des fiches d'observations qui puissent être communs aux expérimentateurs du réseau inter-stations de l'Inra.[95] Des analyses statistiques plus élaborées sont également mobilisées, afin d'estimer les IGM de façon quantitative, en synthétisant les données collectées sur l'ensemble des lieux d'expérimentation[96]. Une thèse[97] est lancée, en collaboration avec le laboratoire de biométrie de Versailles, pour évaluer des modèles statistiques permettant d'estimer les IGM[98]. Un autre ingénieur, muni d'une double compétence en génétique et en statistique, est également recruté pour exploiter sur un plan statistique les données du réseau d'essai inter-stations.

L'INSTRUMENTATION DE L'ÉVALUATION DE L'INTERACTION GÉNOTYPE-MILIEU (IGM)

Toutes ces compétences en Agronomie et Statistiques vont se trouver fédérées dans le cadre d'une convention, établie sur 3 ans (1991-1993), entre l'Inra, le GEVES et l'ITCF[99]. afin « d'appliquer les acquis récents en

[91] Lettre de Gérard Doussinault du 22 novembre 1988

[92] Meynard et Sebillotte, « Diagnostic sur les causes de variation ».

[93] Doussinault G., 1986, rapport d'activité, INRA.

[94] Meynard et David, « Diagnostic de l'élaboration du rendement ».

[95] Archives DGAP, Compte-rendu du *Groupe Céréales* du 13 et 14 septembre 1988

[96] Archives DGAP, Compte-rendu du *Groupe Céréales* du 19 et 20 septembre 1989.

[97] Parisot-Baril, *Étude de la stabilité du rendement.*

[98] Archives DGAP, Compte-rendu du *Groupe Céréales* du 13 et 14 septembre 1990.

[99] Le GEVES (Groupe d'Étude et de contrôle des Variétés et des Semences), nouvelle appellation du Service d'Expérimentation, et l'ITCF (Institut Technique des Céréales et des

biométrie et en écophysiologie à l'évaluation de la valeur agronomique des variétés de céréales à paille dans différentes conditions de milieu »[100]. Cette collaboration se poursuit ensuite, dans le cadre d'un second contrat de branche (1994-1996), le *Groupe Céréales* de l'Inra (dont Gérard Doussinault est le président) ayant réussi à influer sur les préoccupations des sélectionneurs pour pérenniser le programme sur les techniques d'expérimentation, initié trois ans plus tôt[101]. A la demande des sélectionneurs[102], une orientation plus marquée est donnée à la création variétale plus que sur les aspects jugés trop théoriques de méthodologie de sélection.

Les chercheurs de l'Inra de Rennes (Gérard Doussinault, Philippe Lucas, Maxime Trottet, Bernard Rolland)[103] affichent alors une nouvelle orientation vers la sélection de variétés qui permettraient des économies d'intrants, tout en maintenant les marges brutes des exploitations agricoles. Le contexte de la nouvelle PAC étant favorable à une réduction des coûts et à la prise en compte de contraintes environnementales, ils peuvent influer sur un rééquilibrage des priorités entre lutte chimique (par les fongicides) et lutte génétique (avec une prise en compte accrue des résistances variétales)[104]. La nouvelle convention, passée entre l'Inra et le GIE Club des 5[105], acte en quelque sorte la reconnaissance de cette voie nouvelle de sélection vers des variétés munies de résistances durables aux maladies du blé. La valorisation de telles innovations variétales nécessite cependant la mise au point d'itinéraires de culture adaptés, c'est-à-dire avec des niveaux d'intrants réduits permettant d'évaluer la « rusticité » des génotypes obtenus. Le projet de travail entre l'Inra et le Club des 5 est donc amendé, afin de tenir compte de ces nouveaux objectifs et définir le cadre d'un nouveau contrat de branche entre les partenaires[106]. Les expérimentations de conduites de cultures à faibles intrants (avec peu ou pas d'engrais (azote) et de protection fongicides) vont s'appuyer sur les collaborations, initiées de longue date entre Gérard

---

Fourrages) sont en charge respectivement des essais CTPS d'inscription des nouvelles variétés puis de leur diffusion vers le monde agricole.

[100] Ministère de l'Agriculture et de la Pêche, Contrat de Branche, Appel d'offre (période 1991-1993), 26 avril 1990.

[101] Archives du CTPS (GEVES), Section Céréales, Procès verbal du 14 mai 1993.

[102] P. Benoist (président du GIE Club des 5), Orientation souhaitée par le Club des 5 pour la rédaction d'un nouveau contrat, fax du 16 avril 1993.

[103] Réunion interne de préparation du futur contrat de branche (1994-1996), Inra Rennes, 25 octobre 1993.

[104] H. Haslé, Préparation du futur contrat de branche (1994-1996), lettre du 28 octobre 1993.

[105] Convention cadre Inra-GIE Club des 5, mai 1995.

[106] Avenant au contrat Inra-GIE Club des 5, Rennes, 1 avril 1998.

Doussinault et Jean Marc Meynard[107], qui ont permis au premier de prendre connaissance des travaux novateurs du second, sur la possibilité de construire des itinéraires de culture à intrants réduits et alternatifs aux conduites intensives prévalant jusqu'alors en agriculture[108]. Dans la continuité du travail entrepris par les deux ingénieurs sur l'évaluation de l'IGM, la démarche de diagnostic agronomique est ainsi couplée avec des conduites de culture à faibles intrants, afin de mieux évaluer la performance des génotypes dans les différents lieux d'essais[109]. Les premières analyses montrent que ces nouvelles variétés obtiennent des rendements inférieurs aux témoins du CTPS en conduite intensive, mais supérieur en conduite extensive (avec réduction d'intrants).[110] C'est ainsi que des variétés comme *Balthazar*, *Oratorio* et *Virtuose* sont identifiées comme « type de variétés rustiques valorisant bien la réduction d'intrants »[111].

La nouvelle réforme de la PAC (Agenda 2000) accentuant la diminution du soutien aux prix agricoles, l'intérêt de maîtriser les coûts de production se trouve renforcé et, avec lui, celui d'évoluer vers une agriculture moins intensive[112]. Un nouveau programme d'expérimentation, associant les généticiens et agronomes de l'Inra, les sélectionneurs privés du Club des 5 et les ingénieurs de l'ITCF (jusqu'alors rétifs à toute idée d'extensification des cultures) est lancé, en janvier 1999, autour de la caractérisation d'itinéraires de cultures à bas intrants, qui soient adaptés aux variétés rustiques de blé tendre[113]. La démarche de diagnostic agronomique est mobilisée à nouveau, de façon plus systématique cette fois, pour étudier l'adaptation des variétés aux contraintes des milieux d'essais[114]. C'est l'occasion pour l'ingénieur en charge de ce diagnostic de développer une démarche innovante d'évaluation de l'IGM, combinant évaluation agronomique et estimation statistique. Celui-ci remarque :

[107] Celle-ci prend alors la forme du coencadrement de la thèse de Sabine Demotes, 1994, Effets de rayonnements faibles et de températures basses a la méiose sur la fertilité gamétique du blé tendre d'hiver, Thèse INAPG, Paris.

[108] Meynard, 1985, *Construction d'itinéraires techniques*.

[109] F. Dedryver *et al.*, 1998, Compte rendu d'activité, Contrat de branche Inra-Club des 5, Campagne 1997-1998.

[110] S. Demotes et C. Lecomte, Diagnostic des facteurs ayant limité le rendement au cours de la campagne 1997/1998, septembre 1998.

[111] Rapport de synthèse, Contrat de branche Inra-GIE Club des 5 1997-1999, 16 mai 2000.

[112] Différentes publications dans la presse agricoles (*Perspectives Agricoles*, n°233, mars 1998 ; *La France Agricole*, 25 septembre 1998 et 26 mai 200, *Cultivar*, 2 mai 2000) s'expriment ainsi sur le sujet et sur les expériences novatrices conduites par l'Inra.

[113] Loyce *et al.*, « Les variétés tolérantes ».

[114] Rapport d'étape, Contrat de branche Inra-GIE Club5-ITCF, 27 septembre 2000.

« Mon travail a vraiment été reconnu avec le réseau bas intrants[115]. Les gens ont eu la preuve que leurs analyses intuitives sur les facteurs limitants, pouvaient s'appuyer sur un outil de diagnostic formalisé, permettant de confirmer celles-ci et surtout de les généraliser à l'ensemble de leur réseau d'essais »[116].

CONCLUSION

La conception du diagnostic de l'Interaction Génotype Milieu (IGM) cristallise le rapprochement, au cours des années 80 et 90, d'un groupe de généticiens et d'agronomes de l'Inra, qui sont en fait les héritiers d'un Inra tourné vers la modernisation de la Ferme France, alors que celui-ci cherche à se positionner comme un organisme de recherche d'excellence[117]. Développant leurs travaux aux marges de leurs disciplines respectives (l'amélioration des plantes se tournant vers la biologie moléculaire et l'agronomie vers l'écophysiologie), ces chercheurs vont ainsi dessiner les contours d'une « troisième voie », entre une agriculture productiviste, néfaste pour l'Environnement, et une agriculture biologique, insuffisante pour nourrir la Planète. Le diagnostic de l'IGM constitue un substrat technique clé de cette évolution vers une agriculture « durable », en permettant d'identifier des variétés, dites « rustiques », qui valorisent la recherche d'un meilleur équilibre entre rendement des cultures et respect de l'environnement. Le programme d'expérimentation, dans lequel ce diagnostic trouve finalement sa place, vise ainsi à identifier des couples variétés-itinéraires de cultures, qui soient rentables tout en respectant des contraintes environnementales plus sévères. En évaluant différents types variétaux (sensibles ou peu sensibles aux maladies) au crible de quatre types de conduites culturales (intensive, raisonnée, à faible intrants, à très faible intrants), les résultats permettent de valider l'intérêt de cultiver des variétés rustiques, certes un peu moins productives mais plus rentables en termes de marge (du fait de l'allègement des charges)[118].

Un des obstacles à la sélection des variétés rustiques, réside cependant dans le mode d'inscription des variétés au catalogue du CTPS[119]. De fait, si

---

115 Réseau itinéraires techniques pour variétés rustiques de blé tendre, Contrat de branche Inra-GIE Club5-ITCF (1999-2002).

116 Entretien avec Christophe Lecomte par l'auteur, novembre 2005.

117 Bonneuil et Thomas, *Gènes, pouvoirs et profits*, chap. 8, section 1.2.

118 Rolland *et al.*, « Des itinéraires techniques à bas niveaux d'intrants ».

119 Bien que prenant en compte des essais traités et non traités, celui-ci valorise d'abord la productivité et non la « rusticité ». Cf. Entretien Christelle Godin (Inra GEVES), mai 2005. La situation tend aujourd'hui à évoluer, suite aux recommandations du Grenelle de l'Environnement, tendant à faire des systèmes de culture économes en pesticides un axe stratégique des contrats d'objectif et de moyens de l'Inra, du Cemagref, des Instituts

la diffusion des résultats de l'expérimentation « Variétés rustiques – Itinéraires à bas intrants » conduit les agriculteurs à privilégier la recherche de variétés résistantes aux maladies, le critère de rendement reste prioritaire[120]. Il est symptomatique de constater que la publicité de la variété Korelli[121], valorise d'abord son haut niveau de productivité, au regard des critères d'inscription du CTPS, alors que son point fort reste sa rusticité, c'est-à-dire le haut niveau de ses résistances variétales (cette variété étant directement issue des programmes de sélection de l'Inra).

La valorisation des variétés rustiques reste de fait dépendante d'une instrumentation appropriée, sous la forme de techniques de marquage moléculaires, qui améliorent l'introjection de gènes de résistance multiples[122], mais surtout d'outils de modélisation écophysiologique adaptés pour comprendre les interactions entre les Génotypes, les Milieux de culture et les pratiques culturales[123]. Déterminer l'équilibre entre les réductions d'intrants et analyser leur compatibilité avec les objectifs de productivité, dans une large gamme de situations pédoclimatiques, induit en effet une multiplication des essais et donc un coût très élevé de mise en place de réseaux d'expérimentation. Les limites pratiques de l'expérimentation variétale imposent de développer la modélisation du fonctionnement des cultures pour pouvoir extrapoler les résultats des essais existants, en simulant la diversité des itinéraires techniques et des systèmes de culture[124].

L'histoire de la sélection de variétés rustiques et, par là-même, celle des prémisses de la construction d'une agriculture « durable », nous informe ainsi sur l'enjeu d'un basculement progressif d'une logique d'expérimentation variétale, s'appuyant sur une connaissance empirique des Interactions Génotype-Milieu (IGM), vers une démarche de modélisation scientifique pour estimer, de façon plus rationnelle, l'impact des différents environnements de culture dans lesquels les variétés sont sélectionnées.

---

techniques et des chambres d'agriculture. In G. Paillotin, Rapport final du Comité opérationnel « Ecophyto 2018 », Chantier 15 « agriculture écologique et productive », 22 mai 2008.

[120] Enquête ONIC, Variétés de blé tendre – Récolte 2007, février 2007.

[121] Agri-Obtentions, 2006, « Koreli, un concert de bonnes notes », *L'innovation variétale en blé tendre d'hiver*. Notice technico-commerciale.

[122] Rapport de synthèse, Contrat de branche Inra-GIE Club des 5 1997-1999, 16 mai 2000

[123] Meynard et Jeuffroy, « Progrès génétique et Agriculture Durable ».

[124] Meynard et Savini, « La désintensification : point de vue d'un agronome ».

BIBLIOGRAPHIE ET SOURCES IMPRIMÉES

Bonneuil, C. et Thomas, F., *Gènes, pouvoirs et profits. La recherche publique face aux transformations des régimes de production des savoirs en génétique végétale*, Paris, Éd. Quæ-FPH, 2009.

Cavelier, P. et Leroux, P., « La résistance du piétin-verse aux benzimidazoles et aux thiophanates », *Perspectives agricoles*, 1983, n°68, pp. 33-35.

Chominot, A., « Esquisse de commentaire de la nouvelle PAC », *Perspectives Agricoles*, 1991, n°163, p. 25.

Coïc, Y., « La nutrition et la fertilisation azotée du blé d'hiver », *Annales Agronomiques*, 1956, n°7, pp. 115-131.

Cotte, A. et du Créhu, G., « Expérimentation des céréales dans la région de l'Ouest (Période 1950-55) », *Bulletin Technique des Ingénieurs des services agricoles*, 1956, n°114, pp. 681-697.

DGAP, Numéro spécial sur la biologie de la plante entière, *Le Tocsin du Radiateur*, 1977, n°5.

Doussinault, G., Koller, J. et Touvin, H., « Utilisation des géniteurs V.P.M. dans l'amélioration de l'état sanitaire du blé tendre », *Ann. Amélior. Plantes*., 24(3), 1974, pp. 215-241.

Doussinault, G., « Comment sélectionner une résistance durable chez le blé », *Le Tocsin du Radiateur*, 1977, n°1, pp. 20-27.

Doussinault G., Jaudeau B. et Jahier J., « Évolution de la variabilité génétique chez le blé », in Le Perchec, S., Guy, P. et Fraval, A. (eds.), « Agriculture et biodiversité des plantes », *Dossiers de l'environnement de l'INRA*, 2001, n°21, pp. 91-104.

Doussinault, G. et Masle, J., « Variabilité d'expression d'un certain nombre de caractéristiques de développement selon la variété, interaction avec le climat », *Journées de Versailles sur l'ecophysiologie du blé. Premiers résultats: 27 et 28 mars 1985*, Paris, Institut national de la recherche agronomique, 1987, pp. 65-86

de Fosseux, G., Simon, M., Guimbart, C. et Verbiest, R., « Détermination de la valeur agricole des variétés d'automne et de printemps, cultivés dans le Bassin Parisien et le Nord-Est de la France », *Bulletin Technique des Ingénieurs des services agricoles*, 1956, n°114, pp. 577-595.

Fouilloux, G., « Comment sélectionner simultanément pour la résistance verticale et la résistance horizontale », *Le Tocsin du Radiateur*, 1977, n°1, pp. 48-51.

Grall, J. et Levy, B.-R., *La guerre des semences, quelles moissons, quelles sociétés ?*, Paris, Fayard, 1985.

Guyonnet, J.-P., « De nouvelles ressources pour la sélection du blé tendre », *Semences et Progrès*, 1980, n°23, pp. 3-13.

Henin, S., « Les acquisitions techniques en production végétale et leurs applications », *Economie rurale*, 1967, pp. 31-44.

Inra, *Les rotations céréalières intensives. Dix années d'études concertées Inra - ONIC - ITCF, 1973-1983*. Ed. Inra, Paris, 1986.

Jannot, P., « Blé conseils et l'évolution des techniques », *Perspectives agricoles*, 1981, n°52, pp. 29-31.

Jonard, P, « Etude critique de quelques techniques culturales pouvant être appliquées au blé dans la moitié Nord de la France », *Bulletin Technique des Ingénieurs des services agricoles*, 1956, n°114, pp. 764-769.

Lescar, L., « Où en est la lutte contre les maladies », *Perspectives agricoles*, 1980, n°33, pp. 49-50.

Loyce, C., Bouchard, C., Meynard, J.-M., Rolland, B., Doussinault, G., Bernicot, M.-H. et Haslé, H., « Les variétés tolérantes aux maladies Une innovation majeure à valoriser par des itinéraires techniques économes », *Perspectives agricoles*, 2001, n°268, pp. 50-56.

Masson, E. et Morel, A., « Le choix des variétés de blé tendre selon les régions », *Perspectives Agricoles*, 1992, n°168, pp. 69.

Maïa, N., « Obtention de blés tendres résistants au piétin verse par croisements interspécifiques blés x *Aegilops Ventricosa* », *C.R. Acad. Agric. Fr.*, 1967, 53, pp. 149-154.

Masle, J., *L'élaboration du nombre d'épis chez le blé d'hiver : influence de différentes caractéristiques de la structure du peuplement sur l'utilisation de l'azote et de la lumière*, Thèse INAPG, Paris, 1980.

Masle, J., Doussinault, G., Huet, P., Machet, J.-M., Meynard, J.-M., Saur, L. et Sebillotte, M., « Méthodologie pour l'analyse du rendement du blé d'hiver », *Journées de Versailles sur l'écophysiologie du blé. Premiers résultats: 27 et 28 mars 1985*, Paris Institut national de la recherche agronomique, 1987, pp. 7-48.

Mayer, R., « L'amélioration des plantes », *Annales de l'amélioration des plantes*, 1962, hors série, vol. 12, pp. 3-128.

Meynard, J.-M. et Sebillotte, M, « Diagnostic sur les causes de variation du rendement du blé dans une petite région », *Les colloques de l'Inra*, 1983, n°17, pp. 157-168.

Meynard, J.-M., *Construction d'itinéraires techniques pour la conduite du blé d'hiver*, Thèse INAPG, Paris, 1985.

Meynard, J.-M., et David, G., « Diagnostic de l'élaboration du rendement des cultures », *Cahiers d'Etudes et de Recherches Francophones Agricultures*, 1992, n°1, pp. 9-19

Meynard, J.-M. et Jeuffroy, M.-H., « Progrès génétique et Agriculture Durable », *Le Sélectionneur Français*, 2002, n°53, pp. 69-82.

Meynard, J.-M. et Savini, I., « La désintensification : point de vue d'un agronome », *Dossier de l'environnement de l'Inra*, 2003, n°24, pp. 23-33

Mistou, M.-N., « Blé tendre. Connaître et utiliser les résistances des variétés vis-à-vis des maladies : les essais du CTPS », *Perspectives agricoles*, 2001, n°268, pp. 46-49.

Paquet, J., « Étude de quelques problèmes posées par une sélection pour le nanisme, type demi nain, chez le blé tendre ». *Annales de l'amélioration des plantes*, 1968, vol.18, n°3, pp. 237-260.

Parisot-Baril, C., *Étude de la stabilité du rendement chez le blé tendre d'hiver*. Thèse de Doctorat en Sciences, Université Paris Sud, 1992.

Pecquet, B., « Les débuts de blé conseils », *Perspectives agricoles*, 1981, n°52, pp. 11-12.

Rémy, J.-C. et Hébert, J., « Le devenir des engrais azotés dans le sol », *C.R. Acad. Agri. Fr.*, 1977, 63 (11), pp. 700-710

Sebillotte, M., « Apprendre, Chercher, Innover. Les parcours d'un agronome », *Bilan et Prospective*, Inra, Paris, 2001,

Poly, J., *Pour une agriculture plus économe et plus autonome*, Brochure Inra, juillet 1978.

Perspectives agricoles, « Histoire du blé », n° hors série, 14 juillet 1989.

Perspectives agricoles, « Dossier Variétés », mai 2003, n°290, pp. 91-103.

Rolland, B., Bouchard, C. Loyce, C., Meynard, J.-M., Guyomard, H., Lonnet, P. et Doussinault, G., « Des itinéraires techniques à bas niveaux d'intrants pour des variétés rustiques de blé tendre : une alternative pour concilier économie et environnement », *Le Courrier de l'environnement de l'Inra*, 2003, n°49, pp. 47-62.

Simon, M., « L'amélioration des plantes aux premiers temps de l'Inra : des hommes, des textes, des variétés » *in* Cranney, J., *Inra, 50 ans d'un organisme de recherches*, Paris, Inra Éditions, 1996, pp. 261-269

TABLE DES MATIÈRES

L'HARMATTAN, ITALIA
Via Degli Artisti 15 ; 10124 Torino

L'HARMATTAN HONGRIE
Könyvesbolt ; Kossuth L. u. 14-16
1053 Budapest

L'HARMATTAN BURKINA FASO
Rue 15.167 Route du Pô Patte d'oie
12 BP 226
Ouagadougou 12
(00226) 76 59 79 86

ESPACE L'HARMATTAN KINSHASA
Faculté des Sciences Sociales,
Politiques et Administratives
BP243, KIN XI ; Université de Kinshasa

L'HARMATTAN GUINÉE
Almamya Rue KA 028
En face du restaurant le cèdre
OKB agency BP 3470 Conakry
(00224) 60 20 85 08
harmattanguinee@yahoo.fr

L'HARMATTAN CÔTE D'IVOIRE
M. Etien N'dah Ahmon
Résidence Karl / cité des arts
Abidjan-Cocody 03 BP 1588 Abidjan 03
(00225) 05 77 87 31

L'HARMATTAN MAURITANIE
Espace El Kettab du livre francophone
N° 472 avenue Palais des Congrès
BP 316 Nouakchott
(00222) 63 25 980

L'HARMATTAN CAMEROUN
Immeuble Olympia face à la Camair
BP 11486 Yaoundé
(237) 458.67.00/976.61.66
harmattancam@yahoo.fr

655614 - Mai 2016
Achevé d'imprimer par

1livre.com
du rêve à la réalité !

Made in United States
Orlando, FL
04 November 2026

90209048R00168